RZEŹNICY I LEKARZE

Lindsey Fitzharris

RZEŹNICY I LEKARZE

Makabryczny świat medycyny i rewolucja Josepha Listera

tłumaczenie Łukasz Müller

Kraków 2018

Tytuł oryginału
*The Butchering Art. Joseph Lister's Quest to Transform the Grisly
World of Victorian Medicine*

Projekt okładki
Magda Kuc

Fotografia na okładce
Copyright © borzywoj / Shutterstock.com

Opieka redakcyjna
Artur Wiśniewski
Przemysław Pełka

Projekt typograficzny
Anna Niklewicz

Opracowanie tekstu i przygotowanie do druku
d2d.pl

ISBN 978-83-240-3754-4

Książki z dobrej strony: www.znak.com.pl
Więcej o naszych autorach i książkach: www.wydawnictwoznak.pl
Społeczny Instytut Wydawniczy Znak
ul. Kościuszki 37, 30-105 Kraków
Dział sprzedaży: tel. 12 61 99 569, e-mail: czytelnicy@znak.com.pl

Wydanie I, Kraków 2018
Druk: READ ME

Dla mojej babci Dorothy Sissors,
mojej premii w życiu

Prolog
Wiek męczarni

Gdy wybitny, lecz podstarzały uczony twierdzi, że coś jest możliwe, prawie na pewno ma rację. Gdy twierdzi, że coś jest niemożliwe, prawie na pewno się myli[1].

ARTHUR C. CLARKE

P o południu 21 grudnia 1846 roku setki mężczyzn tłoczyły się w amfiteatralnej sali operacyjnej szpitala należącego do University College w Londynie, gdzie najsławniejszy w mieście chirurg szykował się, żeby olśnić publiczność amputowaniem nogi w połowie uda. Zgromadzeni tam ludzie zupełnie nie zdawali sobie sprawy, że niebawem będą świadkami jednego z najważniejszych wydarzeń w historii medycyny.

Sala operacyjna była wypełniona po brzegi studentami medycyny oraz ciekawskimi, a wielu z nich przywlokło ze sobą brud, nieodłącznie związany z życiem codziennym w wiktoriańskim Londynie. Chirurg John Flint South zauważył kiedyś, że przepychanki i pośpiech towarzyszące zdobywaniu miejsc w sali operacyjnej przypominają poruszenie podczas zajmowania foteli na parterze czy na galerii w teatrze[2]. Ludzie tłoczyli się jak śledzie w beczce,

7

a ci z tylnych rzędów nieustannie się przepychali, żeby mieć lepszy widok, i wykrzykiwali: „Głowa, głowa!", ilekroć ktoś im zasłaniał[3]. Niekiedy sala była tak zatłoczona, że chirurg nie mógł przystąpić do operacji, zanim z pomieszczenia nie usunięto przynajmniej części widzów. Mimo że działo się to w grudniu, w środku panowała duchota niemal nie do zniesienia. Ścisk sprawiał, że zrobiło się dokuczliwie gorąco.

Publiczność składała się z niejednorodnej grupy mężczyzn, niektórzy z nich nie należeli do personelu medycznego ani nie studiowali medycyny[4]. Pierwsze dwa rzędy w sali operacyjnej były na ogół zajęte przez „dresserów szpitalnych". Tak nazywano ludzi towarzyszących chirurgom podczas obchodów i noszących pudełka z materiałami potrzebnymi do bandażowania ran. Dalej stali studenci, którzy nerwowo popychali jeden drugiego i szeptali do siebie w tylnych rzędach, oraz goście honorowi i reszta publiczności.

Medyczny wojeryzm nie był niczym nowym. Zrodził się w okresie renesansu w słabo oświetlonych amfiteatrach anatomicznych, gdzie na oczach zastygłych w bezruchu widzów przeprowadzano sekcje zwłok straconych przestępców, co stanowiło dodatkową karę za ich zbrodnie. Publiczność, która musiała zapłacić za wstęp, patrzyła, jak anatomowie rozcinają rozdęte brzuchy rozkładających się trupów i jak tryska z nich nie tylko krew, lecz także cuchnąca ropa[5]. Czasami owym makabrycznym pokazom towarzyszyły rytmiczne, niepasujące do tego miejsca dźwięki fletu. Publiczne sekcje były przedstawieniami t e a t r a l n y m i, formą rozrywki równie popularną jak walki kogutów czy szczucie psami niedźwiedzia. Nie każdy jednak potrafił je znieść. Francuski

filozof Jean-Jacques Rousseau tak napisał o tych praktykach:
„Jakże okropny jest widok anatomicznego amfiteatru: cuchnące trupy, oślizgłe, sine ciała, krew, wstrętne wnętrzności,
okropne szkielety, trujące opary! Nie, tam, słowo daję, Jan
Jakub nie będzie szukać rozrywek"[6].

Sala operacyjna w University College Hospital wyglądała
mniej więcej tak samo jak inne tego rodzaju obiekty w stolicy. Składała się ze sceny częściowo otoczonej półkolistymi
trybunami wznoszącymi się coraz wyżej w kierunku dużego świetlika zapewniającego światło pomieszczeniu poniżej.
W te dni, kiedy warstwa chmur przesłaniała słońce, scenę
oświetlały grube świece. Na jej środku stał drewniany stół
poznaczony śladami wcześniejszych jatek. Podłoga pod nim
była zasłana trocinami, by wchłaniały krew, która miała niebawem popłynąć z odciętej kończyny. Wrzaski operowanych
nieszczęśników najczęściej mieszały się dysharmonijnie z codziennymi odgłosami dochodzącymi z przebiegającej poniżej
ulicy: śmiechem dzieci, rozmowami przechodniów, łoskotem
przejeżdżających powozów.

W latach czterdziestych XIX wieku operacja chirurgiczna
była obrzydliwym przedsięwzięciem najeżonym ukrytymi
niebezpieczeństwami. Należało jej unikać za wszelką cenę.
Ze względu na związane z nią ryzyko wielu chirurgów w ogóle nie chciało operować, wolało się ograniczyć do leczenia
dolegliwości zewnętrznych, takich jak choroby skóry i po-
wierzchowne rany. Inwazyjnych zabiegów podejmowano się
rzadko i między innymi dlatego tak wielu widzów przybywało do amfiteatru w dniu operacji. Na przykład w Glasgow
Royal Infirmary w 1840 roku przeprowadzono ich tylko sto
dwadzieścia. Do operacji chirurgicznej zawsze uciekano się

w ostateczności i jedynie wówczas, gdy było to sprawą życia lub śmierci[7].

Lekarz Thomas Percival radził chirurgom, żeby między zabiegami zmieniali fartuchy i czyścili stół oraz narzędzia, nie ze względów higienicznych, lecz po to, żeby unikać „wszystkiego, co może wywoływać przerażenie"[8]. Niewielu stosowało się do jego zaleceń. Chirurg, odziany w fartuch pokryty warstwą zakrzepłej krwi, rzadko mył ręce czy narzędzia, a do sali operacyjnej przynosił ze sobą niedwuznaczną woń gnijącego ciała, którą ludzie związani z tym zawodem nazywali żartobliwie „poczciwym szpitalnym smrodem".

W czasach gdy chirurdzy uważali ropę za naturalny element procesu gojenia, a nie za złowieszczy objaw posocznicy, większość zgonów była spowodowana infekcjami pooperacyjnymi. Sale operacyjne stanowiły prostą drogę na tamten świat. Bezpieczniej było poddać się operacji w domu, a nie w szpitalu, gdzie odnotowywano od trzech do pięciu razy wyższe współczynniki umieralności niż w warunkach domowych. Jeszcze w 1863 roku Florence Nightingale oświadczyła, że „rzeczywista umieralność w szpitalach, zwłaszcza w dużych, zatłoczonych miastach, jest znacznie wyższa, niż skłonni bylibyśmy sądzić na podstawie wszelkich wyliczeń dotyczących umieralności w wyniku tego samego rodzaju chorób wśród pacjentów leczonych poza szpitalem"[9]. Leczenie w domu wiązało się jednak z dużymi kosztami.

Problemy nie ograniczały się do infekcji i brudu. Zabiegi chirurgiczne były bolesne. Przez wieki ludzie poszukiwali sposobów, by choć trochę to zmienić. Odkąd chemik Joseph Priestley otrzymał po raz pierwszy w 1772 roku podtlenek azotu, uznawano go za środek przeciwbólowy, jednak w chirurgii nie stosowano powszechnie tego „gazu rozweselającego", ponieważ jego działanie okazało się zawodne. Również mesmeryzm – nazwany tak od nazwiska niemieckiego lekarza Franza Antona Mesmera, który wynalazł tę technikę hipnotyczną w latach siedemdziesiątych XVIII wieku – nie został zaakceptowany przez główny nurt medycyny w tamtych czasach. Mesmer i jego zwolennicy uważali, że poruszając rękami nad pacjentem, wywierają na niego swego rodzaju wpływ fizyczny. Ów wpływ powodował rzekomo pozytywne zmiany fizjologiczne, które miały pomóc pacjentom w powrocie do zdrowia, i mógł także obdarzyć daną osobę mocami parapsychologicznymi. Większość lekarzy nie dała się jednak do tego przekonać.

W Wielkiej Brytanii mesmeryzm przeżył krótkie odrodzenie w latach trzydziestych XIX wieku, gdy lekarz John Elliotson zaczął przeprowadzać w University College Hospital publiczne pokazy, podczas których dwie z jego pacjentek, Elizabeth i Jane O'Key, potrafiły przepowiedzieć los innych pacjentów szpitala. Gdy znajdowały się pod hipnotycznym wpływem Elliotsona, utrzymywały, że widzą „Wielkiego Jacky'ego" (czyli śmierć) unoszącego się nad łóżkami tych, którzy później zmarli. Poważne zainteresowanie metodami Elliotsona nie trwało jednak długo. W 1838 roku redaktor „The Lancet", jednego z najważniejszych na świecie czasopism medycznych, podstępem skłonił siostry O'Key do przyznania się do oszustwa i w ten sposób zdemaskował Elliotsona jako szarlatana.

Widzowie zgromadzeni w University College Hospital po południu 21 grudnia mieli jeszcze świeżo w pamięci tamten skandal, gdy sławny chirurg Robert Liston oznajmił, że przetestuje na swoim pacjencie skuteczność eteru.

„Wypróbujmy dzisiaj, panowie, jankeską sztuczkę znieczulania ludzi!", zapowiedział, kierując się na środek sceny[10]. Gdy zaczął mówić, w amfiteatrze zapadła cisza. Stosowanie eteru, tak jak mesmeryzm, uważano za podejrzaną cudzoziemską metodę wprowadzania ludzi w stan przytłumionej świadomości. Nazywano to jankeską sztuczką, ponieważ eter został po raz pierwszy użyty do znieczulenia ogólnego w Ameryce. Odkryto go w 1275 roku, lecz jego działanie otępiające nie było znane do 1540 roku, kiedy to niemiecki botanik i chemik Valerius Cordus opracował rewolucyjną recepturę, która zakładała dodanie kwasu siarkowego do alkoholu etylowego. Współczesny mu Paracelsus eksperymentował z eterem na kurach i odnotował, że gdy ptaki wypiły ów płyn, zapadały w długotrwały sen, z którego budziły się całe i zdrowe. Doszedł zatem do wniosku, że substancja ta „łagodzi wszelkie cierpienia, nie wyrządzając żadnej szkody, uśmierza każdy ból, tłumi każdą gorączkę i zapobiega komplikacjom we wszelkich chorobach"[11]. Musiało jednak upłynąć kilkaset lat, zanim została przetestowana na ludziach.

Ta chwila nadeszła w 1842 roku, gdy lekarz Crawford Williamson Long użył eteru do znieczulenia ogólnego podczas operacji usunięcia guza z karku pacjenta w Jefferson w stanie Georgia. Z tego, co wiadomo, Long zrobił to jako pierwszy, lecz niestety wyniki swoich eksperymentów opublikował dopiero w 1848 roku. Wcześniej, bo we wrześniu 1846 roku, bostoński dentysta William T. Morton zdobył sławę, stosując eter przy wyrywaniu zęba. Relacja z tego udanego i bezbolesnego zabiegu ukazała się w jednej z gazet, co skłoniło pewnego znanego chirurga, żeby zwrócić się do Mortona o pomoc podczas operacji usunięcia dużego guza z dolnej szczęki pacjenta w Massachusetts General Hospital. 18 listopada 1846 roku doktor Henry Jacob Bigelow tak napisał w „The Boston Medical and Surgical Journal" o tej przełomowej chwili: „Od dawna poważny problem w medycynie stanowiło opracowanie jakiejś metody uśmierzania bólu podczas operacji chirurgicznych. Wreszcie odkryto skuteczny środek służący temu celowi"[12]. Następnie Bigelow opisał, jak przed rozpoczęciem operacji Morton podał pacjentowi gaz nazwany przez siebie letonem, od mitologicznej rzeki Lete, której woda sprawiała, że dusze umarłych zapominały o swojej ziemskiej egzystencji. Morton opatentował skład gazu wkrótce po operacji, lecz utrzymywał go częściowo w tajemnicy, nawet przed chirurgami. Bigelow ujawnił jednak, że był w stanie wyczuć w nim mdłą, słodką woń eteru. Wieść o cudownej substancji, która może pozbawić ludzi przytomności podczas operacji, szybko rozeszła się po świecie, ponieważ chirurdzy czym prędzej przystąpili do testowania skutków działania eteru na swoich pacjentach.

Tymczasem w Londynie amerykański lekarz Francis Boott otrzymał od Bigelowa list z pełną relacją z owych doniosłych wydarzeń w Bostonie. Zaintrygowany Boott przekonał stomatologa Jamesa Robinsona, żeby podał pacjentowi eter podczas jednego z wielu przeprowadzanych przez siebie zabiegów usuwania zęba. Eksperyment okazał się tak wielkim sukcesem, że Boott jeszcze tego samego dnia udał się pośpiesznie do University College Hospital, żeby porozmawiać z Robertem Listonem.

Liston był sceptyczny, choć nie na tyle, żeby przepuścić okazję wypróbowania czegoś nowego w sali operacyjnej. Wiedział, że sprzyjałoby to dobremu widowisku, a z tego właśnie słynął w całym kraju. Zgodził się zastosować eter podczas następnej operacji, która miała się odbyć dwa dni później.

Liston pojawił się na londyńskiej scenie w czasach, gdy „szlachetnie urodzeni lekarze" mieli znaczną władzę i wpływy w środowisku medycznym. Zaliczali się do elity rządzącej, tworzyli wierzchołek medycznej piramidy i w związku z tym stali na straży swojej profesji, przyjmując do niej jedynie tych, których uważali za ludzi dobrze wychowanych i spełniających wysokie standardy moralne. Oni sami byli oderwani od rzeczywistości i mieli bardzo niewielkie doświadczenie praktyczne, a pacjentów leczyli, posługując się w większym stopniu głową niż rękami. Ich wykształcenie opierało się głównie na klasykach. W tamtym okresie nie należało do rzadkości, że lekarze przepisywali kurację bez uprzedniego zbadania chorego. Co więcej, niektórzy udzielali porad medycznych tylko listownie, w ogóle nie widząc pacjentów.

Chirurdzy natomiast byli spadkobiercami długiej tradycji kształcenia poprzez terminowanie, którego wartość zależała w znacznej mierze od zdolności ich mistrza. Wykonywali zatem zawód oparty na praktyce, nauczany za pomocą nakazów i przykładów. W pierwszych dekadach XIX wieku niewielu chirurgów kształciło się na uniwersytecie, a niektórzy byli nawet niepiśmienni. Bezpośrednio pod nimi w hierarchii zawodowej znajdowała się klasa aptekarzy, którzy zajmowali się przygotowywaniem i wydawaniem leków. Teo-

retycznie istniało wyraźne rozróżnienie między chirurgiem
a aptekarzem, ale w praktyce człowiek mający za sobą naukę
zawodu chirurga mógł pracować także jako aptekarz i na odwrót. Doprowadziło to do powstania czwartej, nieoficjalnej
kategorii „chirurga-aptekarza" przypominającego współczesnego lekarza ogólnego. Chirurg-aptekarz był doktorem, do
którego zwracali się przede wszystkim biedacy, zwłaszcza
poza Londynem.

Począwszy od 1815 roku, w środowisku medycznym zaczęła się wyłaniać pewna forma systematycznego kształcenia, co
wynikało po części z ogólnej potrzeby ujednolicenia w całym
kraju rozproszonego systemu nauczania. Dla londyńskich
studentów chirurgii ta reforma wiązała się z wymogiem
uczęszczania na wykłady i odbycia co najmniej sześcio-
miesięcznej praktyki na oddziałach szpitalnych. Dopiero
wówczas mogli uzyskać licencję od gremium zarządzającego
tą profesją – Królewskiego Kolegium Chirurgów. W stolicy
zaczęły powstawać szpitale kliniczne, pierwszy w Charing
Cross w 1821 roku, a następnie University College Hospital
oraz King's College Hospital, odpowiednio w 1834 i 1839 roku.
Jeśli ktoś chciał pójść krok dalej i zostać członkiem Królewskiego Kolegium Chirurgów, musiał odbyć co najmniej
sześcioletnie studia zawodowe obejmujące trzy lata praktyki
w szpitalu, przedłożyć pisemne sprawozdania z co najmniej
sześciu przypadków klinicznych i przystąpić do wyczerpującego dwudniowego egzaminu, na którym niekiedy wy-
magano od kandydata przeprowadzenia sekcji i operacji na
zwłokach.

W ten sposób w pierwszych dekadach XIX wieku rozpoczęła się ewolucja zawodu chirurga od słabo wykwalifikowanego

technika do współczesnego specjalisty w dziedzinie chirurgii. Jako nauczyciel w jednym z nowo wybudowanych szpitali klinicznych w Londynie Robert Liston niewątpliwie brał udział w trwającej wówczas transformacji.

Mierzący sto osiemdziesiąt osiem centymetrów wzrostu Liston był o dwadzieścia centymetrów wyższy od przeciętnego Brytyjczyka[13]. Zyskał renomę dzięki brutalnej sile i szybkości, a mowa o czasach, gdy jedno i drugie miało zasadnicze znaczenie dla szans przeżycia pacjenta. Widzowie, którzy przyszli, żeby być świadkami operacji, mogli ją przeoczyć, jeśli choć na chwilę spojrzeli w inną stronę. Koledzy mówili o Listonie, że kiedy amputował, „odgłos piłowania dawał się słyszeć natychmiast po błysku jego noża, do tego stopnia, że te dwie czynności wydawały się niemal jednoczesne"[14]. Miał podobno tak silną lewą rękę, że mógł jej użyć w charakterze opaski uciskowej, podczas gdy w prawej dzierżył nóż. Taki wyczyn wymagał zarówno siły, jak i zręczności, zważywszy, że podczas interwencji chirurga pacjent często szamotał się ze strachu i z bólu. Liston potrafił amputować nogę w trzydzieści sekund, a żeby mieć obie ręce wolne, często ściskał zakrwawiony nóż w zębach, nie przerywając pracy.

Szybkość Listona była zarazem darem i przekleństwem. Kiedyś wraz z amputowaną nogą przez przypadek odciął pacjentowi jądro. Najsłynniejsza (i przypuszczalnie apokryficzna) wpadka zdarzyła mu się w trakcie operacji, podczas której pracował tak szybko, że pozbawił swojego asystenta trzech palców, a zmieniając ostrza, rozciął płaszcz jednemu z widzów. Zarówno asystent, jak i pacjent zmarli potem w wyniku gangreny, a nieszczęsny obserwator z przerażenia wyzionął ducha na miejscu. Jest to jedyna w historii operacja, o której mówi się, że współczynnik umieralności wyniósł trzysta procent.

Ryzyko szoku i bólu stanowiło ograniczenie dla leczenia chirurgicznego przed pojawieniem się środków znieczulających. W pewnym osiemnastowiecznym tekście dotyczącym chirurgii napisano: „Bolesne metody są zawsze ostatnim remedium w rękach człowieka, który wykazuje prawdziwą biegłość w swej profesji; są też pierwszym, a raczej jedynym remedium dla tego, którego wiedza ogranicza się do sztuki operowania"[15]. Ci, którzy byli na tyle zdesperowani, żeby pójść pod nóż, cierpieli niewyobrażalne katusze.

Trauma wywołana przeżyciami z sali operacyjnej mogła dotknąć także znajdujących się na widowni studentów. Szkocki położnik James Y. Simpson uciekł z pokazu amputacji piersi, gdy studiował na Uniwersytecie Edynburskim. Widok tkanek miękkich, unoszonych narzędziem w kształcie haka, i chirurga przygotowującego się do wykonania dwóch radykalnych cięć wokół piersi okazał się dla Simpsona nie do zniesienia. Przecisnął się przez tłum, opuścił salę, wypadł przez bramę szpitala i skierował się na Parliament Square, gdzie oznajmił jednym tchem, że teraz chce studiować prawo. Na szczęście dla potomności, Simpsona – który wynalazł później chloroform – odwiedziono od zmiany kierunku studiów[16].

Chociaż Liston doskonale zdawał sobie sprawę z tego, co czeka jego pacjentów na stole operacyjnym, często bagatelizował te okropności, żeby chronić ich nerwy. Zaledwie kilka miesięcy przed eksperymentem z eterem amputował nogę dwunastolatkowi, który nazywał się Henry Pace i cierpiał z powodu opuchlizny prawego kolana wywołanej gruźlicą. Chłopiec zapytał chirurga, czy operacja będzie bolesna, na co Liston odparł: „Nie bardziej niż wyrwanie zęba". Gdy nadszedł czas, żeby amputować nogę, Henry'ego przyprowadzono do sali operacyjnej z zawiązanymi oczami, a asystenci Listona przygnietli go do stołu. Chłopiec doliczył się sześciu pociągnięć piły, zanim postradał kończynę[17]. Sześćdziesiąt lat później opowiedział tę historię studentom medycyny w londyńskim University College i niewątpliwie miał świeżo w pamięci tamto przerażające przeżycie, jako że siedział w tym samym szpitalu, w którym stracił nogę[18].

Podobnie jak wielu chirurgów operujących przed wynalezieniem środków znieczulających Liston potrafił się uodpornić na krzyki i protesty osób przypiętych pasami do poplamionego krwią stołu operacyjnego. Pewnego razu jego pacjent, który miał mieć usunięty kamień z pęcherza, uciekł z przerażeniem z sali i zamknął się w toalecie, zanim zabieg się rozpoczął. Liston, depcząc mu po piętach, wyważył drzwi i zaciągnął wrzeszczącego mężczyznę z powrotem do sali operacyjnej. Tam solidnie go związał i wprowadził mu zagiętą metalową rurkę przez penis do pęcherza. Następnie wsunął palec w odbytnicę pacjenta, starając się namacać kamień. Gdy tylko go zlokalizował, jego asystent wyjął metalową rurkę i zastąpił ją drewnianym prętem, który służył za wskaźnik, żeby chirurg pechowo nie rozerwał odbytnicy lub jelit pacjenta, kiedy zacznie głęboko nacinać pęcherz. Gdy pręt znalazł się na swoim miejscu, Liston ukośnie przeciął włóknisty mięsień moszny, aż dosięgnął drewnianego pręta. Potem użył sondy, żeby rozszerzyć otwór, rozdzierając przy tym prostatę. Wyjął wówczas drewniany pręt i za pomocą szczypiec wydobył kamień z pęcherza.

Liston – który ponoć posługiwał się nożem najszybciej na całym West Endzie – zdołał to wszystko przeprowadzić zaledwie w niecałe sześćdziesiąt sekund.

*

Teraz, na kilka dni przed Bożym Narodzeniem, stojąc przed widzami zgromadzonymi w nowej sali operacyjnej należącej do University College London, ten doświadczony chirurg trzymał w dłoniach słój z przejrzystym płynnym eterem, który mógł wyeliminować potrzebę pośpiechu w chirurgii. Gdyby eter okazał się tak skuteczny, jak twierdzili Amerykanie, charakter zabiegów operacyjnych na zawsze by się zmienił. A jednak Liston nie mógł się nie zastanawiać, czy nie jest on tylko jeszcze jednym wytworem szarlatanerii, o niewielkiej albo żadnej użyteczności w chirurgii.

Atmosfera była napięta. Zaledwie piętnaście minut przed przybyciem Listona do amfiteatru jego kolega William Squire zwrócił się do zwartego tłumu gapiów, prosząc o ochotnika, na którym można by przeprowadzić eksperyment. Salę wypełnił nerwowy szmer. Squire trzymał w ręku przyrząd przypominający arabską fajkę wodną, wykonany ze szkła, z gumową rurką i maską w kształcie dzwonu. Urządzenie zostało zaprojektowane przez wuja Squire'a, londyńskiego farmaceutę, i zaledwie dwa dni wcześniej wykorzystane przez stomatologa Jamesa Robinsona podczas usunięcia zęba. Dla osób na widowni wyglądało obco. Nikt nie ośmielił się wyrazić zgody, żeby wypróbowano je na nim.

Doprowadzony do rozpaczy Squire kazał poddać się próbie Shelldrake'owi, dozorcy amfiteatru. Wybór okazał

19

się nietrafiony, ponieważ mężczyzna był „gruby, rumiany i niewątpliwie miał wątrobę bardzo nawykłą do mocnych trunków"[19]. Squire ostrożnie umieścił maskę na jego nalanej twarzy. Po kilku głębokich wdechach eteru dozorca podobno zerwał się ze stołu i wybiegł z sali, przeklinając na całe gardło chirurga i publiczność.

Zrezygnowano z dalszych testów. Nadeszła nieunikniona chwila.

O 14.25 wniesiono na noszach Fredericka Churchilla, trzydziestosześcioletniego kamerdynera z Harley Street. Ten młody człowiek cierpiał na chroniczne zapalenie szpiku kostnego golenia, bakteryjną infekcję kości, w wyniku której jego prawe kolano spuchło i było mocno zgięte. Pierwszą operację przeszedł trzy lata wcześniej. Otworzono wtedy obszar objęty stanem zapalnym i usunięto „kilka ciał o nieregularnym kształcie i warstwowej budowie", których wielkość wahała się od rozmiarów ziarnka grochu do dużej fasoli[20]. Churchill ponownie trafił do szpitala 23 listopada 1846 roku. Kilka dni później Liston wykonał nacięcie i wsunął sondę w jego kolano. Nieumytymi rękami namacał kość, chcąc się upewnić, czy nie jest luźna. Potem kazał przemyć ranę ciepłą wodą i zabandażować, a pacjentowi pozwolić odpocząć. Jednak w ciągu następnych kilku dni stan Churchilla się pogorszył. Wkrótce pacjent zaczął odczuwać ostry ból, który promieniował od biodra do palców stóp. Powtórzyło się to trzy tygodnie później i wówczas Liston zdecydował, że noga musi zostać amputowana.

Churchilla przyniesiono na noszach do sali operacyjnej i ułożono na drewnianym stole. Dwóch asystentów stało w pobliżu, na wypadek gdyby eter nie poskutkował i byliby zmuszeni przytrzymać przerażonego pacjenta, kiedy Liston będzie mu amputował nogę. Na znak Listona Squire podszedł do stołu i przyłożył maskę do ust Churchilla. Po kilku minutach pacjent stracił przytomność. Wtedy Squire umieścił na jego twarzy nasączoną eterem chusteczkę do nosa, by mieć pewność, że mężczyzna nie obudzi się w trakcie operacji. Skinął głową w stronę Listona i powiedział: „Myślę, że to mu wystarczy, sir".

Liston otworzył długi futerał i wyjął prosty nóż amputacyjny własnego pomysłu. Jeden z obserwatorów, który znalazł się tamtego popołudnia na widowni, zauważył, że musiało to być jego ulubione narzędzie, ponieważ na rękojeści widniały niewielkie nacięcia wskazujące, ile razy chirurg wcześniej go użył[21]. Liston musnął klingę paznokciem kciuka, sprawdzając, czy jest wystarczająco ostra. Przekonawszy się, że spełni swoją funkcję, polecił asystentowi Williamowi Cadge'owi, żeby „zajął się tętnicą", a następnie zwrócił się do publiczności.

„A teraz, panowie, zmierzcie mi czas!", wykrzyknął. Rozległ się szum, gdy z kamizelek wyciągano zegarki kieszonkowe i otwierano wieczka.

Liston odwrócił się do pacjenta i zacisnął lewą dłoń na jego udzie. Jednym szybkim ruchem wykonał nacięcie nad prawym kolanem. Któryś z jego asystentów natychmiast zacisnął wokół nogi krępulec, żeby zatamować krwotok, podczas gdy Liston włożył palce pod płat skóry, by odciągnąć ją do tyłu. Wykonał nożem serię kolejnych szybkich manewrów, odsłaniając kość udową, a potem przerwał.

Wielu chirurgów odczuwało obawy przed przystąpieniem do przepiłowania odsłoniętej kości. We wcześniejszych latach XIX wieku Charles Bell uczulał studentów, żeby piłowali powoli i z rozwagą[22]. Nawet ci, którzy mieli wprawę w wykonywaniu nacięć, mogli stracić zimną krew, gdy przychodziło do odcięcia kończyny. W 1823 roku Thomas Alcock oznajmił, że „ludzkość wzdryga się na myśl, iż ludzie niemający wprawy w posługiwaniu się innymi narzędziami poza codziennym używaniem noża i widelca ośmielają się bezbożnymi rękoma operować swych cierpiących bliźnich"[23]. Przywołał mrożącą krew w żyłach historię chirurga, którego piła tak mocno zaklinowała się w kości, że nie dało się jej ruszyć. Żyjący w tym samym czasie William Gibson radził nowicjuszom ćwiczyć na kawałkach drewna, żeby uniknąć tak koszmarnych przygód[24].

Liston wręczył nóż jednemu z dresserów, który podał mu w zamian piłę. Ten sam asystent podciągnął do góry mięśnie, które później miały zostać wykorzystane do uformowania pacjentowi odpowiedniego kikuta po amputacji. Słynny chirurg wykonał sześć ruchów, zanim kończyna odpadła i trafiła do rąk drugiego asystenta, który tylko na to czekał i niezwłocznie wrzucił ją do stojącej tuż obok stołu operacyjnego skrzyni wypełnionej trocinami.

Tymczasem pierwszy asystent na moment rozluźnił krępulec, żeby odsłonić odcięte tętnice i żyły wymagające związania. Podczas amputacji w połowie uda w ten sposób na ogół należy zabezpieczyć jedenaście naczyń krwionośnych. Liston zawiązał główną tętnicę na węzeł płaski, a następnie zajął się mniejszymi naczyniami, podciągając je do góry jedno po drugim za pomocą ostrego narzędzia zwanego haczykiem chirurgicznym. Asystent ponownie poluzował krępulec, gdy Liston zszywał pozostałe tkanki.

Odcięcie Churchillowi prawej nogi zajęło Listonowi dwadzieścia osiem sekund. W tym czasie pacjent ani się nie wiercił, ani nie krzyczał. Gdy młody człowiek zbudził się kilka minut później, zapytał podobno, kiedy zacznie się operacja. W odpowiedzi pokazano mu podniesioną z podłogi odciętą nogę, ku rozbawieniu widzów, którzy siedzieli zdumieni tym, czego właśnie byli świadkami. Liston, z twarzą pojaśniałą od ekscytacji tą chwilą, oznajmił zebranym: „Ta jankeska sztuczka, panowie, bije mesmeryzm na głowę!". Wiek męczarni zbliżał się do końca.

*

Dwa dni później chirurg James Miller przeczytał napisany w pośpiechu list Roberta Listona do jego studentów w Edynburgu, „obwieszczający w entuzjastycznych słowach, że nad chirurgią rozbłysło nowe światło"[25]. W ciągu kilku pierwszych miesięcy 1847 roku zarówno chirurdzy, jak i zaciekawione znane osobistości odwiedzali sale operacyjne, żeby być świadkami cudownego działania eteru. Wszyscy, od sir Charlesa Napiera, kolonialnego gubernatora jednej z dzisiejszych prowincji Pakistanu, po księcia Jérôme'a Bonapartego, najmłodszego brata Napoleona I, przychodzili, by zobaczyć na własne oczy rezultaty jego stosowania.

Ukuto termin „eteryzacja", a jej stosowanie w chirurgii było opiewane w gazetach w całym kraju. Szerzyły się wieści o ogromnej skuteczności tej metody. „Historia medycyny nie zna odpowiednika olbrzymiego sukcesu, który towarzyszy użyciu eteru", napisano w „Exeter Flying Post"[26]. Również londyński „People's Journal" wychwalał triumf Listona: „Ach, cóż to za rozkosz dla każdego współczującego serca [...] ogłoszenie tego imponującego odkrycia, jakim jest moc kojenia uczucia bólu, zasłaniania przed oczyma i pamięcią wszystkich okropności operacji. [...] ZWYCIĘŻYLIŚMY BÓL!"[27].

Równie doniosła, jak sukces Listona z eterem, okazała się obecność w sali operacyjnej pewnego młodego człowieka, Josepha Listera, który tamtego dnia siedział spokojnie w tylnej części amfiteatru. Gdy ów początkujący student medycyny wyszedł na Gower Street, oszołomiony i oczarowany dramatycznym pokazem, uświadomił sobie, że charakter jego przyszłego zawodu zmieni się na zawsze. On i jego koledzy ze studiów już nie będą musieli oglądać „tak strasznej i przygnębiającej sceny" jak ta, którą obserwował William Wilde, student chirurgii będący niechętnym świadkiem usunięcia pacjentowi gałki ocznej bez znieczulenia[28]. Nie będą również czuli potrzeby, aby uciec, jak to robił John Flint South, ilekroć krzyki masakrowanych przez chirurga ludzi stawały się nie do zniesienia[29].

Mimo to gdy Lister przeciskał się przez tłumy mężczyzn podających sobie ręce i gratulujących sobie wyboru zawodu, dumnych z tego wspaniałego sukcesu, dobrze wiedział, że ból jest tylko jedną z przeszkód na drodze do udanej operacji.

Wiedział, że od tysięcy lat wszechobecne ryzyko infekcji znacznie ogranicza możliwości chirurga. Na przykład otworzenie brzucha niemal zawsze okazywało się śmiertelne z tego właśnie powodu. Również klatka piersiowa była niedostępna. Przeważnie, podczas gdy lekarze leczyli choroby wewnętrzne – stąd używany do dziś termin „medycyna wewnętrzna" – chirurdzy zajmowali się schorzeniami drugorzędnymi: zranieniami, złamaniami, wrzodami na skórze, oparzeniami. Nóż chirurga wnikał głęboko w ciało jedynie w wypadku amputacji. Przeżycie operacji to jedno. Inną kwestią był pełny powrót do zdrowia.

Jak się okazało, w ciągu dwóch dekad, które nastąpiły bez-pośrednio po spopularyzowaniu anestezji, wyniki operacji się pogorszyły. Dzięki nowo odkrytej pewności siebie bio-rącej się z operowania bez zadawania bólu chirurdzy coraz chętniej chwytali za nóż, powodując wzrost liczby infekcji i przypadków szoku pooperacyjnego. W salach operacyj-nych zapanował brud większy niż kiedykolwiek, ponieważ przeprowadzano więcej zabiegów. Chirurdzy, którzy nadal nie rozumieli przyczyn infekcji, operowali wielu pacjentów jednego po drugim, używając za każdym razem tych samych nieumytych narzędzi. Im większy tłok panował w salach operacyjnych, tym mniejsze było prawdopodobieństwo, że przedsięwzięto choćby najbardziej elementarne środki ostrożności w zakresie higieny. Z tych, którzy trafiali pod nóż chirurga, wielu albo umierało, albo nigdy nie wracało w pełni do zdrowia, pozostając do końca życia inwalidami. Był to powszechny problem. Na całym świecie pacjenci co-raz bardziej bali się słowa „szpital", a najzdolniejsi chirurdzy tracili wiarę we własne umiejętności[30].

Przy okazji triumfu Roberta Listona w związku z uży-ciem eteru Lister był świadkiem wyeliminowania pierwszej z dwóch głównych przeszkód uniemożliwiających udaną ope-rację – teraz mogły być przeprowadzane bez zadawania bólu. Joseph Lister, będący człowiekiem niezwykle spostrzegaw-czym, zainspirowany tym, co zobaczył po południu 21 grud-nia, miał już wkrótce przystąpić do wyjaśniania przyczyn i natury infekcji pooperacyjnych, próbując znaleźć rozwią-zanie tego problemu. Poświęcił na to resztę życia. W cieniu jednego z ostatnich w tym zawodzie wielkich rzeźników mia-ła się niebawem rozpocząć kolejna rewolucja chirurgiczna.

1

Przez soczewkę

Nie przeoczmy kolejnego doniosłego faktu, że nauka nie tylko leży u podstaw rzeźby, malarstwa, muzyki, poezji, lecz że sama w sobie jest poetycka. [...] Ci, którzy stale zajmują się badaniami naukowymi, pokazują nam, że uprawiają z nie mniejszym, a wręcz z większym zaangażowaniem niż inni, poezję swych dyscyplin[1].

HERBERT SPENCER

Mały Joseph Lister, wspiąwszy się na palce, przyłożył oko do okularu najnowszego profesjonalnego mikroskopu swojego ojca. W porównaniu ze składanymi modelami, które turyści wciskali w kieszenie i zabierali ze sobą na wycieczki nad morze, stojący przed nim przyrząd był znacznie okazalszy. Lśniący, piękny, potężny, stanowił symbol postępu naukowego.

Gdy Lister po raz pierwszy w życiu popatrzył przez obiektyw mikroskopu, zachwycił się bogactwem świata, który wcześniej skrywał się przed jego wzrokiem. Niezmiernie go cieszyła pozornie nieograniczona mnogość obiektów, które mógł obserwować przez soczewkę powiększającą. Pewnego razu wyłowił z morza krewetkę i patrzył z podziwem, jak „serce bije bardzo szybko", a „aorta pulsuje"[2]. Gdy żyjątko wiło

26

się pod jego spojrzeniem, zauważył, że krew krąży powoli pod powierzchnią odnóży i w tylnej części serca.

Lister przyszedł na świat 5 kwietnia 1827 roku, bez fanfar. Sześć miesięcy później jego matka napisała jednak z zachwytem w liście do męża: „Dzidziuś jest dziś wyjątkowo rozkoszny"[3]. Był czwartym dzieckiem i drugim synem tej pary, jednym z siedmiorga, które urodziły się Josephowi Jacksonowi Listerowi i jego żonie Isabelli, małżeństwu pobożnych kwakrów.

Dorastając, Lister miał mnóstwo okazji do eksplorowania miniaturowych światów pod mikroskopem. Styl życia kwakrów cechowała prostota. Josephowi nie wolno było polować, uprawiać sportu ani chodzić do teatru. Życie stanowiło dar, z którego należało korzystać, wielbiąc Boga i pomagając sąsiadom, a nie trwoniąc czas na głupstwa. Z tego względu wielu kwakrów oddawało się działalności naukowej, jednej z nielicznych rozrywek, na które zezwalała ich religia. Nawet wśród osób dysponujących skromnymi środkami nierzadko można było spotkać intelektualistę o znacznych osiągnięciach naukowych.

Przykładem był ojciec Listera. W wieku czternastu lat porzucił szkołę i został terminatorem u swojego ojca, kupca winnego. Chociaż w epoce wiktoriańskiej wielu kwakrów powstrzymywało się od spożywania alkoholu, ich religia nie zakazywała tego wprost. Rodzinny interes Listerów miał kilkusetletnią tradycję i zaczął działać w czasach, gdy wśród kwakrów nie rozpowszechniła się jeszcze abstynencja. Joseph Jackson został wspólnikiem w winiarskiej firmie ojca, ale to odkrycia z dziedziny optyki zapewniły mu światową sławę w latach dzieciństwa Listera. Po raz pierwszy zainteresował się tą dyscypliną jako młody chłopak, gdy odkrył, że pęcherzyk powietrza uwięziony w szybie w gabinecie ojca działa jak prosta lupa.

Na początku XIX wieku większość mikroskopów sprzedawano jako zabawki dla dżentelmenów. Były przechowywane w kosztownych kasetach wyłożonych aksamitem, a niektóre montowano na kwadratowych drewnianych podstawach, w których mieściły się szufladki na akcesoria, gdzie trzymano zapasowe soczewki, narzędzia laboratoryjne i dodatkowe wyposażenie, najczęściej w ogóle nieużywane. Producenci zazwyczaj zaopatrywali swoich klientów w zestaw szkiełek z gotowymi preparatami w postaci fragmentów kości zwierzęcych, rybich łusek i delikatnych kwiatów. Bardzo niewiele osób kupujących w tamtych czasach mikroskopy robiło to w poważnych celach naukowych.

Joseph Jackson Lister stanowił wyjątek. Został wielkim entuzjastą tego przyrządu i w latach 1824–1843 udało mu się skorygować wiele jego usterek. Większość soczewek powodowała deformację obrazu, ponieważ światło o różnej długości fal, przechodząc przez szkło, załamywało się pod różnym kątem. Dlatego wokół obserwowanego przedmiotu powstawała fioletowa obwódka i ze względu na to zjawisko wiele osób traciło zaufanie do odkryć dokonywanych za pomocą mikroskopu. Joseph Jackson trudził się, żeby usunąć tę wadę, i w 1830 roku zaprezentował soczewkę achromatyczną własnego pomysłu, która eliminowała ową irytującą obwódkę. Chociaż był zajęty prowadzeniem firmy, znajdował czas na samodzielne szlifowanie soczewek i dostarczanie wyliczeń matematycznych niezbędnych do ich wytwarzania kilku czołowym producentom mikroskopów w Londynie.

W 1832 roku dzięki swoim osiągnięciom został członkiem Towarzystwa Królewskiego.

Na pierwszym piętrze domu, w którym mały Lister spędził dzieciństwo, znajdowało się „muzeum", pokój wypełniony setkami skamienielin i innych okazów, gromadzonych latami przez różnych członków rodziny[4]. Jego ojciec nalegał, żeby każde z dzieci czytało mu codziennie rano, gdy się ubierał. Ich biblioteka obejmowała zbiór dzieł religijnych i naukowych. Jednym z pierwszych prezentów, jaki Joseph Jackson dał swojemu synowi, była czterotomowa książka zatytułowana *Evenings at Home; or, The Juvenile Budget Opened* [Wieczory w domu, czyli zbiór opowiadań dla młodzieży], zawierająca baśnie i opowieści o tematyce przyrodniczej.

W młodości Lister uniknął wielu niebezpiecznych kuracji, jakich doświadczyli niektórzy z jego rówieśników, ponieważ jego ojciec wierzył w *vis medicatrix naturae*, czyli „lecznicze działanie natury". Jak wielu kwakrów Joseph Jackson był terapeutycznym nihilistą, to znaczy wyznawał pogląd, że w procesie leczenia najważniejszą rolę odgrywa opatrzność. Uważał, że wprowadzanie do organizmu obcych substancji jest niepotrzebne, a niekiedy wręcz zagraża życiu. W czasach gdy większość mikstur leczniczych zawierała wysoce toksyczne narkotyki, takie jak heroina, kokaina i opium, przekonania Josepha Jacksona być może nie były całkiem bezpodstawne.

Ze względu na zasady, których ściśle przestrzegali domownicy, wszystkich w rodzinie bardzo zaskoczyło, gdy młody Lister oznajmił, że chce zostać chirurgiem, był to bowiem zawód zakładający fizyczne interweniowanie w Boże dzieło. Wśród jego krewnych, z wyjątkiem jakiegoś dalekiego kuzyna, nie było lekarzy. Tymczasem zwłaszcza chirurgia wiązała się z pewnego rodzaju społecznym napiętnowaniem, i to nie tylko w środowisku kwakrów. Chirurg był w dużej mierze postrzegany jako pracownik fizyczny, który posługuje się rękami, żeby zarobić na życie, bardzo podobnie jak dzisiaj ślusarz czy hydraulik. Nic lepiej nie dowodziło podrzędnej pozycji chirurgów niż ich względne ubóstwo. Przed 1848 rokiem żaden ważniejszy szpital nie zatrudniał na stałe chirurga, a większość przedstawicieli tego zawodu (z kilkoma godnymi uwagi wyjątkami) bardzo niewiele zarabiała na prowadzeniu prywatnej praktyki[5].

W młodości Lister zupełnie się jednak nie zastanawiał nad tym, jaki wpływ może mieć kariera medyczna na jego społeczną i finansową pozycję w późniejszym życiu. Latem 1841 roku, kiedy miał czternaście lat, napisał w liście do ojca, który wyjechał w interesach związanych z prowadzeniem rodzinnej firmy winiarskiej: „Gdy Mama wyszła, zostałem sam i nie miałem nic do roboty, więc rysowałem szkielety". Poprosił też o pędzel z włosia sobola, żeby mógł „pocieniować innego człowieka i pokazać resztę mięśni"[6]. Narysował i podpisał wszystkie kości czaszki, a także kości rąk widziane z przodu i z tyłu. Podobnie jak ojciec, młody Lister był biegłym rysownikiem – ta umiejętność miała mu później pomóc w zdumiewająco szczegółowym dokumentowaniu własnych obserwacji w trakcie kariery medycznej.

Tamtego lata, w 1841 roku, Lister był także zaabsorbowany preparowaniem głowy owcy i w tym samym liście oznajmił: „Usunąłem prawie całe mięso; i myślę, że cały mózg, [...] [zanim] umieściłem ją w kadzi do macerowania"[7]. Zrobił to, żeby zmiękczyć pozostałe na czaszce tkanki. Później udało mu się złożyć szkielet żaby. Przeprowadził jej sekcję, a wcześniej ukradł z komody swojej siostry deseczkę, na której przymocował stworzenie. Radośnie podekscytowany napisał do ojca: „Wygląda, jakby [żaba] miała zaraz skoczyć", i dodał konspiracyjnie: „Nie mów Mary o deseczce"[8].

Niezależnie od zastrzeżeń, jakie miał do profesji medycznej Joseph Jackson Lister, było jasne, że jego syn wkrótce dołączy do szeregu jej przedstawicieli.

*

Gdy w wieku siedemnastu lat Lister rozpoczął studia na University College London (UCL), przekonał się, jak różni się to życie od tego, które znał z dzieciństwa. Jego rodzinna wieś Upton liczyła tylko dwanaście tysięcy siedemset trzydzieścioro ośmioro mieszkańców i chociaż leżała zaledwie kilkanaście kilometrów od stolicy, można się było do niej dostać jedynie lekkim powozem toczącym się powoli po błotnistych ścieżkach uchodzących w tamtych czasach za drogi[9]. Nad strumieniem przepływającym przez ogród Listerów rozpościerał się orientalny mostek, a dokoła rosły jabłonie, buki, wiązy i kasztanowce. Jego ojciec tak to opisał: „składane okna wychodzące na ogród; umiarkowane ciepło i bezruch, i świergot ptaków, i brzęczenie owadów, jasny trawnik i aloesy, i ciemniejsza plama cedrów, i poszatkowane niebo w górze"[10].

W odróżnieniu od żywych barw bujnych ogrodów otaczających Upton House Londyn był przesłonięty paletą szarości. Krytyk sztuki John Ruskin nazwał to miasto „koszmarnym stosem fermentujących cegieł, wydalającym truciznę przez wszystkie pory"[11]. Nieczystości stale piętrzyły się przed domami, z których część nie miała drzwi, bo w miesiącach zimowych biedacy często przeznaczali je na opał do swoich palenisk. Ulice i zaułki były zasłane odchodami tysięcy koni, czy to osiodłanych, czy ciągnących wozy, omnibusy i dwukołowe dorożki, które codziennie przejeżdżały z turkotem przez miasto. Wszystko – od budynków po ludzi – pokrywała warstwa sadzy.

W ciągu stu lat liczba mieszkańców Londynu gwałtownie wzrosła z jednego miliona do ponad sześciu w XIX wieku. Ludzie zamożni opuścili miasto w poszukiwaniu lepszego miejsca do życia, porzucając okazałe domy, które wkrótce popadły w ruinę, przywłaszczone przez biedotę. Zdarzało się, że w jednym pomieszczeniu mieszkało trzydzieści i więcej osób w każdym wieku, ubranych w brudne łachmany, siedzących w kucki, śpiących i oddających kał w wypełnionych słomą kwaterach. Ludzie żyjący w skrajnej nędzy byli zmuszeni mieszkać w „piwnicznych izbach", na stałe pozbawieni światła słonecznego. Szczury gryzły po twarzach i palcach niedożywione noworodki, z których wiele umierało w tych ciemnych, cuchnących i wilgotnych norach.

Śmierć często gościła u mieszkańców Londynu, a pozbywanie się ciał zmarłych stawało się coraz większym problemem. Cmentarze przykościelne pękały w szwach od ludzkich szczątków, stanowiąc ogromne zagrożenie dla zdrowia publicznego. Widok kości wystających ze świeżo przekopanej ziemi wcale nie należał do rzadkości. Zwłoki upychano jedne na drugich w grobach, które najczęściej były jedynie otwartymi wykopami z wieloma rzędami trumien[12]. Na początku wieku dwaj mężczyźni podobno udusili się gazami wydobywającymi się z gnijących ciał, gdy wpadli do dołu grzebalnego głębokiego na sześć metrów[13]. Dla ludzi mieszkających w pobliżu tych dołów odór był nie do zniesienia. Domy przy Clement's Lane we wschodnim Londynie stały tyłem do tamtejszego cmentarza parafialnego, z którego sączył się cuchnący szlam. Smród był tak przytłaczający, że mieszkańcy przez cały rok nie otwierali okien. Dzieci uczęszczające do miejscowej szkółki niedzielnej w Enon Chapel nie mogły uniknąć tej przykrej woni. Podczas lekcji brzęczały wokół nich muchy, niewątpliwie lęgnące się w kościelnej krypcie, w której upchnięto dwanaście tysięcy rozkładających się ciał[14].

Równie prymitywne były sposoby pozbywania się ludzkich odchodów, w każdym razie do czasu uchwalenia w 1848 roku Ustawy o zdrowiu publicznym, która powołała do życia scentralizowaną Powszechną Komisję Zdrowia i zainicjowała rewolucję sanitarną. Wcześniej wiele londyńskich ulic było w gruncie rzeczy otwartymi ściekami wydzielającymi znaczne (i często śmiercionośne) ilości metanu. W najgorszych osiedlach mieszkalnych szeregi domów zwanych *back--to-backs*, czyli przylegających do siebie tylnymi ścianami, dzieliły jedynie wąskie przejścia mierzące sto dwadzieścia – sto pięćdziesiąt centymetrów. Środkiem biegły rowy po brzegi wypełnione moczem. Nawet rosnąca liczba klozetów powstających w latach 1824–1844 tylko w niewielkim stopniu przyczyniła się do rozwiązania tego problemu. Ich budowa zmuszała właścicieli kamienic do zatrudniania ludzi zajmujących się usuwaniem nieczystości z przepełnionych szamb w miejskich budynkach. Powstała cała podziemna armia tak zwanych gotowaczy kości, szambiarzy i kanalarzy, eksploatujących morze ludzkich odchodów gromadzących się pod powierzchnią[15]. Owi zbieracze odpadów – których pisarz Steven Johnson nazywa pierwszymi w dziejach osobami zajmującymi się recyclingiem – przeszukiwali całe tony śmieci, fekaliów i padliny, a następnie zawozili swój cuchnący towar na targowisko, gdzie był nabywany do ponownego wykorzystania przez garbarzy, rolników albo innych handlarzy.

Interesy prowadzone gdzie indziej wcale nie były korzystniejsze dla zdrowia. Wytapiacze tłuszczu, pozyskiwacze kleju, handlarze skórami, skrobacze flaków, ludzie skórujący psy i im podobni zajmowali się swoją smrodliwą działalnością w najgęściej zaludnionych rejonach miasta. Na przykład w Smithfield – zaledwie kilka minut spacerem od katedry Świętego Pawła – znajdowała się rzeźnia, której ściany były oblepione gnijącą krwią i tłuszczem. Wrzucane do jej czeluści owce łamały sobie nogi, zanim zostały zarżnięte, obdarte ze skóry i poćwiartowane przez trudzących się na dole mężczyzn. Po długim dniu pracy ci sami mężczyźni przenosili na ubraniach nieczystości biorące się z ich potwornej profesji, gdy wracali do slumsów, w których mieszkali[16].

Był to świat, w którym roiło się od ukrytych niebezpieczeństw. Nawet zielony barwnik na kwiecistych tapetach w zamożnych domach oraz na sztucznych liściach, które ozdabiały kapelusze dam, zawierał zabójczy arszenik. Wszystko było skażone toksycznymi substancjami, od konsumowanej każdego dnia żywności po wodę pitną. W czasach gdy Lister wyjechał na studia na UCL, Londyn tonął we własnym brudzie.

Pośrodku tego brudu i gnoju mieszkańcy próbowali wprowadzać ulepszenia w swojej stolicy. Na przykład w Bloomsbury, rejonie wokół uniwersytetu, na którym Lister miał spędzić studenckie lata, panowała wyjątkowo przyjemna atmosfera. Zachodziły tam jednak nieustanne zmiany, a rozwój tej dzielnicy następował w tak szybkim tempie, że ci, którzy wprowadzili się w 1800 roku, z trudem rozpoznaliby ją zaledwie parę dziesięcioleci później. Kiedy młody lekarz Peter Mark Roget – późniejszy autor tezaurusa noszącego teraz jego nazwisko – zamieszkał na początku wieku na Great Russell Street, wspominał o „czystym" powietrzu i rozległych ogrodach otaczających jego dom[17]. W latach dwudziestych XIX wieku architekt Robert Smirke rozpoczął na ulicy Rogeta budowę nowego gmachu British Museum. Ukończenie tej imponującej neoklasycznej budowli zajęło dwadzieścia lat i w tym czasie nad Bloomsbury rozbrzmiewała kakofonia dźwięków tworzona przez odgłosy młotów, pił oraz dłut, burząc spokój tej okolicy, który tak lubił Roget.

Uniwersytet miał związek z ówczesnym rozwojem miasta. Pewnego ciepłego wieczoru na początku czerwca 1825 roku przyszły lord kanclerz Wielkiej Brytanii Henry Brougham spotkał się z kilkoma parlamentarzystami reformatorami w tawernie Crown and Anchor przy ulicy Strand. Wymyślili tam projekt, w ramach którego powstał potem University College London (UCL). W tej nowej instytucji miało nie być miejsca na zastrzeżenia natury religijnej. Był to pierwszy w kraju uniwersytet niewymagający od swoich studentów codziennego uczestnictwa w anglikańskich nabożeństwach, co bardzo odpowiadało Listerowi. Później rywale z King's College określali uczących się na UCL mianem „bezbożnych szumowin

35

z Gower Street", odnosząc się do arterii komunikacyjnej, przy której mieścił się nowy uniwersytet[18].

Program nauczania UCL, żgodnie z decyzją jego założycieli, był równie radykalny jak świeckie fundamenty, na których został zbudowany. Oprócz tradycyjnych przedmiotów, takich jak te nauczane w Oksfordzie i w Cambridge, obejmował nowe, na przykład geografię, architekturę i historię nowożytną. W szczególności wydział medyczny miał przewagę nad tamtymi dwoma uniwersytetami ze względu na bliskość Northern London Hospital (znanego później jako University College Hospital), zbudowanego sześć lat po założeniu UCL.

Nie brakowało osób wzbraniających się przed planem założenia uniwersytetu w Londynie. Satyryczna gazeta „John Bull" zakwestionowała pomysł, jakoby gwarne miasto było odpowiednim miejscem do kształcenia młodych brytyjskich umysłów. Z charakterystycznym dla siebie sarkazmem żartowano w niej, że „moralność Londynu, jego spokój i zdrowy klimat zdają się pospołu czynić ze stolicy najodpowiedniejsze miejsce dla edukowania młodzieży". W dalszej części artykułu wyobrażano sobie, że uniwersytet zostanie zbudowany w okrytych złą sławą slumsach nieopodal Westminster Abbey, zwanych Tothill Fields. „W odpowiedzi na ewentualne zastrzeżenia, jakie mogłyby mieć głowy rodzin co do narażania ich synów na niebezpieczeństwa czyhające na zatłoczonych ulicach, zaangażowana zostanie duża grupa zwykłych przyzwoitych kobiet w średnim wieku, by każdego dnia rano i wieczorem towarzyszyły studentom w drodze na uczelnię i z powrotem"[19]. Pomimo protestów i obaw gmach UCL został jednak zbudowany i w październiku 1828 roku szkoła zaczęła przyjmować studentów.

*

Uniwersytet nadal był w powijakach, gdy Joseph Lister po raz pierwszy przyjechał tam w 1844 roku. UCL miał tylko trzy wydziały: nauk humanistycznych, medycyny i prawa. Stosując się do życzeń ojca, Lister ukończył najpierw studia humanistyczne, przypominające współczesny program nauk wyzwolonych, obejmujące rozmaite zajęcia z historii, literatury, matematyki i nauk przyrodniczych. Była to niekonwencjonalna droga do chirurgii, ponieważ w latach czterdziestych XIX wieku większość studentów pomijała ten etap i przeskakiwała od razu na kurs medycyny. W późniejszym okresie życia Lister przypisywał temu ogólnemu wykształceniu swoją umiejętność łączenia teorii naukowych z praktyką medyczną.

Mierzący metr siedemdziesiąt osiem Lister był wyższy od większości swoich kolegów ze studiów[20]. Ci, którzy go znali, często robili uwagi na temat jego imponującego wzrostu i gracji, z jaką się poruszał. W wieku studenckim był klasycznie przystojny, miał prosty nos, pełne wargi i faliste brązowe włosy. Rozpierała go nerwowa energia, która stawała się bardziej widoczna w towarzystwie innych. Hector Charles Cameron – jeden z biografów Listera i jego przyjaciel w późniejszych latach – tak wspominał pierwsze spotkanie z przyszłym chirurgiem: „Gdy wprowadzono mnie do salonu, Lister stał odwrócony plecami do kominka, z filiżanką herbaty w ręku. Z tego, co pamiętam, niemal zawsze stał. [...] Jeśli przez kilka minut siedział, jakiś nowy zwrot w konwersacji zdawał się nieuchronnie zmuszać go do wstania"[21].

Umysł Listera nieustannie pracował na wysokich obrotach. Gdy Joseph był wzburzony albo zakłopotany, kącik jego ust zaczynał drżeć i powracało jąkanie, które prześladowało go we wczesnym dzieciństwie. Mimo tego wewnętrznego niepokoju Lister był, jak to określił Stewart of Halifax, osobą o „łagodności nie do opisania, graniczącej z nieśmiałością"[22]. Jeden z jego przyjaciół napisał później, że „żył on w świecie własnych myśli, był skromny, nie wywyższał się ani nie narzucał"[23].

Lister miał spokojny charakter, co w dużej mierze wynikało z wychowania. Nauki wspólnoty religijnej, do której należał, przewidywały, że ludzie jego wyznania powinni zawsze ubierać się na ciemno oraz zwracać się do innych z użyciem przestarzałych zaimków takich jak *thee* i *thou*. W dzieciństwie Lister był otoczony morzem czarnych płaszczy i kapeluszy z szerokim rondem, których mężczyźni z jego rodziny nigdy nie zdejmowali, nawet podczas nabożeństw. Kobiety ubierały się w proste stroje ze złożonymi chustkami na szyi i gładkimi szalami na ramionach i wkładały białe muślinowe czepki nazywane wiadrami na węgiel. Gdy Lister wyjechał na studia, przez wzgląd na swoją religię nosił ubrania w stonowanych barwach, co niewątpliwie wyróżniało go spośród bardziej modnych kolegów z roku tak samo jak wzrost.

Wkrótce po przybyciu na UCL Lister wprowadził się na London Street 28, w pobliżu uniwersytetu. Mieszkał tam z innym kwakrem, starszym o osiem lat Edwardem Palmerem, jednym z asystentów Roberta Listona. Ci, którzy znali Palmera, mówili, że jest „człowiekiem znajdującym się w trudnej sytuacji finansowej, lecz wykazuje prawdziwy entuzjazm do zawodu chirurga"[24]. Mężczyźni szybko się ze sobą zaprzyjaźnili. Między innymi dzięki wpływom Palmera Lister mógł być świadkiem historycznego eksperymentu Listona z eterem, przeprowadzonego 21 grudnia 1846 roku. To, że w ogóle się tam znalazł, sugeruje, że nie po raz pierwszy był wtedy na pokazie medycznym, bo wydaje się mało prawdopodobne, by wielki Liston pozwolił mu przyjść tamtego popołudnia, gdyby już wcześniej go nie znał. Rzeczywiście Lister zaczął studiować anatomię na kilka miesięcy p r z e d ukończeniem licencjatu na wydziale humanistycznym. W swoich księgach rachunkowych z ostatniego kwartału tamtego roku odnotował koszt zakupu „kleszczy i ostrych noży", a także zapłatę jedenastu szylingów pewnemu tajemniczemu „U.L." za jakąś część ciała, którą pokroił[25]. Jego pragnienie rozpoczęcia edukacji medycznej było ewidentne dla wszystkich, którzy go znali w dawnych latach.

Istniała pewna ciemna strona osobowości Edwarda Palmera, która nie przysłużyła się Listerowi. W 1847 roku obaj przeprowadzili się do Bedford Place 2 przy Ampthill Square, gdzie dołączył do nich John Hodgkin, bratanek słynnego doktora Thomasa Hodgkina, który jako pierwszy opisał bardzo rzadką postać chłoniaka nazywanego obecnie jego imieniem. Hodgkinowie i Listerowie przyjaźnili się od dawna, a ich więź umacniała wspólna wiara. Obaj chłopcy uczęszczali niegdyś razem do Grove House, szkoły z internatem w Tottenham, która jak na tamte czasy miała dość postępowy program, skupiający się nie tylko na klasykach, lecz także na matematyce, naukach przyrodniczych i językach nowożytnych. Hodgkin, pięć lat młodszy od Listera, uważał, że ich pokoje przy Ampthill Square są „obskurne", a jego dwaj współlokatorzy „zdecydowanie zbyt dojrzali i poważni", co czyniło „życie czasem przygnębienia i smutku"[26]. Wcale nie był tak oczarowany Edwardem Palmerem, jak zdawał się jego przyjaciel z dzieciństwa, gdy po raz pierwszy przyjechał na UCL. Nazwał Palmera „ciekawą postacią [...] osobliwym [...] niewątpliwie dziwnym człowiekiem". Chociaż Palmer był niezwykle pobożny, Hodgkin nie sądził, żeby jego dziwactwo miało jakiś szczególny związek z wyznawaną przez niego religią. Najbardziej niepokoiło go to, że im dłużej Lister znajdował się pod opieką Palmera, tym bardziej zamykał się w sobie. Wydawało się, że oprócz uczęszczania na wykłady jest coraz mniej zainteresowany zajęciami ponadprogramowymi – wolał ciężko pracować w dość ponurym otoczeniu; a Palmer, który w starszym wieku doznał pomieszania zmysłów i do końca swoich dni mieszkał w zakładzie psychiatrycznym, raczej nie miał pozytywnego wpływu na pogodę ducha przyszłego chirurga. Hodgkin wyraził obawę, że jego zdaniem Palmer nie jest „zbyt odpowiednim towarzyszem nawet dla Listera"[27].

Zarówno Lister, jak i Palmer znacznie różnili się od wielu swoich kolegów. W wystąpieniu skierowanym do przyszłych studentów medycyny jeden z nauczycieli chirurgii na UCL ostrzegł słuchaczy przed „pułapkami, które nieustannie czyhają na młodego podróżnego, gdy opuszcza rodzicielskie ognisko domowe i wędruje po głównych i bocznych drogach – szerokich ulicach i wąskich zaułkach – wielkiego, przeludnionego miasta"[28]. Pomstował na „zgubne nałogi", takie jak hazard, chodzenie do teatru i picie alkoholu, oświadczając, że są one „bardziej zaraźliwe niż dawnymi czasy trąd i szpecą umysł bardziej, niż tamta wschodnia plaga kiedykolwiek szpeciła ciało". Nakłaniał nowy rocznik, żeby oparł się tym występkom, starał się natomiast odkrywać prawdy naukowe poprzez pilne zgłębianie anatomii, fizjologii i chemii. Jego ostrzeżenia nie były nieuzasadnione.

W tamtych czasach określenie „student medycyny" stało się, zdaniem Williama Augustusa Guya, synonimem „ordynarnej zabawy i rozpusty"[29]. Ta opinia była powszechnie podzielana. Pewien amerykański dziennikarz zauważył, że studenci medycyny w Nowym Jorku byli „skłonni do awanturnictwa, żywiołowi i notorycznie oddawali się nocnym rozrywkom"[30]. Często sprawiali wrażenie brutalnych, gromadzili się na tanich stancjach i w gospodach zlokalizowanych w pobliżu wielkich klinik. Ubierali się modnie – niemal krzykliwie – jeśli nie liczyć wyraźnie brudnych koszul. Przechadzali się z cygarami wetkniętymi w usta – dla przyjemności, ale też z potrzeby zamaskowania woni rozkładu, którą przesiąkały ich ubrania po dłuższym czasie spędzonym w prosektorium. Byli niesfornymi awanturnikami oddającymi się pijatykom, sądząc z licznych ostrzeżeń przed niestosownym zachowaniem, które nauczyciele kierowali do swoich uczniów[31].

Oczywiście nie wszyscy na UCL byli rozwydrzonymi młodzieńcami. Niektórzy, tak jak Lister, byli pracowici i pilni. Żyli oszczędnie i żeby zapłacić za sprzęt medyczny, zastawiali zegarki w miejscowych lombardach, od których roiło się w wąskich uliczkach wokół uniwersytetu. Inni odwiedzali wytwórców noży, takich jak J. H. Savigny, którego warsztat założony w 1800 roku przy ulicy Strand jako pierwszy w Londynie specjalizował się w narzędziach chirurgicznych. Tego rodzaju zakłady podobno sprzedawały skalpele, noże i piły, które – według jednej z brytyjskich gazet – zostały „wykonane z tak wielką precyzją, że niezmiernie zmniejszą ból odczuwany przez pacjenta i całkowicie usuną wszelkie obawy i rozczarowanie u operującego"[32].

Bardziej niż cokolwiek innego, od reszty studenckiej braci odróżniały studentów medycyny narzędzia, które ze sobą nosili. Chirurgia wciąż była rzemiosłem manualnym, kwestią techniki, nie technologii. Futerał na instrumenty świeżo dyplomowanego chirurga zawierał noże, piły do kości, kleszcze, sondy, haki, igły, podwiązki i skalpele. Te ostatnie były szczególnie ważne ze względu na niesłabnącą popularność puszczania krwi w epoce wiktoriańskiej. Wielu chirurgów nosiło również kieszonkowe futerały z narzędziami, których używali przy pomniejszych zabiegach, zwykle podczas wizyt domowych.

Niemal legendarne miejsce w wyposażeniu chirurga zajmował nóż amputacyjny. Był jednym z niewielu narzędzi, których wygląd znacząco się zmienił w pierwszej połowie XIX wieku. Wynikało to po części ze zmieniających się sposobów przeprowadzania amputacji. Dawniejsi chirurdzy wybierali metodę okrężną, która polegała na wykonaniu głębokiego nacięcia wokół obwodu kończyny, odciągnięciu skóry oraz mięśni i przepiłowaniu kości[33]. Wymagała zatem ciężkiego noża o zakrzywionym, szerokim ostrzu. Późniejsze pokolenia wolały jednak tak zwaną metodę płatową – Liston zastosował ją u uśpionego eterem Churchilla w 1846 roku. W latach dwudziestych XIX wieku nóż amputacyjny był już węższy i lżejszy, o prostym ostrzu odzwierciedlającym rosnącą popularność tej metody. Zakładała ona „przeszycie na wylot", co w gruncie rzeczy wymagało od chirurga ugodzenia pacjenta nożem, to znaczy wbicia ostrza w kończynę, a następnie skierowania go z powrotem ku górze i przekłucia skóry od spodu nacięcia.

Niektórzy chirurdzy kupowali noże robione na zamówienie, dostosowane do preferowanych przez nich metod. Robert Liston – który rzekomo nosił skalpele w rękawie płaszcza, żeby były ciepłe – zaprojektował własny nóż amputacyjny, znacznie większy od typowego, o ostrzu długim na mniej więcej trzydzieści pięć centymetrów i szerokim na ponad trzy centymetry[34]. Czubek tego sztyletu, którego ostatnie pięć centymetrów było ostre jak brzytwa, miał za zadanie przeciąć skórę, grube mięśnie, ścięgna i tkanki uda jednym pociągnięciem. Nic dziwnego, że „nóż Listona" był ulubioną bronią Kuby Rozpruwacza, którą w 1888 roku patroszył on swe ofiary w morderczym szale.

Narzędzia takie jak nóż amputacyjny były w studenckich czasach Listera siedliskiem bakterii. Nad funkcjonalnością często górę brała moda. Wiele noży miało dekoracyjne kwasoryty, a przechowywano je w aksamitnych futerałach noszących ślady krwi z wcześniejszych operacji. Chirurg William Fergusson zalecał, żeby rękojeści narzędzi chirurgicznych wykonywać z hebanu, bo łatwiej było je trzymać podczas przecinania śliskich wiązek żył i tętnic. W XIX wieku nadal używano tradycyjnych materiałów, takich jak drewno, kość słoniowa i szylkret, nawet wtedy gdy nastąpił gwałtowny wzrost produkcji narzędzi w całości metalowych. Jeszcze w 1897 roku w pewnym katalogu napisano: „Nie sądzimy, by bliski był dzień, kiedy narzędzia z metalowymi rękojeściami zastąpią heban i kość słoniową"[35].

Pierwszy futerał na narzędzia Listera zawierał wszystko to, czego mógł potrzebować chirurg na początku szkolenia: piły do kości, służące do odcinania kończyn, kleszcze do odciągania tkanek, sondy do wydobywania kul i ciał obcych.

Ale Lister przywiózł że sobą na UCL także pewien przyrząd, którym dysponowało bardzo niewielu jego kolegów z roku: mikroskop. Pod okiem ojca został wyjątkowo kompetentnym mikroskopistą i nauczył się ufać możliwościom tej pomocy naukowej.

Wielu z nauczycieli Listera nadal uważało, że mikroskop nie tylko jest zbyteczny przy studiowaniu chirurgii, lecz także stanowi zagrożenie dla samego personelu medycznego. Nawet z ulepszeniami, takimi jak achromatyczne soczewki Josepha Jacksona, ów przyrząd nadal wzbudzał podejrzliwość w środowisku medycznym, a wielu lekarzom brakowało umiejętności lub przeszkolenia, żeby się nim skutecznie posługiwać. Jakież rewelacje oferował mikroskop? Przecież wszystkie istotne symptomy można było zaobserwować gołym okiem. Czy rzeczywiście któreś z tych odkryć dokonanych za pomocą mikroskopu przyczyniło się do skutecznego leczenia pacjentów? Skoro ten przyrząd nie dawał wyraźnych korzyści, które miałyby zastosowanie w medycznej i chirurgicznej praktyce, większość uważała, że nie ma powodu, by tracić na niego czas.

A jednak brytyjskim lekarzom trudno było zaprzeczyć, że na kontynencie dzięki mikroskopowi poczyniono istotne postępy w dziedzinie patologii. Zwłaszcza Francuzi, posługując się tym narzędziem, dokonywali odkryć naukowych w niezwykłym tempie. Był to po części rezultat powstania podczas rewolucji francuskiej dużych szpitali w Paryżu. W 1788 roku w czterdziestu ośmiu szpitalach zlokalizowanych w całym mieście przebywało dwadzieścia tysięcy trzysta czterdzieści jeden pacjentów – bezprecedensowa liczba niespotykana nigdzie indziej na świecie[36]. Znaczna część tych ludzi zmarła z powodu swoich schorzeń, a ponieważ byli biedni i nikt nie zgłaszał się po zwłoki, trafiały one w ręce anatomów, takich jak Marie François Xavier Bichat, który w zimie na przełomie 1801 i 1802 roku pociął podobno nie mniej niż sześćset ciał[37]. Badania doprowadziły Bichata do wniosku, że siedliskiem choroby jest wnętrze ciała oraz że tkanki są odrębnymi całościami, które mogą być upośledzone. Stanowiło to odejście od dominującego przekonania, że choroba atakuje całe organy albo całe ciało. Co zdumiewające, Bichat potrafił opisać i nazwać dwadzieścia jeden tkanek w ludzkim ciele, w tym tkanki łączne, mięśniowe i nerwowe. Niestety w 1802 roku zmarł po tym, jak spadł ze schodów we własnym szpitalu.

W pierwszych dekadach XIX wieku francuscy lekarze coraz chętniej posługiwali się mikroskopem. Doktor Pierre Rayer po raz pierwszy w dziejach przeprowadził mikroskopową i chemiczną analizę moczu. Fizjolog i farmakolog François Magendie zaczął stosować ten przyrząd w charakterze pomocy dydaktycznej podczas zajęć z fizjologii, a lekarze Gabriel Andral i Jules Gavarret jako pierwsi badali pod mikroskopem krew. W czasach gdy Lister zaczynał studia medyczne, niektórzy paryscy lekarze używali mikroskopów nawet do diagnozowania chorób skóry, krwi, nerek i układu moczowo-płciowego[38].

Tymczasem w Anglii nadal toczyła się zażarta debata na temat zalet stosowania mikroskopu w patomorfologii. Lister wdał się jednak w ojca. Na UCL okazało się, że lepiej sobie radzi ze skomplikowanymi funkcjami tego przyrządu niż większość jego profesorów. Pisząc do Josepha Jacksona o wykładzie na temat narzędzi optycznych, w którym uczestniczył, tak zreferował mu słowa nauczyciela: „Mówił

45

o wprowadzonych przez Ciebie ulepszeniach i oczywiście uznał w pełni Twoje zasługi dla całej rewolucji w udoskonalaniu obserwacji mikroskopowych, a co więcej, powiedział, że te ulepszenia są najlepszym przykładem zastosowania eksperymentu i obserwacji do konstruowania mikroskopu, jak również że Twoje eksperymenty zostały niezwykle umiejętnie przeprowadzone"[39].

Mimo to Lister nie był całkiem zadowolony z wykładu. Ku jego konsternacji nauczyciel wygłosił na koniec nieprzychylną uwagę, stwierdzając, że studenci powinni pozostać sceptyczni, jeśli chodzi o zastosowanie mikroskopu w medycynie, ponieważ wyniki wszelkich eksperymentów przeprowadzanych za jego pomocą są prawdopodobnie błędne i konieczne będą dalsze udoskonalenia. Zawiedziony Lister poskarżył się ojcu: „[wykład] był dla mnie raczej rozczarowujący i wydaje mi się, że dla innych też".

Listera niełatwo było jednak zniechęcić. Zainteresował się mikroskopową strukturą mięśni, gdy otrzymał od profesora UCL Whartona Jonesa świeżą porcję ludzkiej tęczówki. Zauważył granulki pigmentu w soczewce, a także w tęczówce. Później zajął się tkanką mięśniową w mieszkach włosowych i opracował nową metodę wykonywania przekrojów pionowych, na tyle cienkich, by można je było zadowalająco obserwować pod mikroskopem: „poprzez ściśnięcie fragmentu [skóry głowy] między dwoma cienkimi kawałkami sosnowego drewna i odcięcie ostrą brzytwą drobnych strużyn wraz ze skórą da się uzyskać w miarę cienkie przekroje"[40]. Na podstawie tych eksperymentów Lister opublikował ostatecznie dwa artykuły w „Quarterly Journal of Microscopical Science". Były to pierwsze z wielu badań, które przeprowadził przy użyciu mikroskopu w ciągu swej kariery chirurgicznej.

Wiele lat później przełożony Listera miał niedużo do powiedzenia o swoim podwładnym, zauważając, że był on „zbyt nieśmiały i powściągliwy, by być kimś więcej niż znajomym", gdy pracowali razem w University College Hospital w 1851 roku. Przypomniał sobie jednak o czymś, co wyróżniało Listera spośród reszty studentów: „Miał lepszy mikroskop niż ktokolwiek inny na uczelni"[41]. I to właśnie ten przyrząd pomógł mu ostatecznie odkryć medyczną tajemnicę, która przez wieki prześladowała jego zawód.

2

Domy śmierci

Cóż to za urocze zadanie, usiąść spokojnie w mieszkaniu i ro-
zebrać na części to arcydzieło maestrii; nazwać każdą część jej
właściwym imieniem; poznać jej właściwe miejsce i funkcję; roz-
myślać o mnogości ściśniętych ze sobą organów, tak odmiennych
w działaniu, a jednak wykonujących wyznaczone zadania w wielkiej konfederacji[1].

D. HAYES AGNEW

Krąg światła z gazowej lampy oświetlał zwłoki leżące
na plecach na stole umiejscowionym w głębi pomieszczenia. Ciało zostało już okaleczone nie do poznania,
brzuch rozpruty nożami gorliwych studentów, którzy potem
niedbale wrzucili gnijące organy z powrotem do ociekającej
krwią jamy brzusznej. Górną część czaszki trupa usunięto
i teraz leżała na taborecie obok swego zmarłego właściciela.
Mózg zaczął się rozkładać już kilka dni wcześniej, zamienia-
jąc się w szarą papkę.

Już na początku studiów medycznych Lister musiał się
zmierzyć na UCL z podobną sceną. Biegnące przez środek przejście dzieliło na pół obskurne pomieszczenie prosektorium z pięcioma stołami po każdej stronie. Zwłoki

pozostawiono z naciętymi głowami zwisającymi z krawędzi blatów, co powodowało, że krew zbierała się poniżej w postaci zakrzepłych kałuż[2]. Posadzkę pokrywała gruba warstwa trocin, toteż „dom umarłych" wydawał się wchodzącym do niego ludziom niepokojąco cichy. „Nie słychać było żadnego dźwięku, nawet moich własnych kroków. [...] Był tylko ten przytłumiony, dudniący odgłos ruchu ulicznego, który jest charakterystyczny dla Londynu i który przedostawał się posępnie na dół przez wywietrzniki w dachu", zauważył inny student[3].

Chociaż w 1847 roku UCL i jego szpital były jeszcze stosunkowo nowe, tamtejsze prosektorium sprawiało równie ponure wrażenie jak te w starszych instytucjach. Kryło w sobie wszelkiego rodzaju potworne widoki, dźwięki i zapachy. Gdy Lister rozciął brzuch jakiegoś trupa – z wnętrznościami obrzmiałymi od gęstej papki nieprzetrawionego jedzenia i fekaliów – uwolnił potężną mieszankę cuchnących woni, które utrzymywały się w nozdrzach jeszcze długo po wyjściu z prosektorium. Co gorsza, w głębi pomieszczenia znajdował się otwarty kominek i w miesiącach zimowych, gdy zaczynały się lekcje anatomii, robiło się tam nieznośnie duszno.

Inaczej niż dziś, studenci nie mogli uniknąć kontaktu ze zmarłymi podczas nauki i często żyli tuż obok zwłok, które poddawali sekcji. Nawet ci, którzy nie mieszkali w bezpośrednim sąsiedztwie szkoły anatomicznej, zabierali ze sobą ślady swoich makabrycznych poczynań, ponieważ w prosektorium nie noszono ani rękawic, ani innego rodzaju odzieży ochronnej. Nierzadko można było zobaczyć studenta medycyny ze strzępkami skóry, wnętrzności czy mózgu, które przylgnęły do jego ubrania podczas zajęć.

Zwłoki stanowiły test odwagi i opanowania dla każdego, kto ośmielił się postawić stopę w domu umarłych. W trakcie sekcji nawet najwytrawniejsi specjaliści mogli się znaleźć od czasu do czasu w sytuacjach przyprawiających o szybsze bicie serca. James Marion Sims – wybitny chirurg ginekolog – przypomniał sobie przerażający incydent z czasów studenckich. Otóż pewnego wieczoru jego nauczyciel, przeprowadzając sekcję w świetle świecy, niechcący poluzował łańcuch owinięty wokół zwłok i umocowany do sufitu nad stołem. Trup, pociągnięty w dół ciężarem własnych nóg, „zsunął się nagle na podłogę w pozycji pionowej, zarzucając gwałtownie ręce" na ramiona przeprowadzającego sekcję. W tej samej chwili zgasła świeca, którą umieszczono na klatce piersiowej martwego mężczyzny, więc pomieszczenie pogrążyło się w niemal całkowitej ciemności. Sims osłupiał, gdy zobaczył, jak jego nauczyciel ze spokojem chwyta ciało pod ramiona i umieszcza z powrotem na stole, robiąc przy tym uwagę, że gdyby to od niego zależało, pozostawiłby nieboszczyka „działaniu siły grawitacji"[4].

Dla nowicjuszy wizyta w prosektorium była koszmarem na jawie. Francuski kompozytor i były student medycyny Hector Berlioz wyskoczył przez okno i uciekł do domu; później wspominał, jak się poczuł, gdy po raz pierwszy wszedł do prosektorium: „Jakby deptała mi po piętach sama śmierć z całą swą makabryczną hordą"[5]. Opisał przytłaczające uczucie obrzydzenia na widok „porozrzucanych kończyn, uśmiechających się pogardliwie głów, ziejących czaszek, krwawego szamba pod stopami" oraz z powodu „odrażającego smrodu panującego w tym miejscu". Do najgorszych, jego zdaniem, należał widok szczurów skubiących zakrwawione kręgi i chmar wróbli wydziobujących resztki gąbczastej tkanki płuc. Ten zawód nie był dla każdego.

Ci jednak, którzy pragnęli kontynuować naukę, wcale nie próbowali unikać prosektorium. Większość studentów nie uważała tego miejsca za odrażające i w końcu korzystała z okazji krojenia nieboszczyków, gdy nadszedł czas, by rozpocząć zajęcia z anatomii, a Lister nie stanowił wyjątku. Ich udziałem była odwieczna walka rozumu z przesądem: mieli sposobność rzucenia światła na to, co z punktu widzenia nauki nadal tonęło w mroku. W środowisku medycznym anatom był często traktowany jak odkrywca odważnie zapuszczający się w rejony w znacznej mierze nieznane światu nauki zaledwie pół wieku wcześniej[6]. Jeden z ówczesnych autorów napisał, że anatom, przeprowadzając sekcję zwłok, „zmusza martwe ludzkie ciało do ujawnienia swych tajemnic z korzyścią dla żyjących"[7]. Był to rytuał inicjacyjny pozwalający zostać członkiem medycznego bractwa[8].

Studenci stopniowo zaczynali postrzegać leżące przed nimi zwłoki nie jako ludzi, lecz jako przedmioty. Ta umiejętność emocjonalnego oderwania charakteryzowała mentalność środowiska medycznego. W *Klubie Pickwicka* Charles Dickens przytacza fikcyjną, lecz całkowicie wiarygodną rozmowę dwóch studentów medycyny w mroźny bożonarodzeniowy poranek: „Czyś już skończył tę nogę?", pyta Benjamin Allen. „Prawie skończyłem – odpowiada jego kolega Bob Sawyer – ale bardzo żylasta jak na nogę dziecka. [...] Nie ma to jak sekcja, strasznie zaostrza apetyt"[9].

Dziś tę pozorną oziębłość nazywamy lekceważąco klinicznym dystansem, ale w czasach Listera określano ją mianem koniecznego bestialstwa[10]. Jak zauważył francuski anatom

Joseph Guichard Duverney: „oglądając" martwe ciała i na nich „ćwicząc, wyzbywamy się absurdalnej wrażliwości, więc możemy słyszeć, jak krzyczą, i nie mieć żadnych zaburzeń"[11]. Nie był to produkt uboczny wykształcenia medycznego. Był to jego cel.

W miarę jak studenci medycyny stawali się nieczuli, nabierali również – ku przerażeniu społeczeństwa – lekceważącego stosunku do zwłok. Psikusy w domu umarłych były tak powszechne, że w czasach gdy Lister zaczynał studiować medycynę, stały się cechą charakterystyczną tego zawodu. „Harper's New Monthly Magazine" potępił szerzące się w prosektorium czarny humor i obojętność wobec zmarłych. Niektórzy studenci całkowicie przekraczali granice przyzwoitości i używali rozkładających się części ciała przydzielonych im zwłok w charakterze broni – staczali pojedynki na niby, posługując się odciętymi nogami i rękami. Inni ukradkiem wynosili z prosektorium wnętrzności i chowali je w miejscach, gdzie mogły zaszokować i przerazić nowicjuszy, gdy zostały odkryte. Pewien chirurg zapamiętał, że kiedy był studentem, prosektorium odwiedzały zaciekawione osoby postronne. Owi mężczyźni nosili dwurzędowe fraki i często wkładano im do tylnych kieszeni „upominki" w postaci dostępnych przydatków[12].

Żarty żartami, ale rozcinanie martwych ciał niosło ze sobą wiele zagrożeń dla zdrowia, czasami śmiertelnych. William Tennant Gairdner, profesor Uniwersytetu w Glasgow, zwracał się do nowego rocznika studentów z taką oto złowieszczą wiadomością: „Odkąd mianowano mnie na to stanowisko wśród was, nie przeszedł nad naszymi głowami ani jeden semestr bez zapłaty daniny życia wielkiemu Żniwiarzowi, który zawsze jest gotów zebrać plon i którego kosa nigdy się nie nuży"[13].

Jacob Bigelow – profesor Uniwersytetu Harvarda i ojciec Henry'ego Jacoba Bigelowa, który później był świadkiem przeprowadzonej przez Williama T. G. Mortona operacji z zastosowaniem eteru – również ostrzegał przyszłych studentów medycyny przed fatalnymi skutkami niewielkiego skaleczenia czy zadrapania na skórze spowodowanych nożem używanym do sekcji zwłok. Te tak zwane zadraśnięcia stanowiły szybką drogę do przedwczesnej śmierci. Niebezpieczeństwa czyhały zawsze, nawet na najbardziej doświadczonych anatomów. Śmierć często była nieunikniona dla tych, którzy jak najusilniej starali się jej zapobiegać.

Również żyjący, w osobach chorych pacjentów, przyczyniali się do ogromnych strat wśród tych, którzy walczyli na pierwszej linii medycyny. Umieralność w gronie studentów i młodych lekarzy była bardzo wysoka[14]. W latach 1843–1859 w St. Bartholomew's Hospital na skutek nabawienia się śmiertelnej infekcji zmarło czterdziestu jeden młodych mężczyzn, jeszcze zanim zostali wykwalifikowanymi lekarzami[15]. Tych, którzy stracili w ten sposób życie, często wysławiano jako męczenników, bo ponieśli najwyższą ofiarę w imię postępu wiedzy anatomicznej. Nawet ci, którzy przeżyli, nierzadko cierpieli na różnego rodzaju schorzenia podczas odbywania stażu w szpitalach. Rzeczywiście wyzwania, przed którymi stawali ludzie wchodzący do tego zawodu, były tak wielkie, że chirurg John Abernethy często kończył swoje wykłady taką oto ponurą kwestią: „Niech wam wszystkim Bóg dopomoże. Co się z wami stanie?"[16].

Już wkrótce także Lister doświadczył konkretnych niebezpieczeństw związanych ze swym zajęciem. Był pochłonięty
studiowaniem medycyny, gdy zauważył maleńkie białe krost-
ki na grzbietach dłoni. Mogły oznaczać tylko jedno: ospę.
Znał aż za dobrze charakterystyczne objawy tej straszliwej
choroby, bo kilka lat wcześniej nabawił się jej jego brat John.
Umierała mniej więcej jedna trzecia zarażonych. Tym, którzy
przeżyli, często zostawały szpecące blizny. Pewien współczesny autor napisał, że „ohydne ślady jej mocy" prześladowały
ofiary choroby, „zmieniając dziecię w podrzutka, przed którym wzdrygała się matka, i obrzydzając oczy i policzki zarę-
czonej panny ukochanemu"[17]. Z tego względu ospa była jedną
z chorób, których w XIX wieku obawiano się najbardziej.

John przeżył, ale niebawem okazało się, że ma guza mózgu, bez związku z chorobą. Cierpiał przez kilka lat – tracąc
najpierw wzrok, potem czucie w nogach – i w końcu zmarł
w 1846 roku jako dwudziestotrzylatek. Jego śmierć szczególnie mocno poruszyła ojca Listera Josepha Jacksona, który
stracił cały entuzjazm do pracy z mikroskopem. Już nigdy
do niej nie wrócił. Co do samego Listera, po raz pierwszy
był wtedy świadkiem prawdziwych ograniczeń swojego zawodu, ponieważ w latach czterdziestych XIX wieku nie było
na świecie lekarza, który mógłby z powodzeniem zoperować
guza mózgu Johna.

Mimo panicznego strachu towarzyszącego zarażeniu się
ospą przypadek samego Listera okazał się łagodny, tak jak
jego brata. Szybko wyzdrowiał i nie miał żadnych blizn na
twarzy ani na rękach. Otarcie się o śmierć wytrąciło go jednak z równowagi, a w jego głowie kłębiły się dziesiątki pytań
dotyczących własnego losu. Zwrócił się żarliwiej ku religii.

Jego przyjaciel i współlokator John Hodgkin napisał później, że po powrocie do zdrowia po ospie Lister przeżywał jakiegoś rodzaju konflikt duchowy[18]. Zaczął tracić zainteresowanie studiami i zastanawiać się, czy jego prawdziwym powołaniem jest nie chirurgia, lecz duszpasterstwo we wspólnocie kwakrów. Jako kaznodzieja mógłby rzeczywiście coś zmienić, skoro medycyna była bezradna i nie potrafiła uratować życia jego bratu. Może kwakrzy mieli rację, pokładając większe nadzieje w uzdrawiającej mocy natury niż w zawodzie lekarza.

Kryzys świadomości Listera osiągnął punkt zwrotny pewnego środowego wieczoru w 1847 roku, gdy on i Hodgkin uczestniczyli w zgromadzeniu kwakrów w „domu spotkań przyjaciół" mieszczącym się przy Gracechurch Street, nieopodal uniwersytetu. Hodgkin patrzył ze zdumieniem, jak jego przyjaciel wstaje podczas odbywającego się w ciszy spotkania modlitewnego i mówi: „Nie bój się, bom Ja z tobą, nie lękaj się"[19]. W trakcie spotkań modlitewnych kwakrów jedynymi osobami, które miały prawo zabierać głos, byli duszpasterze. Cytując ustęp z Biblii, Lister dawał do zrozumienia członkom swojej wspólnoty (w tym Hodgkinowi), że poczuł, iż jego przeznaczeniem jest nie sala operacyjna – praca w otoczeniu krwi i wnętrzności – tylko ambona. Natychmiast jednak interweniował Joseph Jackson. Nie uważał on, żeby skądinąd chwalebne pragnienie syna, by służyć Panu, spełniło się najlepiej w ramach duszpasterstwa kwakrów. Nalegał, żeby Lister kontynuował studia medyczne i starał się podobać Bogu, pomagając chorym.

Lister popadał jednak w coraz większe przygnębienie. Przestał sobie radzić z nauką i w marcu 1848 roku nagle opuścił UCL. Załamanie psychiczne było przejawem depresji, która miała go prześladować przez całe życie. Jeden z jego współczesnych powiedział później, że zawsze wisiała nad nim „chmura powagi" i „temperowała wszystko, co robił". Nosił „płaszcz smutku, którego zdawał się rzadko pozbywać", co wynikało z jego własnego, przemożnego „poczucia odpowiedzialności, które niczym brzemię przygniatało jego duszę"[20].

Chociaż termin „załamanie nerwowe" może się wydać anachroniczny, użył go siostrzeniec i biograf Listera Rickman John Godlee, gdy później opisywał ten okres życia swojego wuja. W czasach panowania królowej Wiktorii większość lekarzy leczyła zaburzenia nerwowe rozmaitymi miksturami zawierającymi niebezpieczne składniki, takie jak morfina, strychnina, chinina, kodeina, atropina, rtęć, a nawet arszenik, który został włączony do londyńskiej *Farmakopei* w 1809 roku[21]. Stosowanie tych balsamów na nerwy, jak je nazywano, było zalecane przez zwolenników dominującej wówczas medycznej ortodoksji znanej jako alopatia, co znaczy „inny niż choroba". Krótko mówiąc, zgodnie z tą teorią najlepszym sposobem leczenia dolegliwości było wywołanie objawów somatycznych odmiennych od danego stanu patologicznego. Na przykład w wypadku gorączki należało schłodzić ciało. Gdy zaś w grę wchodziły zaburzenia psychiczne, należało przywrócić siłę i stabilność nadwyrężonym nerwom pacjenta.

Również „naturopatia" – leczenie choroby poprzez pobudzanie własnych mocy uzdrawiających organizmu – odgrywała znaczącą rolę w wiktoriańskiej medycynie. Lekarze przywiązywali wielką wagę do zmiany powietrza i otoczenia w ramach walki z tym, co uważali za przyczynę zszarganych nerwów: ze stresem, z przepracowaniem i niepokojem psychicznym. Ważne było, żeby pacjenci opuścili środowisko, w którym doznali załamania.

Właśnie taką drogę obrał Lister. Pod koniec kwietnia udał się wraz z Hodgkinem na wyspę Wright u południowych wybrzeży Anglii, gdzie odwiedzili starą latarnię morską Needles, stojącą u stóp klifu wznoszącego się sto czterdzieści cztery metry nad Scratchell's Bay. W czerwcu Lister przyjechał do Ilfracombe, pięknej wioski w hrabstwie Somerset, położonej nad Kanałem Bristolskim. Gdy tam przebywał, przyjął od zamożnego kupca Thomasa Pima zaproszenie do odwiedzenia Irlandii. Pimowie byli prominentnymi kwakrami z miejscowości Monkstown w pobliżu Dublina, która stanowiła swego rodzaju bastion Towarzystwa Przyjaciół w tamtej części Irlandii. Joseph Jackson napisał do syna, że ma nadzieję, iż te wojaże pomagają mu odzyskać równowagę psychiczną: „Rzeczy, które czasami Cię trapią, naprawdę są jedynie skutkiem choroby, zbyt pilnego oddawania się studiom. [...] Najwłaściwsze teraz jest dla Ciebie zachowywanie pobożnej pogody ducha, otwartego na oglądanie szczodrych darów i piękna, które się dokoła nas roztaczają, i radowanie się nimi; nie pozwalaj, by Twoje myśli zwracały się ku Tobie ani nawet by obecnie zatrzymywały się długo na poważnych sprawach"[22].

Lister podróżował po Wielkiej Brytanii i Europie przez dwanaście miesięcy, zanim w końcu wrócił do Londynu. W 1849 roku pokonał swe wewnętrzne demony i ponownie zapisał się na UCL, gdzie odżyło w nim zamiłowanie do chirurgii. W wolnych chwilach kontynuował badania poza prosektorium, nabywając od zbieraczy kości i dostawców medycznych różne części ciała, ponieważ chciał pogłębić swą wiedzę na temat anatomii człowieka. Były wśród nich:

pęcherz, klatka piersiowa oraz głowa wraz z fragmentem rdzenia kręgowego, którą kupił za dwanaście szylingów i sześć pensów[23]. W grudniu tamtego roku nabył od swojego byłego współlokatora Edwarda Palmera kompletny ludzki szkielet za pięć funtów, które spłacał przez następne dwa lata.

Po pierwszym roku studiów medycznych, w październiku 1850 roku, Lister rozpoczął staż w University College Hospital. Kilka miesięcy później komisja medyczna zaproponowała mu posadę dressera u Johna Erica Erichsena, starszego chirurga szpitala. Lister przyjął ją, chociaż wcześniej odmówił z powodu słabego zdrowia[24].

Najlepsze, co da się powiedzieć o szpitalach wiktoriańskich, jest to, że stanowiły n i e z n a c z n y postęp w stosunku do swoich poprzedników z czasów georgiańskich. Trudno to jednak uznać za powód do dumy, jeśli weźmie się pod uwagę, że szpitalny „naczelny łapacz insektów" – którego praca polegała na odwszawianiu sienników – był opłacany lepiej niż tamtejsi chirurdzy[25].

Trzeba przyznać, że w pierwszej połowie XIX wieku kilka londyńskich szpitali zostało przebudowanych lub rozbudowanych w związku z wymogami, jakie stawiała przed nimi rosnąca liczba mieszkańców stolicy. Na przykład St. Thomas' Hospital otrzymał w 1813 roku nowy amfiteatr anatomiczny i muzeum, a St. Bartholomew's Hospital przeszedł w latach 1822–1854 kilka gruntownych remontów, dzięki czemu mógł przyjmować więcej pacjentów. W tamtym okresie zbudowano również trzy kliniki, między innymi University College Hospital w 1834 roku.

Pomimo wspomnianych zmian – albo dlatego że z powodu rozbudowy tych placówek setki pacjentów znalazły się nagle

blisko siebie – szpitale powszechnie nazywano domami śmierci. Niektóre przyjmowały tylko tych chorych, którzy wzięli
ze sobą pieniądze na pokrycie kosztów własnego niemal nie-
uniknionego pochówku. Inne, tak jak St. Thomas' Hospital,
pobierały podwójną opłatę, jeśli dana osoba została uznana za
„odrażającą" przez pracownika odpowiedzialnego za przyjmo-
wanie chorych[26]. Jeszcze w 1869 roku chirurg James Y. Simpson
zauważył, że „żołnierz na polu bitwy pod Waterloo ma większe
szanse na przeżycie niż człowiek, który idzie do szpitala"[27].

Chociaż podejmowano symboliczne wysiłki zmierzające
do tego, żeby szpitale stały się czystsze, większość nadal była
przepełniona, brudna i źle zarządzana. Stanowiły wylęgarnię
infekcji i zapewniały jedynie najprymitywniejsze warunki
chorym i umierającym, z których wielu umieszczano w salach bez dostatecznej wentylacji i dostępu do czystej wody[28].
Nacięcia chirurgiczne dokonywane w dużych szpitalach miejskich wiązały się z tak wielkim ryzykiem infekcji, że operacje ograniczały się jedynie do najpilniejszych przypadków.
Chorzy często długo marnieli w brudzie, zanim doczekali
się pomocy medycznej, ponieważ większość szpitali cierpiała na fatalne braki kadrowe. W 1825 roku odwiedzający
St. George's Hospital odkryli grzyby i robaki, które świetnie
się miały w wilgotnej i brudnej pościeli pewnego pacjenta
dochodzącego do zdrowia po zabiegu związanym z otwar-
tym złamaniem kości. Poszkodowany mężczyzna, uznając to
za normę, nie skarżył się na warunki, a żaden z pozostałych
pacjentów z tej sali nie uważał, żeby panujący tam brud był
czymś szczególnie godnym uwagi[29].

Najgorsze ze wszystkiego było to, że szpitale nieustannie
cuchnęły moczem, kałem i wymiocinami. Obrzydliwa woń

przenikała każdy oddział chirurgiczny. Odór był tak ohydny, że niekiedy lekarze chodzili z chusteczkami przyciśniętymi do nosa. To właśnie ów afront dla zmysłów stanowił najtrudniejszy test dla studentów chirurgii podczas pierwszego dnia ich pracy w szpitalu[30].

Berkeley Moynihan – jeden z pierwszych chirurgów w Anglii, który używał gumowych rękawic – wspominał, że dawniej on i jego koledzy zrzucali marynarki, gdy wchodzili do sali operacyjnej, i przywdziewali stary kitel, często sztywny od zakrzepłej krwi i ropy. Należał do pewnego emerytowanego członka personelu i był noszony niczym odznaka honorowa przez jego dumnych następców, podobnie jak wiele innych elementów odzieży chirurgicznej.

W tym niebezpiecznym środowisku szczególnie zagrożone były ciężarne, u których doszło do pęknięcia krocza w trakcie porodu, ponieważ tego rodzaju rany ułatwiały przenikanie do organizmu bakterii przenoszonych przez lekarzy i chirurgów. W latach czterdziestych XIX wieku w Anglii i Walii co roku w wyniku infekcji bakteryjnych, takich jak posocznica połogowa (zwana również gorączką połogową), umierało mniej więcej trzy tysiące matek[31]. Oznaczało to w przybliżeniu jeden zgon na każde dwieście dziesięć porodów. Wiele kobiet umierało również z powodu ropni miednicy, krwotoków albo zapalenia otrzewnej – czyli błony wyścielającej jamę brzuszną – strasznej choroby, do której dochodziło, gdy bakterie przedostawały się do krwiobiegu.

Ponieważ chirurdzy na co dzień spotykali się z cierpieniem, bardzo niewielu czuło potrzebę zajmowania się tym problemem – uważali, że jest czymś zwyczajnym i nieuniknionym. Większość chirurgów była zainteresowana jedynie stanem poszczególnych pacjentów, a nie ogółem hospitalizowanych czy statystykami. Przeważnie nie obchodziły ich przyczyny chorób, woleli się skupiać na diagnozach, rokowaniach i leczeniu. Lister jednak wyrobił sobie wkrótce własną opinię na temat opłakanego stanu oddziałów szpitalnych i tego, co można zrobić, żeby zaradzić sytuacji, którą uważał za narastający kryzys humanitarny.

Wielu chirurgów, z którymi Lister miał do czynienia w pierwszych latach studiów medycznych, nisko oceniało swoje możliwości pomocy pacjentom i szanse polepszenia warunków w szpitalach. Do takich lekarzy zaliczał się John Eric Erichsen, starszy chirurg w University College Hospital. Był szczupłym, ciemnowłosym mężczyzną, noszącym charakterystyczne dla tamtych czasów bujne bokobrody. Miał jasne oczy, przenikliwe spojrzenie i dobrotliwą twarz z pochyłym czołem, długim nosem i lekko wykrzywionymi ustami. W przeciwieństwie do wielu swoich kolegów nie był zbyt wprawnym chirurgiem. Sławę zdobył raczej dzięki pisarstwu i nauczaniu. Spośród jego dzieł największym powodzeniem cieszyła się książka *The Science and Art of Surgery* [Wiedza i sztuka chirurgiczna], która doczekała się dziewięciu wydań i przez kilkadziesiąt lat była najważniejszym podręcznikiem chirurgii. Została przetłumaczona na niemiecki, włoski oraz hiszpański, a w Ameryce ceniono ją tak bardzo, że podczas wojny secesyjnej wręczano jej egzemplarz każdemu lekarzowi wojskowemu armii federalnej[32].

Erichsen okazał się jednak krótkowzroczny, jeśli chodzi o przyszłość chirurgii, która jego zdaniem w połowie XIX wieku szybko zbliżała się do kresu swoich możliwości.

Historia zapamięta chirurga z bokobrodami z powodu jego błędnej przepowiedni: „Wkrótce zabraknie nowych obszarów do podbicia za pomocą noża; muszą być takie części ludzkiego ciała, które na zawsze pozostaną nienaruszone, przynajmniej nożem chirurga. Raczej nie ulega wątpliwości, że dotarliśmy już, choć może jeszcze niezupełnie, do tych ostatecznych granic. Brzuch, klatka piersiowa i mózg na wieki pozostaną zamknięte przed interwencją mądrego i ludzkiego chirurga".

Niezależnie od chybionych proroctw Erichsen zdawał sobie jednak sprawę z doniosłej transformacji, jakiej ulegał właśnie zawód chirurga w wyniku niedawnych reform oświatowych. Podczas gdy wcześniej chirurg był gloryfikowanym rzeźnikiem o mocnych rękach, teraz stał się wprawnym specjalistą kierującym się głębszą wiedzą. Jak zauważył Erichsen, „[chirurg] od dawna liczył jedynie na r ę k ę, teraz zaś wykonuje swój zawód, posługując się g ł o w ą w tym samym albo i większym stopniu co ręką"[33].

Erichsen objął posadę w wyniku nieszczęśliwego wypadku, który dobrze ilustruje niebezpieczeństwa związane z wykonywanym przez niego zawodem. Cztery lata wcześniej jego poprzednik John Phillips Potter wszedł do prosektorium, żeby przeprowadzić sekcję zwłok cyrkowca, karła Harveya Leacha, znanego wielu londyńczykom jako „Krasnal Mucha", ponieważ zazwyczaj przemykał po scenie niczym skrzydlaty insekt.

Leach, którego na afiszach często nazywano „najniższym człowiekiem na świecie", zasłynął jako cyrkowa osobliwość. Poza tym, że był niskiego wzrostu, jedna z jego nóg miała czterdzieści sześć centymetrów długości, a druga sześćdziesiąt jeden i gdy szedł, jego ręce zamiatały ziemię jak u małpy człekokształtnej. Według jednego ze współczesnych Leach wyglądał „jak głowa i tułów poruszające się na kółkach"[34].

Dziwny wygląd Leacha zwrócił w końcu uwagę amerykańskiego showmana i kawalarza P. T. Barnuma, założyciela Cyrku Barnum i Bailey. Ubrał on karła w skórę jakiegoś dzikiego zwierzęcia i oblepił ściany londyńskich kamienic afiszami z napisem: „Co to jest?". Barnum nie zdawał sobie jednak sprawy, że Leach, dzięki swojej dotychczasowej karierze cyrkowej, jest tak rozpoznawalny, że ludzie w ciągu kilku dni odgadną prawdziwą tożsamość tajemniczej „bestii"[35]. Pomimo tej początkowej wpadki Barnum zatrzymał Leacha w swoim cyrku aż do jego śmierci w wieku czterdziestu sześciu lat w wyniku zranienia biodra i późniejszej infekcji[36]. W czasach kiedy ludzie dokładali wszelkich starań, by po śmierci ich ciała pozostały nienaruszone, Leach rzekomo zastrzegł, by jego przekazano osobom, które najprawdopodobniej będą skłonne je pociąć. Według pewnej australijskiej gazety Leach zażądał, by jego zwłoki „sprezentowano doktorowi Listonowi, wybitnemu chirurgowi, nie po to, by je pogrzebał, lecz po to, by je zabalsamował i trzymał w szklanej gablocie, ponieważ doktor był jego wyjątkowym przyjacielem"[37]. Inna gazeta, wychodząca w Wielkiej Brytanii, poinformowała, że Leach „zapisał swoje ciało najbliższemu przyjacielowi i towarzyszowi, panu Potterowi", co wydaje się bardziej prawdopodobne, zważywszy, że ostatecznie to Potter przeprowadził sekcję[38]. Niezależnie od tego, w jakich okolicznościach uzyskano ciało i jakie mogły być prawdziwe życzenia Leacha, sekcja jego zwłok odbyła się 22 kwietnia 1847 roku.

Potter, który dał się poznać jako doskonały, energiczny i błyskotliwy nauczyciel, został akurat w tym samym tygodniu mianowany asystentem chirurga w University College Hospital[39]. Mówiło się, że jego życzliwość i zapał w poprzedniej roli wykładowcy anatomii sprawiły, iż był lubiany zarówno przez kadrę nauczycielską, jak i przez studentów, a do jego wielbicieli zaliczał się także Lister. Gdy Potter rozciął sztywne ciało Leacha, zanotował: „Wydaje się, jakby kości udowe i mięśnie zniknęły, a stawy kolanowe zostały uniesione do bioder"[40]. Według Pottera zamiast normalnej budowy ciała Leach zdawał się mieć „niezmiernie mocną kość w kształcie trójkąta, z podstawą skierowaną ku górze, [...] połączoną z biodrem bardzo mocnymi więzadłami". Potter uważał, że właśnie dzięki temu słynny cyrkowiec potrafił skakać na wysokość trzech metrów.

Potter ostrożnie nacinał zwłoki coraz głębiej, przerywając tę czynność, żeby prowadzić skrupulatne notatki. Nagle jego skalpel ześlizgnął się i ukłuł go w knykieć palca wskazującego. Młody chirurg, nieświadomy ryzyka, nadal przeprowadzał sekcję. Kilka dni później zaczął cierpieć na ropnicę, rodzaj posocznicy, w wyniku której na całym ciele powstają liczne ropnie. Chorobę wywołał niewątpliwie kontakt ze zwłokami Leacha, w których roiło się od bakterii. Zakażenie posuwało się w górę ramienia i ostatecznie objęło całe ciało. Przez następne trzy tygodnie Potterem opiekowało się pięciu lekarzy, w tym Robert Liston; podobno wysączono mu ponad półtora litra ropy z okolic krzyża oraz nieco ponad litr z klatki piersiowej. Ostatecznie jednak młody człowiek zmarł. W oficjalnym raporcie znalazła się konkluzja, że gdyby Potter zjadł śniadanie, zanim udał się w pośpiechu do prosektorium, mógłby pozostać przy życiu, ponieważ pełny żołądek pomógłby wchłonąć toksyczne substancje, które dostały się do jego organizmu, gdy przeprowadzał sekcję zwłok Leacha. W czasach gdy nic nie wiedziano o zarazkach, takie wyjaśnienie wydawało się całkowicie prawdopodobne. Za trumną Pottera przez rozległy teren londyńskiego cmentarza Kensal Green podążało dwustu żałobników. Przyszli na pogrzeb, żeby złożyć hołd człowiekowi, który tak dobrze się zapowiadał w trakcie swej krótkiej kariery. W czasopiśmie „The Lancet" ubolewano później, że był to „najsmutniejszy i najbardziej zniechęcający przykład wybitnego talentu i nadziei zniweczonych przez śmierć"[41]. Pech Pottera przyniósł jednak szczęście Erichsenowi. Ledwie ubito ziemię na grobie nieszczęsnego asystenta, gdy ten urodzony w Danii chirurg zajął miejsce zmarłego kolegi.

Okazało się, że rok 1847 był złym rokiem dla niejednego chirurga z tamtego szpitala. 7 grudnia – niecałe dwanaście miesięcy po historycznej operacji z użyciem eteru – wielki chirurg Robert Liston zmarł niespodziewanie w wieku pięćdziesięciu trzech lat z powodu tętniaka aorty. Jego śmierć głęboko odczuli członkowie personelu medycznego University College Hospital, a wielu z nich zrezygnowało ze stanowisk w poszukiwaniu innych gigantów chirurgii, których mogliby naśladować[42]. Strata tak powszechnie lubianych nauczycieli jak Potter i Liston spowodowała również spadek liczby studentów pragnących pobierać tam nauki, co z kolei doprowadziło do znacznego obniżenia dochodów placówki. Pod koniec lat czterdziestych XIX wieku szpital miał trzy tysiące funtów długu i musiał stopniowo zmniejszyć liczbę łóżek ze stu trzydziestu do stu. Tylko połowa była przeznaczona na przypadki chirurgiczne[43].

Erichsen szybko awansował. Gdy w 1850 roku w wieku trzydziestu dwóch lat został mianowany kierownikiem katedry chirurgii, jego starszy kolega Richard Quain poczuł się tym tak urażony, że nie chciał z nim rozmawiać przez piętnaście lat. Polityka szpitalna jest, jak widać, ponadczasowa. Erichsen miał trzech dresserów, gdy przydzielono mu Listera jako czwartego. Mieli oni za zadanie przeprowadzać wywiady chorobowe z każdym z pacjentów, przygotowywać tabele diet i asystować przy autopsjach. Lister i jego trzech kolegów podlegali rezydentowi Erichsena, młodemu ekscentrycznemu chirurgowi Henry'emu Thompsonowi, który później zasłynął w Londynie jako gospodarz „oktaw" – kolacji dla ośmiu osób, składających się z ośmiu dań i serwowanych o ósmej. Thompson nadzorował pracę dresserów i codziennie rano zajmował się pacjentami Erichsena. Jako w pełni wykwalifikowany chirurg asystował mu również przy operacjach; Lister i pozostali nie mogli tego robić.

Tych pięciu mężczyzn mieszkało razem w kwaterach na terenie szpitala. Dla Listera stanowiło to zdrową odmianę w porównaniu z duszną atmosferą, jakiej zaznał, będąc lokatorem w domu Edwarda Palmera, gdy studiował na wydziale humanistycznym. Po raz pierwszy w życiu zetknął się bliżej z młodymi mężczyznami o różnym wykształceniu i pochodzącymi z różnych środowisk religijnych, którzy w wielu wypadkach mieli zupełnie inne poglądy niż on[44]. Świetnie się czuł w tym nowym otoczeniu i został aktywnym członkiem studenckiego kolektywu. Wstąpił do Towarzystwa Medycznego, między innymi dlatego, że starał się pozbyć jąkania, które nasiliło się przed jego załamaniem nerwowym. Brał udział w ożywionych dyskusjach z innymi studentami na temat zalet mikroskopu jako narzędzia użytecznego w medycznych badaniach naukowych. Poza tym ostro krytykował homeopatię, która jego zdaniem była „całkowicie nie do obrony z naukowego punktu widzenia"[45]. Dzięki swym zdolnościom oratorskim rok po wstąpieniu do towarzystwa został wybrany na jego przewodniczącego.

Niedługo po tym, jak Lister został dresserem Erichsena, w szpitalu wybuchła epidemia róży, ostrej infekcji skórnej nazywanej niekiedy ogniem Świętego Antoniego, ponieważ w jej wyniku skóra chorego staje się jasnoczerwona i błyszcząca. Choroba, którą wywołują paciorkowce, może się rozwinąć w ciągu zaledwie kilku godzin, powodując wysoką gorączkę, dreszcze i ostatecznie prowadząc do śmierci. Większość ówczesnych chirurgów uważała różę za całkowicie nieuleczalną. Jej straszne skutki wydawały się wszechobecne. Była do tego stopnia zaraźliwa, że instytucje takie jak Blockley Almshouse w Filadelfii (późniejszy Filadelfijski Szpital Ogólny) ogłaszały moratorium na przeprowadzanie operacji od stycznia do marca, ponieważ uważano, że na ten okres przypada sezonowy szczyt zachorowań.

Lister znał tę chorobę lepiej niż jego koledzy ze studiów, bo odkąd był mały, jego matka Isabella cierpiała z powodu regularnych nawrotów róży. (Prawdopodobnie ze względu na jej notorycznie zły stan zdrowia sam Lister miał w starszym wieku coś z hipochondryka[46]. Najbardziej oczywistym i widocznym przejawem jego neurozy była obsesja na punkcie butów – zawsze starał się, żeby miały niezwykle grube podeszwy. Jeden z jego przyjaciół snuł domysły, że wynikało to z „niedorzecznego strachu przed przemoczeniem nóg", co większość ludzi z pokolenia Listera uważała za źródło chorób)[47].

Róża należała do czterech najgroźniejszych infekcji, które nękały dziewiętnastowieczne szpitale. Pozostałe trzy to gangrena szpitalna (wrzody prowadzące do rozkładu ciała, mięśni i kości), sepsa (posocznica) i ropnica. Każda z tych chorób mogła się okazać śmiertelna, zależnie od najróżniejszych czynników, zwłaszcza od wieku i ogólnego stanu zdrowia zarażonej osoby. Wywołane przez tę „wielką czwórkę" nasilenie się infekcji i ropienia ran zaczęto później nazywać hospitalizmem, za który środowisko medyczne w coraz większym stopniu winiło zakładanie dużych miejskich szpitali, gdzie pacjenci mieli bliski kontakt ze sobą. Chociaż budowa tych obiektów wychodziła naprzeciw potrzebom ludności, której liczba gwałtownie rosła, wielu lekarzy uważało, że szpitale niweczą postępy chirurgii, ponieważ większość pacjentów umiera w wyniku infekcji, a w ogóle by się jej nie nabawili, gdyby nie zostali przyjęci do szpitala. Pewien ówczesny autor twierdził, że środowisko medyczne nie może liczyć na „postęp w powszechnym praktykowaniu sztuki leczniczej, dopóki dotychczasowy system nie zostanie mniej lub bardziej zmieniony i zrewolucjonizowany"[48].

Problem polegał na tym, że nikt dokładnie nie wiedział, jak są przenoszone choroby zakaźne. W latach czterdziestych XIX wieku opracowanie skutecznej polityki ochrony zdrowia stało się zakładnikiem debaty między zwolennikami tak zwanej teorii zakażeń a jej przeciwnikami. Ci pierwsi zakładali, że choroby są przenoszone z osoby na osobę za pośrednictwem towarów sprowadzanych z zarażonych rejonów świata. Wyrażali się jednak niejasno na temat czynnika, za pomocą którego choroba jest przekazywana. Niektórzy sugerowali, że chodzi o jakąś substancję chemiczną albo nawet małe „niewidzialne kule". Inni uważali, że może być przenoszona przez „żyjątka", bo tym uniwersalnym terminem określano wszelkie małe organizmy. Zwolennicy teorii zakażeń utrzymywali, że jedynym sposobem zapobiegania i kontrolowania epidemii jest stosowanie kwarantanny i wprowadzenie restrykcji handlowych. Teoria zakażeń wydawała się prawdopodobna, gdy chodziło o takie choroby jak ospa, ponieważ zawarty w krostach płyn łatwo można było uznać za czynnik odpowiedzialny za przenoszenie choroby, niewiele jednak wyjaśniała w przypadku chorób rozprzestrzeniających się poprzez kontakt niebezpośredni, takich jak cholera albo żółta febra.

Po drugiej stronie znajdowali się przeciwnicy teorii zakażeń, którzy uważali, że choroby rodzą się samoistnie z brudu i zgnilizny, w efekcie procesu gnilnego, a następnie są przenoszone powietrzem za pośrednictwem trujących wyziewów, czyli miazmatów. (To, że nazwa malarii pochodzi od włoskich słów *mala*, czyli „złe", i *aria* – „powietrze", wskazuje, iż ludzie wierzyli, że choroba ta ma miazmatyczne pochodzenie). Ten pogląd był popularny wśród medycznej elity sprzeciwiającej się drakońskim ograniczeniom wolnego handlu, za których wprowadzeniem podczas epidemii opowiadali się zwolennicy teorii zakażeń. Jej przeciwnicy uważali, że ich własna teoria opiera się na logicznej obserwacji. Wystarczyło bowiem spojrzeć na nędzne warunki panujące w zatłoczonym mieście, by przyznać, że gęsto zaludnione obszary często stanowią epicentrum wybuchów epidemii. W 1844 roku lekarz Neil Arnott podsumował poglądy przeciwników teorii zakażeń, gdy stwierdził, że bezpośrednią i główną przyczyną chorób na terenach wielkomiejskich jest „trucizna atmosferycznego zanieczyszczenia powstająca w wyniku nagromadzenia w miejscach zamieszkania [ludzi] i wokół nich rozkładających się pozostałości substancji używanych w charakterze pokarmu oraz nieczystości wydalanych przez ich własne ciała"[49]. Proponowali oni swój program zapobiegania i kontroli, który koncentrował się na polepszeniu stanu środowiska, co miało ich zdaniem zlikwidować warunki sprzyjające powstawaniu chorób.

Chociaż wielu lekarzy przyznawało, że żadna z tych dwóch teorii nie dostarcza wyczerpującego wyjaśnienia, jak rozprzestrzeniają się choroby zakaźne, większość szpitalnych chirurgów opowiadała się po stronie przeciwników teorii zakażeń, zwracając uwagę na skażone powietrze w przepełnionych salach szpitalnych jako na przyczynę hospitalizmu[50]. Francuzi nazywali to zjawisko *l'intoxication nosocomiale* (zatruciem szpitalnym). W University College Hospital z poglądem tym zgadzał się Erichsen. Utrzymywał, że pacjenci ulegają zakażeniu miazmatem powstającym w gnijących ranach. Sądził, że powietrze nasyca się trującymi gazami, które są następnie wdychane przez pacjentów: ów miazmat mógł się pojawić „o każdej porze roku, w każdych okolicznościach, i stać się niezwykle zjadliwy, jeśli stłoczenie razem operowanych lub rannych [...] będzie nadmierne"[51]. Erichsen oceniał, że gdy w sali na czternaście łóżek znajdzie się więcej niż siedmioro pacjentów z zakażoną raną, może to doprowadzić do nieodwracalnego wybuchu epidemii którejkolwiek z czterech głównych chorób szpitalnych. Trudno go winić za to, że tak myślał.

Porównując współczynnik zgonów wśród pacjentów chirurgów pracujących na wsi i wśród tych operowanych w tym samym okresie w dużych miejskich szpitalach w Londynie i Edynburgu, położnik James Y. Simpson odkrył szokujące różnice. Na dwadzieścia trzy podwójne amputacje przeprowadzone na wsi w ciągu dwunastu miesięcy śmiercią pacjentów zakończyło się tylko siedem[52]. Mogłoby się wydawać, że to wysoki odsetek, okazuje się jednak niski w porównaniu ze współczynnikiem zgonów w tym samym okresie w Royal Infirmary w Edynburgu. Z jedenastu tamtejszych pacjentów, u których przeprowadzono wtedy podwójną amputację, zmarło aż dziesięciu. Dalsza analiza statystyczna pokazuje, że na wsi w połowie XIX wieku główną przyczyną śmierci po amputacji były wstrząs i wyczerpanie, w szpitalach miejskich natomiast infekcja pooperacyjna. Wielu chirurgów nabrało wątpliwości, czy duże szpitale w ogóle umożliwiają ich pacjentom powrót do zdrowia.

University College Hospital prowadził politykę natychmiastowej izolacji, jeśli chodzi o postępowanie w wypadku infekcji szpitalnych[53]. Gdy w styczniu 1851 roku Lister zaczął pracować dla Erichsena, czasopismo „The Lancet" doniosło, że szpital „był wyjątkowo zdrowy i zupełnie wolny od przypadków róży mającej źródło w jego murach". A jednak w tym samym miesiącu przywieziono tam z przytułku w Islington pacjenta z martwicą nóg, który jak się okazało, był również zarażony różą. Chociaż zajmował łóżko tylko przez dwie godziny, zanim Erichsen kazał go odizolować, było już za późno. Doszło do najgorszego. W ciągu kilku godzin infekcja rozprzestrzeniła się po całej sali, zabijając wielu pacjentów. Jej wybuch został ostatecznie powstrzymany, gdy zarażone osoby przeniesiono do innej części szpitala.

Wiele z tych ofiar niewątpliwie przetransportowano do prosektorium, żeby poddać je sekcji zwłok, co jeszcze dobitniej uświadomiło Listerowi i jego kolegom nierozerwalny charakter cyklu choroby i śmierci, którego osią okazała się sala szpitalna. Powodzenie lub porażka leczenia w domu śmierci były loterią. Od czasu do czasu jednak nadarzała się okazja, żeby chirurg podjął inicjatywę i uratował ludzkie życie w nieoczekiwany sposób, o czym Lister miał się niebawem przekonać.

3

Zszyte wnętrzności

Powinniśmy zadać sobie pytanie, czy znalazłszy się w podobnych okolicznościach, zdecydowalibyśmy się narazić siebie na ból i cierpienie, które zamierzamy zadać[1].

SIR ASTLEY COOPER

O pierwszej w nocy 27 czerwca 1851 roku w oknie ambulatorium urazowego University College Hospital migotał płomień świecy Listera. Inne oddziały zainstalowały niedawno kandelabry sufitowe zasilane gazem, lecz ta część szpitala nadal była uzależniona od światła świec[2]. W placówkach medycznych świece zawsze stanowiły problem. Dawały niewystarczające światło, toteż chirurdzy byli zmuszeni przysuwać je niebezpiecznie blisko pacjentów, żeby ich należycie zbadać. Nieco wcześniej jeden z pacjentów Erichsena poskarżył się podczas badania, że gorący wosk kapie mu na szyję[3].

Lister często wykorzystywał spokojne nocne godziny, żeby przepisywać dokumentację medyczną i kontrolować stan pacjentów. Ta noc nie okazała się jednak spokojna. Nagle na ulicy przed szpitalem wybuchło jakieś zamieszanie. Lister chwycił świecę z okna, a jej blask rozświetlał wnętrze budynku, w miarę jak buty chirurga stukały o posadzkę z twardego drewna. Płomień na krótko oświetlał każde pomieszczenie, przez które przechodził Joseph, kierujący się do głównego wejścia. Drzwi otworzyły się gwałtownie. Lister uniósł świecę i zobaczył twarz rozgorączkowanego policjanta. Funkcjonariusz trzymał w ramionach nieprzytomną kobietę. Pchnięto ją nożem w brzuch i chociaż rana okazała się niewielka, z jej ciała zaczęły się wysuwać śliskie zwoje jelit. Lister nie tylko był najstarszym chirurgiem na dyżurze. Był j e d y n y m chirurgiem na dyżurze.

Odstawił świecę i przystąpił do pracy[4].

Młodą kobietą, która znalazła się pod opieką Listera, była Julia Sullivan, matka ośmiorga dzieci. Padła ofiarą podsyconego alkoholem wybuchu gniewu męża. Przemoc domowa nie należała w wiktoriańskiej Anglii do rzadkości. Bicie żon stanowiło narodowe hobby, a kobiety takie jak Julia często były traktowane przez mężów jak własność.

Niektórzy mężczyźni nawet wystawiali na sprzedaż swoje żony i dzieci, gdy się nimi znudzili. Zachował się akt sprzedaży, który głosił, że niejaki pan Osborn „zgadza się rozstać z żoną Mary i z dzieckiem na rzecz pana Williama Sergeanta za sumę jednego funta, opłatę za zrzeczenie się wszelkich roszczeń"[5]. Innym razem pewien dziennikarz napisał o rzeźniku, który zaciągnął żonę na targ w londyńskiej dzielnicy Smithfield „z postronkiem na szyi i drugim wokół talii, którym przywiązał ją do ogrodzenia"[6]. Ostatecznie mąż sprzedał żonę „szczęśliwemu nabywcy", który zapłacił mu trzy gwinee i koronę za „jego utracone żebro". W latach 1800–1850 w Anglii odnotowano ponad dwieście przypadków sprzedaży żon. Niewątpliwie było ich więcej, lecz nie zostały zgłoszone[7].

W połowie XIX wieku prześladowane kobiety raczej nie mogły liczyć na ochronę prawną. Redaktor dziennika „The Times" skrytykował łagodne wyroki wydawane przez sędziów pokoju w sprawach dotyczących agresywnych mężów, twierdząc, że „więź małżeńska jest chyba uważana za przyznanie mężczyźnie do pewnego stopnia bezkarności za brutalność wobec kobiety"[8]. Ci sadystyczni mężczyźni żyli w społeczeństwie, które przymykało oko na ich występki. Tak się przyzwyczaiło do myśli, że mężczyznom wolno bić kobiety i dzieci, że w praktyce sankcjonowało tego rodzaju zachowanie. Pewien redaktor gazety „The Morning Chronicle" 31 maja 1850 roku skomentował to następująco:

Jest oczywiste dla wszystkich, którzy zadają sobie trud, by odczytywać oznaki opinii pospólstwa, że [mężczyźni] trwają w przekonaniu, iż mają p r a w o dopuszczać się niemal nieograniczonej przemocy cielesnej wobec s w o i c h żon i s w o i c h dzieci. Jeśli ktoś próbuje kwestionować to rzekome prawo, wzbudza ich niekłamane zdumienie. Czyż to nie i c h żona albo dziecko? Czyż nie są uprawnieni do postępowania ze swoją własnością zgodnie z własną wolą? Te pytania nie są bynajmniej, w ich mniemaniu, metaforyczne. Buty na ich stopach, pałka w ich ręku, koń lub osioł, który dźwiga ich ciężary, żona i dzieci – wszystko jest „ich" i wszystko w tym samym sensie[9].

Tak wyglądał świat, w którym żyła Julia Sullivan, kiedy jej pięćdziesięciodziewięcioletni mąż Jeremiah ugodził ją ukrywanym wcześniej w rękawie długim nożem o wąskim ostrzu. Stało się to zaledwie godzinę przed tym, jak została pośpiesznie przyniesiona do University College Hospital[10]. Napięcie między nieszczęśliwymi małżonkami narastało już od pewnego czasu przed napaścią. Pięć tygodni wcześniej alkoholizm i napady agresji Sullivana skłoniły jego żonę do wyprowadzenia się z domu. W 1851 roku ucieczka była dla Julii jedną z niewielu opcji, ponieważ w tamtych czasach wszczęcie przez kobietę postępowania rozwodowego było możliwe jedynie wówczas, gdy mąż dopuścił się z a r ó w n o cudzołóstwa, j a k i napaści (mężczyzny to nie dotyczyło). A nawet gdyby te kryteria zostały spełnione, koszt rozwodu przekraczał możliwości finansowe większości kobiet z niskich klas społecznych, które często nie dysponowały środkami na własne utrzymanie i ryzykowały, że odmówi im się prawa do kontaktu z dziećmi, jeśli uzyskają separację. W wypadku Julii regularne bicie przez męża alkoholika po prostu nie wystarczało do wystąpienia o rozwód zgodnie z angielskim prawem.

Julia wyprowadziła się z domu i dzieliła z pewną starszą wdową pokój w Camden Town, dzielnicy Londynu zamieszkanej przez rozmaitych ubogich ludzi z klasy robotniczej. Trzy tygodnie przed napaścią kilku sąsiadów słyszało, jak Sullivan wykrzykuje nieprzyzwoite uwagi i pogróżki pod adresem żony na ulicy, przy której teraz mieszkała. Jego zachowanie było paranoiczne. Miał urojenia i uważał, że Julia z kimś romansuje. Pewien mężczyzna, Francis Poltock, stawił czoło Sullivanowi, radząc mu odejść i mówiąc, że żona nie wyjdzie, żeby się z nim zobaczyć. Według akt sądowych Sullivan kipiał ze złości i warknął w odpowiedzi: „Jeśli mnie nie wpuści, z a ł a t w i ę ją".

Tamtej nocy Sullivan zaskoczył Julię pod domem, gdy wracała z pracy. Chwycił ją za rękę, żądając, żeby wróciła z nim do domu, a potem poklepał się groźnie po rękawie. Julii wydało się to dziwne, więc zapytała go, co tam schował. Uśmiechnął się szyderczo i odparł: „A bo co? Myślisz, głupia kobieto, że mam coś w rękawie kurtki, żeby odebrać ci życie i posłać swoją duszę diabłu?".

Między małżonkami wywiązała się gwałtowna kłótnia, w związku z czym Bridget Bryan, sąsiadka Julii, wyszła przed drzwi, narzekając na hałas. Tymczasem Sullivan błagał żonę, żeby udała się z nim do miejscowego pubu. Odmówiła, więc położył jej rękę na plecach i pchnął ją w tamtym kierunku. Bridget nakłaniała Julię, żeby dla świętego spokoju posłuchała męża, i w końcu we troje weszli do pubu. Tam para na nowo podjęła kłótnię, gdy Julia znów odmówiła pójścia z mężem. Ostatecznie obie kobiety wyszły same i ruszyły w stronę domu. Gdy już ośmieliły się mieć nadzieję, że uwolniły się od Sullivana i jego pijackich tyrad, ten wyskoczył z cienia tuż przed nimi. Julia, obawiając się, że mąż ją uderzy, uniosła ręce, żeby osłonić twarz. Właśnie wtedy wbił jej nóż głęboko w brzuch, krzycząc: „A masz, załatwiłem cię!".

Julia z bólu zatoczyła się do przodu, a Bridget gorączkowo wsunęła ręce pod ubranie przyjaciółki, szukając rany. Krzyknęła: „Sullivan, zabiłeś swoją żonę!". Stał tam, obserwując tę scenę, a potem odparł złowrogo: „O nie, jeszcze nie umarła".

Thomas Gentle, funkcjonariusz policji pełniący tamtej nocy służbę, zeznał później, że widział, jak Julia kuśtyka ulicą, eskortowana przez Sullivana i swoją sąsiadkę. Kiedy zapytał ją, co się stało, jęknęła: „Och, panie policjancie, moje życie jest w pana rękach; ten mężczyzna pchnął mnie nożem", wskazała na stojącego obok męża i instynktownie położyła rękę na brzuchu. Właśnie wtedy dokonała przerażającego odkrycia i wykrztusiła: „Ojej, wychodzą mi wnętrzności!". Gentle zabrał spanikowaną kobietę do najbliższego chirurga, niejakiego pana Mushata, ale okazało się, że nie ma go w domu. Poprosił o pomoc dwóch innych konstabli, z których jeden zaprowadził Julię do University College Hospital przy Gower Street, podczas gdy on sam i drugi policjant zabrali Sullivana do aresztu. Pijany sprawca grzmiał, że żałuje jedynie, iż w pobliżu nie było również wyimaginowanego kochanka, z którym według niego sypiała jego żona, bo wtedy „potraktowałby oboje tak samo"[11].

*

Większość chorych i rannych, którzy trafiali do University College Hospital, w tym także Julia Sullivan, przechodziła przez ambulatorium urazowe[12]. Bardzo niewielu przyjmowano na oddziały szpitalne. Nie było w tym nic niezwykłego. Ogólnie rzecz biorąc, chory miał jedną szansę na cztery, żeby dostać się na oddział szpitala w dużym mieście. W 1845 roku King's College Hospital leczył jedynie tysiąc sto sześćdziesiąt z siedemnastu tysięcy dziewięćdziesięciu trzech osób, które przeszły przez jego bramę jako pacjenci ambulatorium[13]. Większość szpitali miała wyznaczony konkretny dzień przyjęć i wyłącznie wtedy przyjmowała nowych pacjentów na oddziały. Zdarzało się, że było to tylko raz w tygodniu. W 1835 roku „The Times" opisał następujący incydent: młoda kobieta cierpiąca na przetokę, zapalenie mózgu i suchoty została w poniedziałek odprawiona z kwitkiem w londyńskim

Guy's Hospital, ponieważ dniem przyjęć był piątek. Przyszła ponownie we właściwym dniu, lecz spóźniła się dziesięć minut, więc odmówiono jej przyjęcia ze względu na brak punktualności. Przybita i poważnie chora, wróciła na wieś, gdzie zmarła kilka dni później[14].

W XIX wieku niemal wszystkie londyńskie szpitale, z wyjątkiem Royal Free, kontrolowały przyjęcia hospitalizowanych pacjentów za pomocą systemu biletowania. Bilet można było uzyskać od jednego z „subskrybentów" szpitala, którzy wnosili roczną opłatę w zamian za prawo do rekomendowania pacjentów szpitalowi i głosowania w wyborach personelu medycznego. Zdobycie biletu wymagało niestrudzonych zabiegów od potencjalnych pacjentów, którzy niekiedy czekali przez wiele dni, nagabując służących subskrybentów i próbując wybłagać przyjęcie do szpitala. Pierwszeństwo dawano poważnym przypadkom, a „nieuleczalnych" – ludzi cierpiących na przykład na raka albo gruźlicę – odprawiano, podobnie jak tych z chorobami wenerycznymi.

Tamtej nocy Julii Sullivan udało się przynajmniej pod jednym względem. Rana zagrażająca życiu zagwarantowała jej natychmiastową pomoc, a chociaż Lister nigdy wcześniej nie przeprowadził samodzielnie żadnej operacji i był żałośnie niedoświadczony, jeśli chodzi o leczenie pacjentów z urazami, kobieta miała ogromne szczęście, że trafiła pod jego opiekę. Gdy tylko pośpiesznie wniesiono ją na noszach przez drzwi szpitala, Lister szybko zbadał dolną część jej podbrzusza. Zarówno zewnętrzna odzież, jak i bielizna zostały przedziurawione, a pionowe rozcięcie długości mniej więcej półtora centymetra było wilgotne od krwi. Pod ubraniem z rany wysunęło się prawie dwadzieścia centymetrów jelit[15].

W tym przerażającym momencie Lister zachował spokój. Po podaniu kobiecie środka znieczulającego letnią wodą zmył fekalia z wnętrzności i spróbował delikatnie umieścić jelita z powrotem we właściwym miejscu. Młody chirurg uświadomił sobie jednak, że otwór jest na to zbyt mały i że będzie musiał go poszerzyć.

Sięgnął po skalpel i ostrożnie powiększył ranę, u góry i u dołu, o mniej więcej dwa centymetry. Wprowadził większą część wystających jelit ponownie do jamy brzusznej, aż poza raną został tylko jeden ich odcinek, ten rozcięty nożem Sullivana. Postępując bardzo uważnie, użył cienkiej igły i jedwabnej nici, żeby zszyć otwór. Zamknął ranę, zawiązał nić na węzeł, odciął końcówki i włożył zranioną część jelita do jamy brzusznej, używając rozciętej skóry jako zastawki, żeby zapobiec dalszemu krwawieniu i zabrudzeniu. Gdy skończył z wnętrznościami, z posiniaczonego i opuchniętego brzucha Julii wypłynęło nieco czerwonego wodnistego płynu. Lister był zadowolony, że „doszło do utraty [bardzo] małej ilości krwi, a pacjentka była zupełnie przytomna, choć nieco osłabiona".

Wkładanie wnętrzności do jamy brzusznej w dwóch etapach dało Listerowi czas, żeby móc się skupić na zszywaniu rany pojedynczą nicią. Jego odważna decyzja, by zszyć jelito Julii, była niezwykle kontrowersyjna, ponieważ nawet najbardziej doświadczeni chirurdzy odmawiali przeprowadzenia takiego zabiegu. Chociaż Lister odniósł sukces, posługując się tą metodą, wielu innym się to nie udało. W 1846 roku chirurg Andrew Ellis zauważył: „Spotkacie się z dużą rozbieżnością opinii, gdy będziecie czytać rozmaite prace, które traktują o [rozciętych jelitach]". Niektórzy woleli nie robić nic, tylko uważnie obserwować rozwój sytuacji, tak jak chirurg Cutler w przypadku pacjenta Thomasa V., zranionego nożem w brzuch podczas mocowania się z przyjacielem. Gdy Thomas przyjechał do szpitala, chirurg zauważył, że nie ma znacznego krwotoku zewnętrznego, więc przepisał wijącemu się z bólu nieszczęśnikowi dwadzieścia kropel laudanum. Następnego dnia doszło do niewydolności jelit, a brzuch pacjenta był boleśnie obrzmiały. Cutler polecił zrobić mężczyźnie lewatywę, żeby złagodzić dolegliwości, lecz nie odniosło to żadnego skutku, więc podał mu około stu mililitrów brandy. Trzeciego dnia pacjent nadal bardzo cierpiał. Jego skóra i kończyny były teraz niezwykle zimne, a puls bardzo słaby. Ponownie zrobiono mu lewatywę z senesu i oleju rycynowego, co spowodowało wydalenie niewielkiej ilości kału. Potem nieco odzyskał siły, lecz później, jeszcze tego samego dnia, zasłabł i zmarł.

Chociaż w tamtych czasach szwy stosowano powszechnie, w zszytych ranach czy nacięciach często dochodziło do infekcji. Ryzyko było jeszcze większe, gdy w grę wchodziło przebicie jelita. Większość chirurgów wolała kauteryzować otwór wąskim żelaznym ostrzem rozgrzanym do czerwoności na koksowniku. „Im wolniej [ciało] się przypala, tym lepszy skutek", zauważył chirurg John Lizars. Jeśli zostało przypalone wystarczająco głęboko, rana mogła pozostawać otwarta przez kilka tygodni, a nawet miesięcy, gojąc się od środka. Ból był oczywiście nieznośny, a zabieg nie dawał gwarancji przeżycia, tym bardziej że pacjent musiał przechodzić rekonwalescencję w niedostatecznie wietrznej sali wiktoriańskiego szpitala, w której roiło się od bakterii i innych drobnoustrojów.

W obliczu takich właśnie medycznych realiów stawała w okresie wiktoriańskim większość ludzi, którzy mieli tego pecha, że odnieśli obrażenia brzucha. Sukces Listera podczas operowania Julii Sullivan wynikał z połączenia zręczności i szczęścia. Młody chirurg wzorował się z pewnością na przypadkach przepukliny, które wymagały umieszczenia wystających jelit z powrotem w jamie brzusznej. Już na samym początku szpitalnego stażu Listera Erichsen zajmował się pacjentem, który jako dziecko został kopnięty w brzuch i od tego czasu cierpiał z powodu uporczywej przepukliny. Kilkadziesiąt lat później przepuklina spuchła, a chory zaczął odczuwać ból. Erichsen był zmuszony naciąć jelita mężczyzny, żeby złagodzić ciśnienie w jego wnętrznościach, a następnie umieścił wystające jelito we właściwym miejscu. Wydawało się, że pacjent ozdrowiał natychmiast po zabiegu, lecz następnego dnia zmarł[16].

Możliwe, że oprócz obserwowania podobnych przypadków, którymi zajmował się Erichsen, Lister zgłębiał tę kwestię na krótko przed nagłym pojawieniem się Julii w drzwiach University College Hospital. Rzeczywiście, zadzierzgnięta przepuklina wywołana ranami kłutymi stanowiła wówczas gorący temat ze względu na bardzo dużą liczbę obrażeń spowodowanych pchnięciem nożem i wypadkami przy pracy, leczonych w miejskich szpitalach. Cztery lata wcześniej, w 1847 roku, George James Guthrie napisał o tym książkę. Również chirurg Benjamin Travers wiele pisał na ten temat. W 1826 roku przedstawił w „Edinburgh Journal of Medical Science" przypadek podobny do przypadku Julii Sullivan[17]. Chodziło o kobietę przywiezioną do St. Thomas' Hospital z raną brzucha, którą sama sobie zadała brzytwą.

Po przyjeździe ranna była bliska omdlenia. Travers zaczął od zszycia rozciętej części jelita jedwabną nicią, następnie powiększył otwór, żeby móc umieścić wystające wnętrzności z powrotem w jamie brzusznej, a potem zamknął ranę szwem bezwęzłowym. Pacjentce przez dwadzieścia cztery godziny nie podawano pokarmów ani płynów. Stopniowo wracała do zdrowia przez następnych kilka tygodni, po czym dostała nagłego zapalenia jelit. W związku z tym chirurg przyłożył jej do brzucha szesnaście pijawek oraz zaaplikował lewatywę. Rana ostatecznie się zagoiła i kobieta została zwolniona z St. Thomas' Hospital po dwóch miesiącach od operacji.

Jako student medycyny Lister znał literaturę opisującą takie przypadki. Możliwe, że tamtej nocy był wyjątkowo dobrze przygotowany do zoperowania rozciętego jelita Julii jeszcze z jednego powodu. Otóż cztery miesiące wcześniej czasopismo „The Lancet" ogłosiło, że rywalizacja o Złoty Medal Fothergilla, przyznawany co trzy lata przez Towarzystwo Medyczne Londynu, skupi się tym razem na ranach i obrażeniach brzucha oraz ich leczeniu. Lister już kilkakrotnie spotkał się z wyrazami uznania za swoją pracę na UCL, a wspomniany medal był wówczas jedną z najbardziej prestiżowych nagród. Czyżby młody chirurg odświeżał swoją wiedzę na temat ran brzucha w nadziei, że mógłby zgłosić esej do tego konkursu?

Chociaż operacja była udana, rekonwalescencja Julii dopiero się zaczęła. Zanim wróciła do zdrowia, Lister ograniczył jej dietę do płynów, żeby złagodzić ciśnienie w jelitach. Polecił również, żeby kobiecie regularnie podawano dawkę opium, narkotyku, który w XIX wieku, w wyniku ciągłego powiększania się imperium brytyjskiego, stał się popularniejszy od alkoholu. Zanim ustawa o farmacji z 1868 roku ograniczyła sprzedaż niebezpiecznych substancji, zezwalając na jej prowadzenie wyłącznie wykwalifikowanym aptekarzom, opium można było kupić niemal od każdego, począwszy od cyrulików i cukierników, a skończywszy na kupcach żelaznych, sprzedawcach wyrobów tytoniowych i handlarzach win. Lister podawał ów silny narkotyk pacjentom w każdym wieku, również dzieciom.

Na kilka następnych tygodni Erichsen przejął ten przypadek od Listera, który pomimo swych heroicznych wysiłków na sali operacyjnej nadal był podrzędnym pracownikiem szpitala. Podobnie jak kobieta z St. Thomas' Hospital Julia niedługo po operacji dostała zapalenia otrzewnej. Kuracja Erichsena obejmowała stosowanie pijawek, kataplazmów i kompresów w celu złagodzenia wzdęć typowych dla tej choroby. Ostatecznie Julia wróciła do zdrowia. Później, jeszcze w 1851 roku, „The Lancet" dwukrotnie odniósł się do jej przypadku. Czasopismo podkreśliło znaczenie wyzdrowienia Julii: „[Ta operacja] jest tak wielkiej wagi [...], że uznaliśmy za stosowne podać więcej szczegółów, niż to mamy w zwyczaju"[18].

*

Pewnego wilgotnego sierpniowego dnia, dwa miesiące po zoperowaniu Julii Sullivan, Lister wsiadł do omnibusu i pojechał do sądu Old Bailey, żeby zeznawać przeciwko jej mężowi, którego oskarżono o usiłowanie morderstwa. W połowie XIX wieku nie należało do rzadkości, że chirurdzy składali zeznania przed sądem. Mówili o rozmaitych sprawach, takich jak zdrowie psychiczne podsądnych, różne rodzaje ran i chemiczne lub fizjologiczne oznaki zastosowania trucizny w celach przestępczych, co w epoce wiktoriańskiej szybko stało się „modnym" sposobem pozbywania się wrogów. Lister znalazł się wśród sześciu osób, które sąd wezwał do złożenia zeznań przeciwko Sullivanowi.

Old Bailey był trybunałem wzbudzającym największy lęk w całym kraju. Przypominający twierdzę gmach otaczał półkolisty ceglany mur mający uniemożliwić kontakt więźniów ze społeczeństwem. Stał tuż obok okrytego złą sławą więzienia Newgate, w którym niegdyś przetrzymywano sławne osobistości, takie jak Daniel Defoe, kapitan Kidd i William Penn, założyciel Pensylwanii. Bezpośrednio przed tymi dwoma budynkami znajdował się otwarty plac, na którym do 1868 roku odbywały się publiczne egzekucje. Tysiące widzów zbierało się w dniu wykonania kary śmierci przez powieszenie, walcząc o miejsce w pobliżu szafotu, żeby być świadkami, jak ofiara zmaga się z zabójczym uciskiem pętli. Zdarzało się, że od ogłoszenia wyroku do stracenia skazańca upływały zaledwie dwa dni.

Charles Dickens tak napisał o Old Bailey: „Kogoś, kto po raz pierwszy przestąpi te progi, uderza przede wszystkim zimna, spokojna obojętność, z jaką prowadzone są tu rozprawy. Każda sprawa wydaje się zwykłym handlowym interesem"[19]. Adwokaci, członkowie ławy przysięgłych i obserwatorzy sądowi rozsiadali się na twardych drewnianych ławkach, czytali poranne gazety i rozmawiali szeptem. Niektórzy ucinali sobie drzemkę w oczekiwaniu na ogłoszenie następnej rozprawy. Panująca w sądzie atmosfera nonszalancji mogła być głęboko niepokojąca dla niewtajemniczonych. Osobie postronnej należało wybaczyć, jeśli nie zorientowała się, że wyroki wydawane w Old Bailey często były wykonywane za pomocą stryczka.

Sullivan stał przy ławie oskarżonych, dokładnie naprzeciw miejsca dla świadka. Nad nim znajdowała się płyta rezonansowa mająca wzmocnić jego głos. W XVIII wieku nad ławą oskarżonych umieszczano lustro odbijające światło, tak żeby padało na twarz podsądnego. W czasach Listera zastąpiono je oświetleniem gazowym. Taki zabieg pozwalał sędziemu i ławie przysięgłych obserwować wyraz twarzy oskarżonego, żeby ocenić wiarygodność jego zeznań. Ta wątpliwa metoda doprowadziła do wydania wielu krzywdzących wyroków. Na prawo od Sullivana siedziało dwunastu członków ławy przysięgłych. Mieli za zadanie konsultować się ze sobą bez opuszczania sali rozpraw i uzgodnić werdykt. Odbywało się to w zasięgu słuchu oskarżonego, którego losy się tam ważyły. Za ławnikami oraz nad nimi znajdowały się galerie dla widzów. Ludzie przychodzili oglądać toczące się rozprawy tak samo jak do sali operacyjnej. Były to czasy, kiedy sprawy życia i śmierci stanowiły rozrywkę dla mas.

Jako pierwszy zeznawał Thomas Gentle, policjant, który zajął się Julią, gdy została pchnięta nożem. Powiedział sądowi, że kiedy zabierał więźnia do aresztu, był on pijany. Ofiara natomiast była trzeźwa, gdy zidentyfikowała Jeremiaha Sullivana jako napastnika. Była też przy zdrowych zmysłach przed atakiem, w jego trakcie i po nim. Dwaj następni świadkowie zeznali, że słyszeli, jak Sullivan groził żonie przed napaścią.

Potem do miejsca dla świadków podeszła sama Julia. W pełni wróciła do zdrowia i nie było po niej widać żadnych negatywnych skutków doznanych obrażeń. Odważnie stawiła czoło napastnikowi, którego nie widziała od tamtej nocy, gdy pchnął ją nożem. W trakcie długiego zeznania pod przysięgą przypomniała wydarzenia z 26 czerwca. W pewnym momencie Sullivan oskarżył ją, że żyje z innym mężczyzną, bo miał nadzieję, iż okaże się to okolicznością łagodzącą w związku z zarzutem usiłowania morderstwa. Sąd zapytał Julię, czy kiedykolwiek zdradziła męża, na co odpowiedziała: „Nigdy w życiu; on nie może przyprowadzić nikogo, kto powie, że go oszukiwałam. Dla mnie jest mordercą, i zawsze był".

W końcu przyszła kolej na zeznanie Listera. Miał na sobie ubranie w stonowanych barwach typowych dla kwakrów. Posępny wygląd dodawał mu powagi, rzadkiej u mężczyzny w jego wieku. Młody chirurg zrelacjonował sędziemu i ławie przysięgłych wydarzenia tamtej nocy: „Znalazłem zwój jelit o szerokości około dwudziestu centymetrów, zawierający zapewne prawie metr jelita cienkiego, wystający z dolnej części brzucha. [...] Nie ulega wątpliwości, że dokonano tego jednym narzędziem i jednym pchnięciem". Sądowi okazano do zbadania zakrwawiony nóż znaleziony przez Thomasa Walsha, trzynastoletniego chłopca na posyłki pracującego w sklepie obok domu chirurga Mushata. W sali rozpraw zapadła cisza, gdy widzowie z galerii dla publiczności pochylili się do przodu, żeby choć przelotnie zerknąć na tę broń. Prokurator oskarżył Sullivana, że pozbył się noża, zanim Gentle i drugi konstabl zaprowadzili go do aresztu. Byłby to idealny moment, ponieważ uwaga wszystkich nadal skupiała się na zapewnieniu jego żonie pilnej pomocy medycznej, której tak potrzebowała. Następnie nóż wręczono Listerowi, a ten obejrzał go dokładnie, zanim potwierdził, że jego kształt odpowiada rodzajowi obrażeń, których doznała Julia, jest zatem bardzo prawdopodobne, że to broń użyta przez Sullivana, żeby pchnąć żonę. Zeznanie Listera okazało się obciążające. Sullivana uznano za winnego usiłowania morderstwa i skazano na dwadzieścia lat banicji, co oznaczało, że zostanie zesłany do kolonii karnej w Australii. Ze względu na rosnący tłok w przepełnionych londyńskich więzieniach w latach 1787–1857 do Australii przetransportowano sto sześćdziesiąt dwa tysiące skazańców. Siedmiu na ośmioro z nich stanowili mężczyźni. Niektórzy mieli zaledwie dziewięć lat, inni aż osiemdziesiąt. Zesłanie bynajmniej nie było łatwą alternatywą dla uwięzienia czy powieszenia. Skazańców najpierw umieszczano na statkach więziennych, czyli pływających więzieniach na Tamizie. Warunki panujące na tych przeniesionych do demobilu, gnijących wrakach były potworne i nawet szpitale nie mogły z nimi rywalizować jako wylęgarnie chorób. Więźniów zamykano w klatkach pod pokładem, znajdowali się zatem w strasznym położeniu. Pewien strażnik wspominał, że „widział wywieszane na takielunku koszule więźniów tak czarne od robactwa, że wydawało się wręcz, iż płótno zostało posypane pieprzem". Podczas epidemii cholery kapelan często odmawiał pochowania umarłych, zanim uznano, że uzbierało się wystarczająco dużo opuchniętych, gnijących ciał, by się ich pozbyć. Jeśli skazany przeżył pobyt na statku więziennym, był wysyłany do Australii. Jeden na trzech umierał podczas wyczerpującej podróży morskiej, która czasami trwała nawet osiem miesięcy. Jeśli skazańcy dobrze się zachowywali, ich wyrok mógł zostać skrócony na podstawie potwierdzającego zwolnienie warunkowe dokumentu, który pozwalał im wrócić do ojczyzny. Większość jednak nigdy nie decydowała się na powrót do Wielkiej Brytanii – wolała spędzić resztę swojego nędznego życia na wygnaniu, niż narażać się na zdradliwą podróż morską do jakiegoś angielskiego portu.

Chociaż banicja była rzeczą potworną, to jednak lepszą od śmierci. Gdyby Julia nie przeżyła, Jeremiah Sullivan z pewnością zadyndałby na szubienicy przed więzieniem Newgate, zaledwie kilka dni po usłyszeniu niechybnego wyroku za morderstwo. W tym sensie oboje zawdzięczali życie chirurgowi, który stając przed przerażającą perspektywą przeprowadzenia całkiem samodzielnie swojej pierwszej poważnej operacji, przystąpił do działania szybko i zdecydowanie. Był to pierwszy z licznych chirurgicznych triumfów, którymi Lister mógł się poszczycić.

4

Ołtarz nauki

Ludzie wspinają się po szczeblach swych własnych
martwych „ja" do wyższych rzeczy[1].

ALFRED TENNYSON

W każdą środę chirurdzy i członkowie ich personelu pomocniczego gromadzili się w niewielkiej sali operacyjnej w University College Hospital. Operowali według starszeństwa, a z ich ust rzadko padały polecenia zmycia zakrwawionego stołu między zabiegami. Lister, jako chirurg rezydent u Erichsena, był obecny przy tych operacjach – obserwował, notował, asystował. To właśnie w tej skromnej sali – z niewielką szafą na narzędzia i jedną jedyną miską do mycia – zaczął rozumieć, do jakiego stopnia chirurgia lat pięćdziesiątych XIX wieku była loterią.

W te pamiętne środy zdarzały się niewiarygodnie szczęśliwe przypadki, jak wtedy, gdy do szpitala pośpiesznie przywieziono młodą kobietę cierpiącą na ostrą chorobę krtani[2]. Tamtego dnia Lister stał obok Erichsena, gdy ten nacinał miękkie tkanki jej szyi. Z nacięcia trysnęła ciemna, lepka krew. Chirurg zaczął gorączkowo rozcinać chrząstkę pierścieniowatą, żeby zrobić drożny otwór w drogach oddechowych, ale na próżno. Pacjentka dusiła się dużą ilością płynu uwięzionego w klatce piersiowej. Puls kobiety zwolnił i przez chwilę słychać było jedynie głośny świst powietrza, które jej płuca usiłowały wciągnąć do tchawicy. Wówczas Erichsen zaimprowizował coś niezwykłego: przycisnął usta do otwartej rany w jej szyi i zaczął wysysać krew i śluz blokujące drogi oddechowe. Wypluł te płyny i zrobił to jeszcze dwa razy, a wtedy puls pacjentki przyśpieszył i na jej policzki wróciły rumieńce. Na przekór wszystkiemu kobieta przeżyła i została umieszczona w sali szpitalnej. Lister wiedział jednak, że czyhają tam na nią nowe niebezpieczeństwa. Przeżycie operacji oznaczało dopiero połowę sukcesu.

Obrażenia i dolegliwości, którymi zajmowali się chirurdzy, były tak różnorodne jak sami mieszkańcy Londynu. W czasach gdy Lister pracował z Erichsenem, miasto nieustannie się rozrastało. Co roku do stolicy napływały tysiące robotników. Nie dość, że ludzie ci żyli w brudzie w związku z brakami lokalowymi spowodowanymi tak szybką urbanizacją, to jeszcze wykonywali prace zarówno wyczerpujące fizycznie, jak i ryzykowne. Wszystkie te niedostatki odbijały się na ich zdrowiu. Sale szpitalne były zatłoczone ludźmi okaleczonymi, oślepionymi, cierpiącymi na duszności, którzy zostali inwalidami w wyniku niebezpiecznych realiów modernizującego się świata.

W latach 1834–1850 Charing Cross Hospital leczył 66 000 nagłych przypadków obejmujących: 16 552 upadki z rusztowań czy budynków, 1308 wypadków związanych z silnikami parowymi, kołami zębatymi maszyn albo dźwigami, 5090 wypadków drogowych oraz 2088 poparzeń[3]. Pismo „The Spectator" doniosło, że niemal jedna trzecia obrażeń była spowodowana „rozbitym szkłem albo porcelaną, nieszczęśliwymi upadkami [...], dźwiganiem ciężarów, nieostrożnym posługiwaniem się drabinami, hakami, nożami i innymi sprzętami domowymi"[4]. W tych wypadkach często poszkodowane były dzieci, na przykład trzynastoletnia Martha Appleton zatrudniona w przędzalni bawełny jako „zbieraczka odpadów", co wiązało się z wygarnianiem resztek surowca spod maszyn[5]. Pewnego dnia przepracowana i niedożywiona mała Martha zemdlała, a jej lewa ręka utknęła w pozostawionej bez nadzoru maszynie. Dziewczynka straciła pięć palców, a także pracę. Jej historia była typowa.

W szpitalu Lister miał do czynienia z wieloma przypadkami obrażeń i chorób spowodowanych złymi warunkami życia i pracy. Stykał się także z dolegliwościami, które rozpowszechniły się dopiero niedawno. Za przykład może posłużyć pan Larecy, pięćdziesięciosześcioletni malarz, który pracował dziesięć–piętnaście godzin dziennie, odkąd był małym chłopcem. Trafił na oddział szpitalny w wyniku ostrego ataku choroby znanej jako „kolka malarza", chronicznego zaburzenia jelitowego spowodowanego kontaktem z ołowiem wchodzącym w skład farb[6]. Stanowiło to narastający problem wynikający z uprzemysłowienia kraju, ponieważ coraz więcej ludzi pracowało w miejscach, w których byli narażeni na działanie chemikaliów i metali. Nawet jeśli nie występowały tam trujące substancje, takie jak arszenik albo rtęć, sama ilość pyłu powstającego w procesach produkcyjnych i podczas obróbki stali, kamienia, gliny oraz innych materiałów mogła doprowadzić do śmierci robotnika. Nierzadko mijały lata, zanim pojawił się uszczerbek na zdrowiu, ale na tym etapie często było już za późno. Jak zauważył John Thomas Arlidge – wiktoriański lekarz, który zainteresował się medycyną pracy – „[...] pył nie zabija nagle, lecz osadza się w płucach, z każdym rokiem trochę mocniej, aż wreszcie tworzy się warstwa gipsu. Oddychanie staje się coraz trudniejsze i słabsze, i w końcu ustaje"[7]. Bronchit, zapalenie płuc i inne choroby układu oddechowego przyczyniały się do przedwczesnej śmierci wielu przedstawicieli klasy robotniczej.

Lister obserwował również wpływ diety na zdrowie londyńskich pracowników fizycznych. Oprócz codziennego spożywania znacznych ilości piwa prawie wszyscy jego pacjenci jedli bardzo dużo taniego mięsa, za to niewiele warzyw i owoców. W lecie na oddział Listera trafiło dwóch ludzi z zapadniętymi oczami, upiornie bladą skórą i rozchwianymi zębami – charakterystycznymi objawami szkorbutu[8]. Lekarze jeszcze wtedy nie rozumieli, że szkorbut jest spowodowany niedoborem witaminy C, której ludzki organizm sam nie potrafi syntetyzować. Rzeczywiście wielu z nich sądziło, że powoduje go brak soli mineralnych w organizmie. Idąc tym tokiem myślenia, Lister podawał obu pacjentom saletrę potasową, którą liczni przedstawiciele środowiska medycznego błędnie uważali za skuteczny środek mogący wyleczyć tę chorobę.

O ile niska jakość pożywienia biedaków stanowiła oczywisty codzienny problem, o tyle długoterminowe konsekwencje innej z ludzkich potrzeb były nieco bardziej podstępne. Z czasem Lister nabrał wprawy w rozróżnianiu rozmaitych objawów chorób przenoszonych drogą płciową. Wielu leczonych przez niego pacjentów było zarażonych kiłą (syfilisem). Przed odkryciem penicyliny syfilis był nieuleczalną i w ostatecznym rozrachunku śmiertelną chorobą. Cierpiący na nią ludzie często zwracali się do chirurgów, ponieważ w tamtych czasach ich praca polegała w większości nie na operowaniu, lecz na leczeniu dolegliwości zewnętrznych. Objawy powodowane przez syfilis z czasem się nasilały. Oprócz szpetnych wrzodów na skórze, które pokrywały ciało w późniejszych stadiach choroby, wiele jej ofiar było dotkniętych paraliżem, ślepotą i demencją. Cechował je również „siodełkowaty nos", groteskowa deformacja, która powstaje, gdy grzbiet nosa zapada się w głąb twarzy. (Syfilis był tak powszechny, że w całym Londynie jak grzyby po deszczu wyrastały „kluby beznosych". Jedna z gazet doniosła, że „pewien ekscentryczny dżentelmen, zapragnąwszy zobaczyć dużą rzeszę osób beznosych, zapraszał w określonym dniu każdego dotkniętego tą przypadłością, którego spotkał na ulicy, na obiad do tawerny, gdzie utworzył z nich bractwo"[9]. Ów mężczyzna, który na potrzebę tych potajemnych przyjęć przybrał pseudonim „pan Crampton", gościł swych beznosych przyjaciół raz w miesiącu przez rok, aż do swojej śmierci. Wówczas grupa „niestety się rozpadła").

Wiele sposobów leczenia syfilisu zakładało stosowanie rtęci, którą można było aplikować w postaci maści, kąpieli parowej lub pigułki. Niestety skutki uboczne nierzadko okazywały się równie bolesne i przerażające jak sama choroba. Większość pacjentów, którzy przeszli intensywną terapię tego rodzaju, straciła dużą część zębów, miała wrzody i zaburzenia neurologiczne. Ludzie często umierali w wyniku zatrucia rtęcią, zanim zmarli na syfilis.

Pewnego razu do University College Hospital został przyjęty pięćdziesięcioszescioletni irlandzki robotnik Matthew

Kelly, któremu zdarzyły się trzy poważne upadki i który obawiał się, że były one spowodowane padaczką[10]. Listerowi wydały się jednak podejrzane bolesne miejsca na jego udach i zastanawiał się, czy może istnieć jakaś inna przyczyna tych napadów. Zważywszy na historię życia seksualnego mężczyzny oraz jego „silne upodobanie do stosunków cielesnych", Lister przypuszczał, że Kelly cierpi w istocie na zapalenie mózgu na początkowym etapie, czyli ostatnie stadium syfilisu, które może się wiązać z atakami mającymi na pozór charakter epileptyczny. Ponieważ tak mało wiedziano o tej chorobie, Lister niewiele mógł zrobić dla Kelly'ego, toteż ostatecznie został on zwolniony ze szpitala, bo uznano go za nieuleczalnie chorego.

Nie był to jedyny wypadek, kiedy Lister musiał wypisać chorych pacjentów, narażając niekiedy na niebezpieczeństwo zdrowie tych, z którymi mogli się stykać. Dotyczyło to również przyjętego do szpitala w lecie 1851 roku dwudziestojednoletniego szewca Jamesa Chappella. Kilka lat wcześniej nabawił się on zarówno syfilisu, jak i rzeżączki i od tamtego czasu wielokrotnie przebywał w szpitalu[11]. Lister zauważył, że chociaż młody człowiek nie był żonaty, uprawiał seks od piętnastego roku życia. W historii choroby chirurg odnotował, że Chappell „łączył się z kobietą i czasami w tym młodym wieku robił to trzy albo cztery razy dziennie". Dla Chappella najbardziej naglącym problemem nie były jednak konsekwencje niepohamowanego libido. Na oddział Listera sprowadził go suchy, męczący kaszel, któremu towarzyszyła biała, lekko zabarwiona krwią wydzielina; czasami zbierał się jej aż litr. Diagnoza była prosta: pierwsze stadium suchot, czyli gruźlicy płuc, choroby dróg oddechowych, na którą w latach pięćdziesiątych XIX wieku nie znano lekarstwa. Polityka szpitala nakazywała, żeby nie przyjmować nieuleczalnie chorych, wobec tego Lister odesłał Chappella z powrotem na łono społeczeństwa. W środowisku medycznym jeszcze nie wiedziano, że gruźlica jest chorobą niezwykle zaraźliwą. Ponieważ młody człowiek był zmuszony spać w tej samej izbie z pięcioma czy sześcioma kolegami z warsztatu, można się zastanawiać, ile jeszcze osób zaraził. Tak wyglądało życie typowego wiktoriańskiego robotnika, który był częstym bywalcem londyńskich szpitali.

*

Podczas gdy urbanizacja odciskała swoje piętno na zdrowiu klasy pracującej, Wielka Brytania z zapałem świętowała swój pozornie niepodważalny status globalnego mocarstwa handlowego. W lecie 1851 roku w stolicy zaroiło się od milionów gości, którzy przyjechali, żeby obejrzeć Wielką Wystawę w Hyde Parku, dającą społeczeństwu do zrozumienia, że technika jest kluczem do lepszej przyszłości.

Wśród drzew skrzył się Kryształowy Pałac zbudowany przez projektanta ogrodów Josepha Paxtona jako przestrzeń wystawowa dla cudów przemysłu z całego świata. Ten ogromny gmach był wzorowany na szklarniach Paxtona. Do jego budowy użyto niemal stu tysięcy metrów kwadratowych szkła. Miał 1851 stóp długości (564 metry) – celowo tak dobranej, żeby odzwierciedlała datę wystawy – i mógł się poszczycić sześciokrotnie większą powierzchnią posadzki niż katedra Świętego Pawła. Podczas wznoszenia Kryształowego Pałacu wykonawcy testowali wytrzymałość konstrukcji, nakazując trzystu usłużnym robotnikom podskakiwać w środku budowli, a oddziałom żołnierzy maszerować wokół jej naw.

Na wystawie zaprezentowano mniej więcej sto tysięcy eksponatów od ponad piętnastu tysięcy wystawców, między innymi maszynę drukarską, która w ciągu godziny mogła wyprodukować pięć tysięcy egzemplarzy czasopisma „The Illustrated London News", „atrament dotykowy", którym można było pisać na papierze wypukłymi literami, z myślą o niewidomych, oraz kilka welocypedów, poprzedników współczesnych rowerów, z pedałami i korbą na osi przedniego koła. Zdecydowanie największym eksponatem była ogromna prasa hydrauliczna, którą mógł obsługiwać tylko jeden człowiek, chociaż każda z metalowych rur podnoszonych przez to urządzenie podczas wcześniejszej budowy pewnego mostu ważyła tysiąc sto czterdzieści cztery tony. Zainstalowano tam również, po raz pierwszy na świecie na taką skalę, publiczne toalety ze spłuczką zaprojektowane przez wiktoriańskiego inżyniera sanitarnego George'a Jenningsa. Mniej więcej osiemset dwadzieścia siedem tysięcy dwieście osiemdziesiąt osób zapłaciło jednego pensa, żeby skorzystać z tych obiektów podczas wystawy, co dało początek popularnemu eufemizmowi „wydać pensa" (w znaczeniu pójść do toalety). Jednak taki luksus jeszcze przez wiele następnych lat nie polepszył fatalnych warunków higienicznych w najbiedniejszych brytyjskich gospodarstwach domowych.

Były również innowacje naukowe i medyczne, z których najpraktyczniejsze miały trafić do brytyjskich szpitali. Sztuczna pijawka, która wyglądała jak miniaturowa pompka rowerowa, miała usuwać „z organizmu materie i płyny" oraz tchnąć „pobudzające substancje przez skórę"[12]. Protezy dłoni, rąk i nóg obiecywały przywrócenie osobom po amputacjach zdolności chwytania przedmiotów, umiejętności jazdy konnej lub tańca. Pewien wystawca z Paryża zaprezentował kompletny model ludzkiego ciała wykonany z tysiąca siedmiuset elementów będących między innymi replikami kości, mięśni, żył i nerwów rdzeniowych. Ów mierzący sto siedemdziesiąt pięć centymetrów manekin miał nawet w oczach soczewki, które można było wyjmować, żeby odsłonić znajdujące się pod nimi nerwy wzrokowe i błony[13].

Ciekawscy przybywali z całego świata, żeby zachwycać się akcesoriami, które obiecywały uczynić codzienne życie łatwiejszym, szybszym i wygodniejszym. Pewna kobieta przeszła pieszo prawie czterysta kilometrów z Penzance na południowo-zachodnim krańcu Anglii, żeby obejrzeć targi. Słynna powieściopisarka Charlotte Brontë tak scharakteryzowała Wielką Wystawę w liście do ojca: „To cudowne miejsce – rozległe, dziwne, nowe i nie do opisania. Jego wspaniałość polega nie na jednej rzeczy, lecz na niepowtarzalnym nagromadzeniu wszystkich rzeczy. Znajdziesz tu wszystko, co tylko stworzyła ludzka pracowitość"[14]. Mieszkańcy wiktoriańskiej Anglii przyszli pokłonić się przed ołtarzem nauki i nie spotkał ich zawód. Zanim 11 października zamknięto Wielką Wystawę, park odwiedziło ponad sześć milionów ludzi, wśród nich Joseph Lister i jego ojciec Joseph Jackson, którego siostrzeniec wystawił mikroskop uhonorowany nagrodą przez organizatorów wystawy.

W latach pięćdziesiątych XIX wieku prawdziwe znaczenie mikroskopu nadal było przedmiotem dyskusji i sporów w szeroko pojętym środowisku medycznym. Lister nie rezygnował jednak ze swoich badań. Po zakończeniu targów spędzał niezmiernie dużo czasu, ślęcząc nad przygotowywanymi przez siebie preparatami mikroskopowymi. Wszystko, co wpadło mu w ręce, trafiało ostatecznie na szkiełko. Pewnego popołudnia późną jesienią patrzył, jak przed jego oczami tańczy bezkształtna masa zakrwawionej tkanki. Zerkał przez okular mikroskopu, kręcąc maleńkim mosiężnym pokrętłem lśniącego przyrządu, żeby wyregulować ostrość. Nagle ukazał mu się widok fragmentu guza, który on i Erichsen wycięli pewnemu pacjentowi wcześniej tego samego dnia. Każda komórka rysowała się z idealną wyrazistością. Lister obserwował uważnie ten obraz przez kilka minut, a następnie zaczął szkicować guz na bloku papieru. Wykonał dziesiątki tego rodzaju rysunków, a niektóre z nich były tak zdumiewająco szczegółowe, że jeszcze kilkadziesiąt lat później mógł ich używać w charakterze pomocy dydaktycznych.

Nawet gdy Lister jeździł po kraju w czasie wakacji, jego umysł był nieustannie zaabsorbowany otaczającym go światem przyrody. Pewnego razu naszkicował tkanki mięśniowe nogi pająka i komórki rogówki oka ugotowanego homara. Rozcinał rozgwiazdy, które złowił podczas wycieczki do Torquay – nadmorskiego miasteczka nad kanałem La Manche – i z zachwytem obserwował ich osobliwe geometryczne kształty powiększone w obiektywie mikroskopu. Chwalił się w liście do ojca: „Widziałem nawet [...] zastawkę pośrodku górnej części serca, na przemian otwierającą się i zamykającą wraz z każdym uderzeniem"[15]. Gdy złowił w Tamizie minoga, późną nocą w swoim pokoju rozciął srebrzyste ciało zwierzęcia i wydobył mózg. Posługując się camerą lucidą – urządzeniem optycznym wynalezionym przez

Josepha Jacksona, które pozwalało artystom obrysowywać kontury obrazów wyświetlanych na arkuszu papieru – Lister mógł narysować ze wszelkimi szczegółami obserwowane pod mikroskopem komórki szpiku tego stworzenia[16].

Lister znalazł sprzymierzeńca dla prowadzonych przez siebie badań mikroskopowych w osobie swojego nauczyciela fizjologii. Profesor William Sharpey – mający wówczas niewiele ponad pięćdziesiąt lat – wyglądał tak, jakby stale mrużył oczy, co wydaje się trafną obserwacją, jeśli wziąć pod uwagę, jak dużo czasu spędzał, zaglądając przez obiektyw własnego mikroskopu. Włosy na czubku głowy owego Szkota zdążyły się znacznie przerzedzić, zanim Lister zaczął studiować pod jego kierunkiem w 1851 roku, więc próbował zrekompensować sobie tę stratę, zostawiając wyraźnie bujną fryzurę po bokach. Sharpey był pierwszym profesorem prowadzącym pełny cykl wykładów z fizjologii, przedmiotu, który tradycyjnie traktowano jako dodatek do anatomii. Dzięki temu zdobył później tytuł „ojca współczesnej fizjologii". Był gigantem w sensie zarówno intelektualnym, jak i fizycznym. Gdy podczas zajęć demonstrował studentom, jak obsługiwać spirometr – urządzenie przeznaczone do pomiaru objętości powietrza w płucach – do tego stopnia napełniał bez wysiłku każdą z jego komór, że jak potem zauważył: „To urządzenie zostało chyba zaprojektowane dla ludzi zwyczajnej budowy ciała"[17].

Lister od razu polubił Sharpeya. Widział w nim człowieka podobnego do swojego ojca. Profesor fizjologii cenił eksperymenty i obserwację bardziej niż autorytet, co w tamtych czasach było niecodzienne. W późniejszym okresie życia Lister tak go wspominał:

Gdy byłem studentem University College, bardzo pociągały mnie wykłady doktora Sharpeya, które przepełniły mnie miłością do fizjologii, a ta nigdy mnie nie opuściła. Mój ojciec, którego prace [...] zmieniły mikroskop złożony z czegoś niewiele lepszego niż naukowa zabawka w potężne narzędzie badań, którym już wtedy był, wyposażył mnie w pierwszorzędny przyrząd tego rodzaju, używałem go zatem z wielkim zainteresowaniem do weryfikowania szczegółów histologii przedstawianych nam przez naszego wielkiego mistrza[18].

Zachęcony entuzjazmem Sharpeya, Lister zaczął obserwować pod mikroskopem wszelkie ludzkie tkanki, które był w stanie zdobyć. Jego rysunki ujawniają skomplikowane detale tego wszystkiego, od ludzkiej skóry po komórki nowotworowe języka wycięte jednemu z pacjentów. Lister tworzył również kolorowe malowidła kliniczne pacjentów, z którymi stykał się w szpitalu. Była to jedyna dostępna metoda wizualnego rejestrowania historii choroby przed pojawieniem się fotografii barwnej. Na jednym z takich obrazów Lister sportretował odchylającego się do tyłu mężczyznę, z ręką spoczywającą na krześle. Ma podwinięty rękaw, a jego skóra jest naznaczona zaognionymi wrzodami, prawdopodobnie wywołanymi chorobą weneryczną.

Lister nie zadowalał się samym obserwowaniem. Przeprowadzał również własne eksperymenty, opierając się na pracach włoskiego księdza i fizjologa Lazzara Spallanzaniego, który jako pierwszy poprawnie opisał proces rozmnażania się ssaków, dowodząc, że polega on na połączeniu się plemników z komórką jajową. W 1784 roku Spallanzani opracował metodę sztucznego zapładniania psów, jak również żab, a nawet ryb. Wzorując się na Spallanzanim, Lister pobrał spermę od koguta i próbował sztucznie zapłodnić jajko kury poza organizmem ptaka, ale nic z tego nie wyszło. (Trzeba było jeszcze stu lat, zanim pewien doktor z powodzeniem powtórzył eksperyment Włocha u człowieka. W 1884 roku amerykański lekarz William Pancoast wstrzyknął spermę swojego „najprzystojniejszego" studenta poddanej narkozie kobiecie, której męża uznano za bezpłodnego. Odbyło się to bez jej wiedzy. Dziewięć miesięcy później urodziła zdrowe dziecko. Pancoast koniec końców powiedział jej mężowi, co zrobił, ale obaj mężczyźni postanowili oszczędzić kobiecie prawdy. Eksperyment Pancoasta pozostał tajemnicą przez dwadzieścia pięć lat. Po jego śmierci w 1909 roku dawca – doktor Addison Davis Hard – przyznał się do tego podstępnego czynu w liście do czasopisma „Medical World")[19].

W 1852 roku Lister zainteresował się ludzkim okiem i używając mikroskopu, po raz pierwszy wniósł ważny wkład w rozwój nauki. Dostał wówczas fragment „świeżej niebieskiej tęczówki" od Whartona Jonesa, profesora okulistyki[20]. Listera ciekawiła dyskusja dotycząca charakteru tkanki w mięśniach zwierających i rozwierających tęczówki. Niewiele wcześniej szwajcarski fizjolog Albert von Kölliker, opisując tę tkankę, stwierdził, że zawiera ona komórki mięśniowe gładkie, tego samego rodzaju co w żołądku, naczyniach krwionośnych czy pęcherzu. Praca tego typu mięśni jest bezwiedna. Odkrycie Köllikera stało w sprzeczności z poglądami jednego z najwybitniejszych angielskich okulistów Williama Bowmana, który uważał, że ta tkanka jest prążkowana, co oznaczałoby, że ruchy mięśnia są świadome.

Lister starannie oddzielił fragmenty tkanki od tęczówki, która została pobrana od pacjenta zaledwie cztery godziny wcześniej. Umieścił próbkę pod mikroskopem i studiował ją przez następne pięć i pół godziny, rysując każdą poszczególną komórkę i posługując się w tym celu camerą lucidą[21]. W trakcie badań dotyczących tej kwestii Lister poddał oględzinom tęczówki jeszcze pięciu pacjentów chirurgicznych z University College Hospital, a także tęczówki konia, kota, królika i świnki morskiej. To, co ustalił, potwierdziło teorię Köllikera, że tęczówka istotnie składa się z gładkich włókien mięśniowych, funkcjonujących zarówno jako zwieracze, jak i rozwieracze, oraz że ich ruchy są rzeczywiście bezwiedne. Lister opublikował swoje wnioski w czasopiśmie „Quarterly Journal of Microscopical Science". Prowadzenie takich badań odróżniało go od bardzo wielu przedstawicieli jego zawodu, którzy nadal uznawali mikroskop za zbyteczny w praktyce medycznej.

Eksperymenty Listera były niewątpliwie uważane przez wiele osób, zarówno wykładowców, jak i studentów, za dziwaczne, ponieważ w latach pięćdziesiątych XIX wieku niewiele mogły wnieść do rozwoju chirurgii. Lister się jednak nie zrażał. Postęp w postaci urbanizacji i industrializacji odbywał się kosztem człowieka, ale postęp w dziedzinie nauki mógł dostarczyć rozwiązań coraz większych problemów występujących w szpitalach. Być może to mikroskop miał odkryć tajemnice ludzkiego ciała, co pewnego dnia mogło doprowadzić do zmian w terapeutyce.

*

Kilka miesięcy później kolejny pacjent z oddziału Erichsena zapadł na chorobę zakaźną. Tym razem zabójczym winowajcą okazała się gangrena szpitalna, najbardziej zjadliwa z „wielkiej czwórki" tworzącej hospitalizm. Niektórzy lekarze nazywali tę chorobę owrzodzeniem złośliwym lub fagedenicznym. To drugie określenie wywodziło się od greckiego słowa „zżerać". Szkocki chirurg John Bell opisał straszne skutki gangreny szpitalnej obserwowane przez niego, gdy leczył wielu pacjentów, którzy na nią zmarli. W pierwszym stadium „rana puchnie, skóra się cofa [...], tkanka roztapia się, tworząc cuchnący śluz, i odsłania się powięź". Wraz z postępem choroby rana się powiększa, a skóra jest zżerana, przez co ukazują się głębsze warstwy mięśni i kości. Pacjent doznaje wstrząsu i zaczyna mieć ostre nudności i biegunkę, ponieważ organizm usiłuje wydalić truciznę. Ból jest nie do zniesienia, a majaczenia niestety należą do rzadkości. Pacjent pozostaje przytomny podczas całej tej potwornej męki. „Krzyki cierpiących – napisał Bell – są takie same nocą jak za dnia; po upływie tygodnia są wyczerpani i umierają, a jeśli przeżyją, owrzodzenie nadal zżera i dzieli mięśnie, wreszcie odsłaniane są i niszczone duże naczynia krwionośne i [chorzy] wykrwawiają się na śmierć"[22].

Pierwsze angielskie opisy tej przypadłości pochodzą od chirurgów okrętowych z końca XVIII wieku, którzy byli świadkami wybuchów epidemii w wilgotnych i ciasnych kwaterach floty królewskiej. Marynarze, odizolowani na pełnym morzu, nie mogli zrobić nic, żeby powstrzymać rozprzestrzenianie się choroby, gdy już się pojawiła, toteż mdlący, słodki odór gnijącego ciała wkrótce przenikał i tak już cuchnące powietrze pod pokładem. W lecie

1799 roku pewien chirurg zbadał marynarza uderzonego pięścią w ucho podczas jakiejś burdy. Miał on tylko niewielką ranę od ciosu. W ciągu kilku dni pojawiło się jednak owrzodzenie, które strawiło jedną stronę twarzy i szyi mężczyzny, odsłaniając tchawicę i wnętrze gardła, zanim przyprawiło go o śmierć[23].

Znane są setki takich historii. Na HMS Saturn owrzodzenie złośliwe pojawiło się u pewnego żeglarza na czubku penisa. Po kilku dniach rozdzierającego bólu, podczas których rana poczerniała i jątrzyła się, organ ostatecznie odpadł. Chirurg pokładowy doniósł, że „odpadła cewka moczowa na całej długości, do opuszki prącia, a także moszna, pozostawiając jądra i naczynia nasienne ledwie przykryte substancją komórkową"[24]. Jakby nieunikniony skutek choroby wymagał podkreślenia, chirurg dodał: „Zmarł".

Jak radził Bell, gdy pojawiały się te ropiejące, pożerające ciało wrzody, pacjentów należało jak najszybciej zabrać ze szpitala: „Poza kręgami zainfekowanych murów ludzie są bezpieczni". Wszystko było lepsze od „tych domów śmierci", jak to ujął. Chirurg powinien „położyć ich w szkolnej izbie, kościele, na gnojowisku albo w stajni"[25]. Inni byli tego samego zdania: „Ta gangrena szpitalna [...] jest bez wątpienia zależna od niezdrowej atmosfery pobudzającej nadnaturalną wrażliwość, a zatem leczenie wymaga zasadniczo zabrania [chorego] ze sfery tego szkodliwego wpływu"[26]. Erichsen myślał podobnie. On również reprezentował utrzymujący się od dawna pogląd, że gangrena szpitalna jest spowodowana zgnilizną znajdującą się w powietrzu. Jednak odizolowanie zarażonych pacjentów od pozostałych mogło się okazać trudne. Gdy dochodziło do epidemii, problem był tyleż medyczny, co organizacyjny.

Trzeba było zamknąć oddziały szpitalne. Należało zaprzestać przyjmowania chorych. Wszyscy, od kierownictwa szpitala po samych chirurgów, rozpaczliwie próbowali powstrzymać jej niepohamowany rozwój[27].

Kiedy pewnego dnia w 1852 roku Lister zobaczył przeźroczystą wydzielinę przesączającą się przez opatrunek jednego z pacjentów, niewątpliwie miał to wszystko na uwadze. Gdy odwinął wilgotne bandaże, uderzyła go silna woń rozchodząca się z gnijącej, owrzodzonej rany. Wkrótce epidemia gangreny szpitalnej rozprzestrzeniła się po całym oddziale Erichsena, a jej źródłem był ten jeden pacjent. Listerowi bezzwłocznie polecono zająć się zarażonymi pacjentami, co dowodzi, jak daleko zaszedł podczas stażu, skoro powierzono mu tak ważne zadanie.

W szczytowym momencie epidemii Lister zaobserwował coś osobliwego. Zwykle zdrapywał brązową papkowatą tkankę martwiczą z zainfekowanych ran pacjentów poddanych narkozie, a następnie aplikował im azotan rtęci, niezwykle żrący i toksyczny roztwór. Później zanotował w swoim notesie: „Z reguły [...] odkrywana była zdrowa ziarninująca rana, która dobrze się goiła pod zwykłym opatrunkiem"[28]. Tylko w jednym przypadku – „bardzo tęgiej kobiety, u której choroba zaatakowała ogromną ranę przedramienia" – azotan rtęci nie poskutkował. Co więcej, infekcja rozszerzyła się ze „zdumiewającą prędkością" na całą ranę i ostatecznie Erichsen musiał amputować rękę[29]. Jednak przed operacją Lister dokładnie oczyścił ranę i umył rękę kobiety wodą z mydłem. Amputacja się powiodła i kikut doskonale się zagoił, co młody chirurg przypisał własnym wysiłkom zmierzającym do uprzedniego odkażenia kończyny.

W ten sposób ciekawość Listera została rozbudzona. Jak to się działo, że większość wrzodów goiła się, gdy usunięto z nich martwe tkanki i oczyszczono żrącym roztworem? Chociaż nie wykluczał, że temu, co działo się na oddziałach University College Hospital, winne są po części miazmaty, nie był przekonany, że w całości odpowiada za to niezdrowe powietrze. Winę musiało ponosić coś w samej ranie, a nie tylko powietrze wokół pacjenta. Z ropy zeskrobanej z zainfekowanych ran starannie sporządzał preparaty, żeby badać je pod mikroskopem. Implikacje tego, co zobaczył, zapuściły korzenie w jego umyśle i ostatecznie skłoniły go do zakwestionowania całego systemu przekonań podzielanych przez nie byle kogo, bo przez jego przełożonego i mentora Johna Erica Erichsena.

Później zanotował: „Zbadałem pod mikroskopem tkankę martwiczą z jednej z zainfekowanych ran i sporządziłem szkic pewnych obiektów o dość jednolitych rozmiarach, które – jak przypuszczałem – mogły być *materies morbi* [substancjami chorobowymi], i [...] już w tym pierwszym okresie zaświtała mi w głowie myśl, że miały one prawdopodobnie pasożytniczy charakter"[30].

To odkrycie zainspirowało Listera do prowadzenia badań przyczyn infekcji szpitalnych na większą skalę, ale chociaż poświęcał się chirurgii z nową energią, nadal nie był pewien, jaką drogę kariery obrać. Ponieważ podczas stażu chirurgicznego stykał się z rozmaitymi przypadkami medycznymi, przez pewien czas rozważał pomysł zostania lekarzem. Po ukończeniu rezydentury u Erichsena przyjął posadę asystenta klinicznego (odpowiednik dressera po stronie lekarskiej) u starszego lekarza doktora Waltera H. Walshe'a w University College Hospital. Siostrzeniec Listera Rickman John Godlee napisał później, że w tamtym okresie „pokusy medycyny wydawały się jeszcze silniejsze niż pokusy chirurgii"[31].

W ciągu ostatniego roku studiów na UCL Listerowi przyznano kilka wyróżnień i złotych medali, które wyniosły go ponad rówieśników. Były to prestiżowe nagrody, o które zaciekle rywalizowali między sobą studenci medycyny z uniwersytetu oraz pobierający nauki w londyńskich klinikach. Lister zdobył Nagrodę Longridge'a za „największą biegłość […], za wyróżnienia medyczne i rzetelne wykonywanie obowiązków na stanowiskach w szpitalu". Przy tej okazji przyznano mu znaczną kwotę czterdziestu funtów. Otrzymał także złoty medal i stypendium w wysokości stu funtów za wyniki drugiego egzaminu z medycyny. Stopniowo przezwyciężał nieśmiałość, częściowo dzięki uznaniu jego zdolności i nowo odkrytemu autorytetowi, którym cieszył się wśród ogółu studentów. Jego przyjaciel i współlokator Sampson Gamgee tak kiedyś do niego napisał: „Gdyby nie ty, University College byłby miernotą na egzaminach licencjackich na uniwersytecie, podczas gdy teraz jest drugą uczelnią w Londynie, po Guy's na pierwszym miejscu, a przed St. George's na trzecim"[32].

Mimo to nie wszyscy byli oczarowani żywym, poszukującym umysłem Listera. Gdy jego studia dobiegły końca, umieszczono go na ostatnim miejscu listy wyróżnionych z dziedzin fizjologii i anatomii porównawczej. Jego profesor William Carpenter w skierowanym do niego liście podał następujący powód tego afrontu: „Sądzę, że powinienem panu zakomunikować, z jakiego powodu uznałem za konieczne umieścić tam pana […]. Jako odpowiedzi na moje pytania,

pańskie referaty były tak wadliwe, że gdyby nie ilość oryginalnych obserwacji, których stanowią dowód, mógłbym
w ogóle nie umieścić pana na liście wyróżnionych"[33]. Lister
był zirytowany decyzją Carpentera. Jak napisał do swojego szwagra Rickmana Godlee (późniejszego ojca Rickmana
Johna Godlee): „Stosunkowo mało mnie to obchodzi, ponieważ z rozmowy z nim odnoszę wrażenie, że to tylko kwestia
tego, czy przeczytało się jego książkę, czy nie"[34].

To prawda, że Lister nie był skłonny zaakceptować czegoś
tylko dlatego, że jego profesorowie mówili mu, że tak jest[35].
Jeden z najciekawszych przypadków, z jakimi się spotkał
jako chirurg rezydent – najlepiej pokazujący, że nie potrafił
zaakceptować zdania przełożonych jako rozstrzygającego
argumentu – dotyczył sześćdziesięcioczteroletniego mężczyzny cierpiącego na zapalenie wątroby. Lister zauważył,
że mocz pacjenta, oprócz nadmiaru substancji żółciowej,
zawiera również zbyt dużo cukru, więc zastanawiał się, czy
cukier jest normalnym składnikiem żółci. Zwrócił się z tym
pytaniem do niedawno mianowanego profesora chemii na
UCL, lecz przekonał się, że nie jest on przygotowany, by
udzielić mu jasnej odpowiedzi. Zamiast dać sobie z tym
spokój, Lister uzyskał żółć pobraną od dwóch owiec. Do
zbadania obu próbek zastosował siarczan miedzi oraz potaż
żrący. W żadnym z tych doświadczeń nie stwierdził obecności cukru, z czego wysnuł wniosek, że stan jego pacjenta
rzeczywiście jest nietypowy. Za badanie tego przypadku
Lister zdobył kolejny złoty medal.

Pod koniec 1852 roku Lister przystąpił do egzaminów przed
Królewskim Kolegium Chirurgów i zyskał pełne uprawnienia
do praktykowania chirurgii. Mimo to wahał się, nie potrafił

bowiem podjąć ostatecznej decyzji, czy chce wykonywać ten zawód. W lutym 1853 roku wrócił do doktora Walshe'a, tym razem jako asystent lekarza. Wahanie, czy rozpocząć praktykę chirurgiczną, wyrażało się w pogłębieniu studiów medycznych, na co mógł sobie pozwolić dzięki finansowemu wsparciu ojca. Między innymi z powodu zajęcia ostatniego miejsca na liście wyróżnionych w dziedzinach fizjologii i anatomii porównawczej nadal nie wierzył we własne siły i był niezdecydowany. Objęcie stanowiska pełnoprawnego chirurga oznaczało wzięcie na siebie całej odpowiedzialności za osoby pozostające pod jego opieką. Być może martwił się, że mógłby wyrządzić krzywdę swoim przyszłym pacjentom, jeśli zetknie się z niejasnymi i rzadkimi objawami chorób.

Niezależnie od wyraźnego niezdecydowania Lister zachował niezachwianą i niesłabnącą ciekawość naukową. Nadal przeprowadzał doświadczenia i sekcje zwłok na własną rękę. Mikroskop pozwalał mu badać tajemnice ludzkiego ciała dogłębniej niż on sam, zdecydowana większość jego poprzedników, a także koledzy i przełożeni robili to kiedykolwiek wcześniej. Pozostawała również kwestia mikrobów, które odkrył pod mikroskopem po wybuchu epidemii gangreny szpitalnej na oddziale Erichsena. Czym dokładnie były i jaki miały związek z tym, co działo się z pacjentami w największych szpitalach stolicy?

Profesor Sharpey, jak zawsze bystry obserwator, zorientował się, że Lister nie wie, co zrobić ze swoim życiem, więc zasugerował mu, żeby przez rok odwiedzał uczelnie medyczne na kontynencie. Dowiedziałby się tam czegoś więcej o najnowszych postępach w dziedzinie medycyny i chirurgii, podobnie jak sam Sharpey kilkadziesiąt lat wcześniej,

gdy podróżował po Europie. Paryż – ze swymi przyjazny-
mi oddziałami szpitalnymi, wykładami o nowo powstałych
specjalnościach klinicznych, wieloma prywatnymi kursami
i niezliczonymi sposobnościami do przeprowadzania sekcji –
powinien się znaleźć na pierwszym miejscu planu podróży
Listera. Takie było zdanie Sharpeya, który chciał jednak, żeby
jego uczeń spędził najpierw miesiąc w Szkocji u jego dobrego przyjaciela Jamesa Syme'a, sławnego profesora chirurgii
klinicznej na Uniwersytecie Edynburskim, dalekiego kuzyna
wielkiego Roberta Listona, teraz bardzo znanego dzięki pracy
z eterem. Sharpey podejrzewał, że Syme znajdzie w osobie
Listera pełnego entuzjazmu ucznia, spragnionego udziału
w prowadzonych przez nich obu badaniach dotyczących charakteru stanów zapalnych i krążenia krwi. Uważał również,
że Lister uzna Syme'a za inspirującego mentora.

Tak więc we wrześniu 1853 roku Lister wsiadł do pociągu
jadącego do „Auld Reekie" (albo „Old Smokey"), jak nazywano stolicę Szkocji, i udał się na – w zamyśle – krótki pobyt.

5

Napoleon chirurgii

Gdybym miał ulokować człowieka o właściwych talentach na naj-
prostszej drodze do zostania naprawdę w i e l k i m w swej profesji,
wybrałbym dobrego, sprawnego manualnie Anatoma i umieścił go
w dużym szpitalu, by opiekował się chorymi i kroił umarłych[1].

WILLIAM HUNTER

Spore worki pod oczami profesora Jamesa Syme'a świad-
czyły o niekończących się godzinach, które spędzał
w sali operacyjnej Royal Infirmary w Edynburgu. Był
niski i krępy, ale poza tym niczym się nie wyróżniał, jeśli chodzi o wygląd. Nosił wyjątkowo nietwarzowe ubrania, źle do-
brane, zbyt obszerne rzeczy, które rzadko zmieniał z dnia na
dzień. Typowym dla niego strojem był czarny surdut z wysokim, sztywnym kołnierzem i krawat w szachownicę ciasno
zawiązany na szyi. Podobnie jak obiecujący chirurg z Londynu, z którym miał się niebawem spotkać, Syme nieznacznie
się jąkał, co prześladowało go przez całe życie.

Mimo niskiego wzrostu był gigantem w swoim zawodzie
w czasach, gdy Lister przyjechał go odwiedzić. Koledzy nazywali go Napoleonem chirurgii. Pięćdziesięcioczteroletni
wówczas Syme zyskał tę reputację dzięki podejmowanym

przez ostatnie dwadzieścia pięć lat kariery herkulesowym wysiłkom zmierzającym do uproszczenia traumatycznych zabiegów. Pogardzał prymitywnymi narzędziami, takimi jak ręczna piła łańcuchowa, i wystrzegał się skomplikowanych metod, gdy wystarczały prostsze. Oszczędność czasu i środków była tym, co Syme próbował osiągnąć przy niemal każdej operacji, której się podejmował. Tę postawę odzwierciedlała charakterystyczna zwięzłość, z jaką się wysławiał. Dawny uczeń Syme'a John Brown powiedział o swoim wielkim nauczycielu, że „nigdy niepotrzebnie nie marnował słowa, kropli atramentu ani kropli krwi"[2].

Sławę Syme'a należało w znacznej mierze przypisać jego przełomowemu pomysłowi amputowania nogi w stawie skokowo-goleniowym. Ten zabieg nadal nosi jego nazwisko i jest przeprowadzany do dziś. Przed wynalezieniem przez niego tej innowacyjnej metody chirurdzy, mając do czynienia ze skomplikowanymi obrażeniami lub nieuleczalnymi chorobami stopy, amputowali nogę poniżej kolana, co miało opłakane skutki dla zdolności poruszania się operowanej osoby. Często postępowano tak dlatego, że zakładano, iż długi kikut okaże się uciążliwy i pacjent nie będzie w stanie na nim chodzić. Metoda Syme'a umożliwiała pacjentowi przenoszenie ciężaru ciała na kikut stopy, stanowiła zatem niezwykły postęp w chirurgii, a ponadto była łatwiejsza i szybsza od amputowania nogi pod kolanem.

Podobnie jak wielu chirurgów wyszkolonych przed nastaniem ery anestezji Syme był szybki jak błyskawica – niczym jego kuzyn Robert Liston. Pewnego razu amputował nogę w stawie biodrowym mniej więcej w minutę. Ów wyczyn był tym bardziej nadzwyczajny, że ani on, ani żaden inny chirurg w Szkocji nigdy nie przeprowadzili tego rodzaju zabiegu. Oczywiście nie obyło się bez komplikacji. Gdy Syme wykonał pierwsze nacięcie kości udowej, tuż pod panewką stawu, w sali operacyjnej dał się słyszeć donośny trzask. Chirurg szybko usunął nogę, a jego asystent rozluźnił uścisk, żeby uwolnić tętnice, które wymagały zawiązania. Syme tak wspominał przerażający rozwój wydarzeń:

> Gdyby nie przyzwyczajenie do widoku straszliwych krwotoków, z pewnością bym się wystraszył. [...] Istotnie, na pierwszy rzut oka wydawało się, że nigdy nie da się zamknąć naczyń, które wywoływały tak wiele dużych i krzyżujących się ze sobą strumieni krwi tętniczej. Jak można sobie wyobrazić, bynajmniej nie traciliśmy czasu na podziwianie tego niepokojącego widowiska; jedna chwila wystarczyła, by przekonać nas, że bezpieczeństwo pacjenta wymaga całej naszej sprawności, toteż w ciągu kilku minut krwotok został skutecznie zahamowany dzięki zastosowaniu dziesięciu czy dwunastu podwiązek[3].

Tamten zabieg nazwał później „największą i najkrwawszą operacją chirurgiczną".

Syme był nieustraszony. Gdy inni chirurdzy odmawiali operowania, ów Szkot już trzymał nóż w gotowości. W 1828 roku zwrócił się do niego zrozpaczony mężczyzna, który nazywał się Robert Penman. Osiem lat wcześniej na jego dolnej szczęce rozwinął się włóknisty guz kostny. Miał wtedy mniej więcej rozmiar kurzego jajka. Miejscowy chirurg usunął zęby tkwiące w narośli, lecz guz rósł nadal. Wobec tego Penman skonsultował się z Listonem, który niedużo wcześniej wsławił się usunięciem dwudziestokilogramowego guza mosznowego pacjentowi szpitala w Edynburgu. Jednak na widok obrzmiałej, spuchniętej twarzy Penmana zbladł nawet pewny siebie Liston. Jego zdaniem wielkość i umiejscowienie guza uniemożliwiały operowanie. Odmowa chirurga, który zwykle podejmował się trudnych wyzwań, była równoznaczna z wyrokiem śmierci. Jeśli Liston nie zechciał operować, któż inny zechce?

Stan Penmana pogarszał się i w końcu doszło do tego, że jedzenie i oddychanie przychodziło mu z wielkim trudem. Guz ważył teraz ponad dwa kilogramy i przesłaniał prawie całą dolną część twarzy. W tej sytuacji mężczyzna zwrócił się do Syme'a, który w wieku dwudziestu dziewięciu lat był już znany z nieszablonowego podejścia do chirurgii.

W dniu operacji Penmana posadzono na krześle, wyprostowanego, z unieruchomionymi rękami i nogami. Ponieważ nie odkryto jeszcze ani eteru, ani chloroformu, pacjentowi nie podano żadnego środka znieczulającego. Mężczyzna zamarł, gdy Syme podszedł do niego z nożem w ręku. W tamtych czasach większość guzów szczęki wydłubywano, poczynając od środka narośli i kierując się na jej skraj. Syme miał jednak zamiar spróbować innej metody. Przystąpił do nacinania niezaatakowanej części żuchwy pacjenta, żeby usunąć guz oraz nieco zdrowej tkanki wokół niego i upewnić się, że został całkowicie zlikwidowany. Przez dwadzieścia cztery nieznośne minuty chirurg wycinał kostną narośl i wrzucał z obrzydliwym stukotem kawałki guza i szczęki do wiadra u swoich stóp. Osobom obserwującym zabieg trudno było uwierzyć, że ktoś może znieść tak straszne męki. A jednak, na przekór wszystkiemu, Penman przeżył.

Długo po operacji Syme natknął się na ulicy na swojego dawnego pacjenta i zdziwił się, widząc, że blizna na jego twarzy jest bardzo mała. Cofnięty podbródek był ukryty pod bujną brodą. Chirurg z zadowoleniem doszedł do wniosku, że nikt przyglądający się Penmanowi nie domyśliłby się, że przeszedł on tak bolesną operację.

Dzięki operacjom takim jak ta przeprowadzona na Penmanie Syme zyskał renomę jednego z najodważniejszych chirurgów swojego pokolenia. Pewnego ponurego dnia we wrześniu 1853 roku Joseph Lister przyjechał do Edynburga, żeby poznać tego pioniera chirurgii. Ściskał w dłoni list polecający napisany przez swojego mentora z UCL profesora Sharpeya. Miasto było mniej rozległe od Londynu, ale gęściej zaludnione. Chociaż przeludnienie stanowiło problem dla większości uprzemysłowionych miast Wielkiej Brytanii, przyprawiające o klaustrofobię warunki życia w Edynburgu w latach pięćdziesiątych XIX wieku łączyły się z brakami lokalowymi oraz napływem tysięcy irlandzkich imigrantów uciekających przed nędzą wywołaną klęską głodu, która zakończyła się zaledwie dwa lata wcześniej.

W jednej z dzielnic Edynburga w każdym domu żyło przeciętnie dwadzieścia pięć osób. Ponad jedna trzecia tych gospodarstw domowych mieściła się w jednopokojowych mieszkaniach, zwykle nie większych niż cztery metry na trzy i pół metra. Wiele domów stało ciasno jeden przy drugim wokół wąskich zamkniętych podwórzy[4]. Dwunastowieczne mury miejskie, wzniesione, by chronić mieszkańców Edynburga, ograniczały ekspansję starego miasta na zewnątrz. W rezultacie domy rosły w górę, osiągając niebezpieczną wysokość, jako że przepisy budowlane nie były wówczas rygorystyczne. Zdarzało się, że koślawe budynki w tej dzielnicy miały ponad dziesięć pięter, a każda kondygnacja wystawała poza poprzednią, dlatego wierzchołki tych rozpadających się gmachów zasłaniały światło słoneczne. Na parterze mieszkali najbiedniejsi. Żyli w sąsiedztwie bydła i otwartych rynsztoków, z których tuż przed ich frontowymi drzwiami przelewały się ludzkie odchody.

Współczynnik przestępczości w takich dzielnicach szybował w górę wraz ze wzrostem liczby mieszkańców[5]. W tym roku, w którym Lister przyjechał do Edynburga, ponad piętnaście tysięcy osób doprowadzono na policję za rozmaite wykroczenia. Przestępstwa były bardzo różne, od kradzieży i żebractwa po „dopuszczenie, żeby kominy zajęły się ogniem". Spośród tych zatrzymanych złoczyńców tysiące oskarżono o napaść fizyczną i publiczne pijaństwo. Kary często wymierzano arbitralnie, bez uczciwego procesu. Niektórzy winowajcy dostawali za swoje występki jedynie upomnienia, podczas gdy innych osadzano w więzieniu, chłostano lub skazywano na śmierć. Znaczną część przestępców stanowiły dzieci w wieku poniżej dwunastu lat. Wiele z nich wysyłano później do tak zwanych *ragged schools* – instytucji charytatywnych zapewniających darmową edukację młodzieży żyjącej w skrajnej nędzy.

Slumsy rozprzestrzeniały się na starym mieście niczym ropiejące wrzody. Brak udogodnień, takich jak czysta woda i toalety, sprawiał, że atmosfera była zdaniem pewnego mieszkańca Edynburga „odrażająco skażona i niemal nie do zniesienia ze względu na swą obmierzłość w tych okresach, kiedy na ulice należy wystawiać odpadki i nieczystości"[6]. Brud i nędza wynikające ze stłoczenia tysięcy ludzi na niewielkim obszarze tworzyły idealną wylęgarnię groźnych chorób, takich jak tyfus, gruźlica i dur powrotny.

Za tą rozpadającą się fasadą Edynburg tętnił mroczną energią. W czasach gdy Lister postawił nogę na peronie tamtejszego dworca kolejowego, miasto zdążyło już wyrobić sobie pozycję światowego lidera w dziedzinie chirurgii, chociaż skażoną skandalem i morderstwami. Minęło zaledwie dwadzieścia pięć lat, odkąd owiani złą sławą William Burke i William Hare czaili się na ulicach Edynburga, szukając kolejnej ofiary, którą zamierzali zagadnąć. W ciągu dziesięciu miesięcy ci dwaj zabójcy udusili szesnaście osób i sprzedali ich podejrzanie świeże ciała Robertowi Knoxowi, chirurgowi prowadzącemu w mieście prywatną szkołę anatomii, który przymykał oko na przebiegłe poczynania owej pary. (Burke'a i Hare'a w końcu aresztowano, gdy jedna z ich ofiar została rozpoznana przez widza w amfiteatrze anatomicznym, w którym przeprowadzano sekcje zwłok. Z obawy o życie Hare złożył zeznania obciążające wspólnika. Został ułaskawiony za współpracę z wymiarem sprawiedliwości i ostatecznie tylko Burke zadyndał na szubienicy. Osobliwym zrządzeniem losu zwłoki mordercy zostały później poddane publicznej sekcji w obecności setek ludzi. Obdarto je dokładnie ze skóry, która potem posłużyła do wyrobu rozmaitych makabrycznych bibelotów, między innymi portfeli, rozchwytywanych przez uszczęśliwioną, żądną krwi publiczność).

Okrucieństwa popełniane przez Burke'a i Hare'a wiązały się z lukratywnym zajęciem, jakim było dostarczanie świeżych trupów szkołom anatomii w całej Wielkiej Brytanii w pierwszych dekadach XIX wieku, kiedy to jedynymi ciałami, które można było legalnie uzyskać w celu przeprowadzenia sekcji, były zwłoki powieszonych morderców. W związku z rosnącą liczbą prywatnych szkół medycznych po prostu brakowało ciał. W rezultacie w mieście roiło się od porywaczy zwłok, czyli „rezurekcjonistów", jak ich niekiedy nazywano. Pracowali pod osłoną ciemności w środku zimy, kiedy naturalne procesy rozkładu spowalniała zimna szkocka pogoda. Posługując się drewnianymi łopatami i żelaznymi hakami, wykopywali u szczytu grobu niewielką dziurę, rozbijali pokrywę trumny i wyciągali zwłoki. W ciągu jednej nocy potrafili ukraść nawet sześć ciał i często tworzyli niewielkie szajki, które walczyły ze sobą o monopol w handlu nieboszczykami.

Był to tak powszechny problem, że na cmentarzach wokół Edynburga podejmowano drastyczne działania w celu ochrony zmarłych. Rodziny umieszczały w miejscach pochówku żelazne kraty zwane *mortsafes*, żeby chronić zwłoki swoich bliskich. Na szczycie murów otaczających cmentarze kładziono luźne kamienie, które niemal uniemożliwiały wdrapanie się na ogrodzenie bez zakłócenia spokoju. Dozorcy bronili przykościelnych cmentarzy, rozstawiając tam samopały i prymitywne miny. Okoliczni mieszkańcy organizowali „kluby cmentarne" i czuwali przy świeżych grobach przez kilka tygodni, aż pochowane w nich ciała ulegną zbyt poważnemu rozkładowi, żeby mogły się jeszcze przydać szkołom anatomii. Pewnego razu ojciec opłakujący niedawną stratę dziecka dostarczył na cmentarz „małą skrzynkę z jakimś śmiercionośnym urządzeniem połączonym za pomocą drutów z czterema rogami trumny, do umocowania na jej wierzchu". Gdy dziecko złożono w ziemi, nasypał prochu strzelniczego do tego prymitywnego działa, żeby „ukryty mechanizm był w każdej chwili gotowy do działania"[7].

W 1853 roku, dzięki przyjęciu ustawy legalizującej przeprowadzanie sekcji zwłok biedaków, po które nikt się nie zgłosił, a tym samym zapewniającej medykom dostęp do znacznych zasobów ciał, nikczemna działalność porywaczy trupów ustała już na terenie całej Wielkiej Brytanii. Jednak nowi przełożeni Listera – ci sami mężczyźni, którzy wykładali na uniwersytecie i wkrótce mieli go powitać w Edynburgu – byli wytworem tamtej minionej epoki. Nawet nieżyjący już wtedy Robert Liston miał na rękach metaforyczny brud z czasów, gdy wykładał w Auld Reekie. W szczytowym okresie handlu ciałami posyłał swoją szajkę porywaczy zwłok, żeby wtargnęła na terytoria gangów zatrudnianych przez jego kolegów, co prowadziło do nieodwracalnych konfliktów między rywalizującymi ze sobą anatomami.

Trudna do przełknięcia prawda była taka, że bez porywaczy zwłok i tysięcy trupów, które dostarczyli anatomom w minionych dekadach, Edynburg nie zdobyłby godnej pozazdroszczenia światowej sławy w związku z pionierskimi osiągnięciami w dziedzinie chirurgii. Gdyby nie zdobył tej pozycji, mało prawdopodobne, żeby Lister zadał sobie trud, by tam pojechać i poznać profesora Syme'a, co miało być wstępem do podróży po Europie połączonej z odwiedzaniem tamtejszych instytutów medycznych.

Lister być może dobrze by się zastanowił nad tym wypadem do Szkocji, gdyby więcej wiedział o wojowniczo nastawionym środowisku medycznym w Royal Infirmary. W liście do ojca wyjaśniającym decyzję wyjazdu do Edynburga napisał: „Nie będę musiał, tak jak w Londynie, walczyć z zawistnymi rywalami i zmagać się z konowałami albo się do nich haniebnie przyłączać. [...] Z natury jestem bardzo niechętny spieraniu się i rywalizowaniu z innymi, w rzeczy samej wątpię, czy umiałbym tak postępować"[8]. A jednak Joseph Lister – ten nieśmiały, powściągliwy młodzieniec, na tamtym etapie życia całkowicie nienawykły do konfliktów – miał niebawem wejść do jaskini lwa.

W centrum znacznej części konfliktów w szpitalu znajdował się sam Syme, który często dawał wyraz ciemnej stronie swojego geniuszu. Był wybuchowy i miał niezwykłą skłonność do żywienia urazy przez całe życie. Gdy położnik James Y. Simpson zasugerował w pewnej broszurze, że chirurdzy stosują wymyśloną przez niego metodę zwaną akupresurą do kontrolowania krwotoków chirurgicznych, Syme wpadł jak burza do sali operacyjnej, wyjął nóż i na oczach tłumu widzów zaczął ciąć ów dokument na strzępy. „Oto, panowie, ile jest warta akupresura"[9].

Nawet gdy adwersarze Syme'a dążyli do pojednania, na przeszkodzie często stawały wybuchowy charakter i duma profesora. Pewnego razu jego kolega James Miller – z którym Syme był skłócony od lat ze względu na jego bliską przyjaźń z Simpsonem, orędownikiem akupresury – uznał, że czas najwyższy zakopać topór wojenny. Niedawno zachorował i uświadomił sobie, że wkrótce umrze. W 1864 roku poszedł odwiedzić Syme'a w domu. Gdy wszedł, zastał nadąsanego chirurga stojącego z rękami splecionymi za plecami przed buzującym kominkiem. Miller powiedział, że przyszedł pożegnać się z nim po raz ostatni, i wyciągnął dłoń na zgodę. Syme spojrzał chłodno na wątłego mężczyznę przed sobą i odparł, nie podając mu ręki: „Ha, więc przyszedłeś przeprosić, tak? Cóż! Wybaczam ci"[10]. Miller wyszedł, nie usłyszawszy już ani słowa od swego dawnego rywala.

Kłótnie, w które wdawał się Syme, były zarówno prze-szkodą, jak i dobrodziejstwem w jego karierze. Poróżnił się z Listonem, z którym blisko współpracował, odkąd zaczął praktykować chirurgię. Spór przypuszczalnie wziął się z wielu drobnych nieporozumień połączonych z nasilającą się rywalizacją zawodową między kuzynami. Liston na przykład pogardzał opaską uciskową – wolał używać swojej lewej ręki, żeby tamować krwawienie, podczas gdy niedysponujący tak imponującą siłą fizyczną Syme głośno sprzeciwiał się tego rodzaju prymitywnym metodom. Animozje między nimi osiągnęły punkt krytyczny w 1829 roku, gdy Syme ubiegał się o posadę chirurga w Royal Infirmary w Edynburgu, gdzie pracował Liston. Ostatecznie nie został przyjęty, ponieważ kierownictwo szpitala obawiało się, że na oddziale chirurgicznym wybuchłaby wojna między nimi dwoma ze szkodą dla rekonwalescentów.

Syme nie tracił zbyt dużo czasu i energii na użalanie się nad sobą. W tym samym roku kupił Minto House, zaniedbaną rezydencję przy Chambers Street, którą zamierzał zmienić we własny prywatny szpital[11]. Było to odważne posunięcie jak na człowieka, który nie miał za wiele pieniędzy. Syme rzeczywiście przekształcił tę posiadłość w publiczny szpital na dwadzieścia cztery łóżka, a próbując zgromadzić fundusze na sfinansowanie tego przedsięwzięcia, puścił w obieg księgę darczyńców wśród bogatych mieszkańców miasta, którzy mogliby wesprzeć ów projekt. Gdy księga wpadła w ręce Listona, ten napisał w niej: „Nie wspierajcie szarlatanerii i oszustwa"[12].

Mimo grubiańskiego zachowania Listona szpital w Minto House odniósł oszałamiający sukces. W ciągu trzech lat Syme nadzorował osiem tysięcy przypadków i przeprowadził tam ponad tysiąc operacji. Były wśród nich poważne amputacje, usunięcie łokci i kolan oraz mastektomie „włóknistych piersi". I dlatego, gdy w 1833 roku na Uniwersytecie Edynburskim pojawił się wakat na stanowisku kierownika katedry chirurgii klinicznej, Syme uznał, że jest idealnym kandydatem dzięki nowo nabytemu doświadczeniu w prowadzeniu prywatnego szpitala. Również Liston ubiegał się o tę posadę, ale ostatecznie zwyciężył młodszy z kuzynów.

Sześć lat później Liston wyciągnął rękę do zgody. Przeniósł się już wtedy do Londynu, żeby objąć takie samo stanowisko na UCL, i w swoim czasie miał przeprowadzić historyczną operację z zastosowaniem eteru, której świadkiem był student Joseph Lister. W liście do obrażonego kuzyna Liston pisał o pragnieniu doprowadzenia do pojednania i posługując się żargonem medycznym, poprosił Syme'a: „Powiedz mi, że chcesz, by nasze urazy i rany zostały nie tyle opatrzone plastrem, ile solidnie zabliźnione"[13]. Swój apel zakończył następującymi słowami: „Nie jestem taki zły, za jakiego mnie uważasz". Syme przyjął gałązkę oliwną i się z nim pogodził.

Nie ulegało wątpliwości, że Syme znalazł dla siebie niszę w Edynburgu. W tamtejszej niewielkiej społeczności chirurgicznej waśnie, plotki i zawiść były na porządku dziennym. Wydawało się, że każdy chirurg w jakimś momencie współzawodniczy z każdym innym. Rzeczywiście atmosfera w Edynburgu była niekiedy jeszcze bardziej gorączkowa niż w Londynie, gdzie pewien chirurg stoczył kiedyś pojedynek w związku ze sporem medycznym[14].

*

Wkrótce po przyjeździe Lister zamieszkał przy South Frederick Street, w nowszej części Edynburga. Pogoda we wrześniu, chociaż dość łagodna, była niezmiennie przygnębiająca. Przez większość dni na niebie wisiały ciężkie deszczowe chmury, które rzucały cień na miasto, co powodowało pozornie nieuniknione ciemności. Lister zamierzał zostać tam tylko miesiąc, a następnie wyruszyć w bardziej słoneczne okolice w ramach podróży po Europie. Gdy tylko się zaaklimatyzował, przedstawił list polecający Syme'owi, który serdecznie powitał gościa w środowisku chirurgicznym Edynburga.

Syme nadzorował trzy sale w Royal Infirmary. Listerowi ów szpital wydawał się cudowny. Miał dwieście dwadzieścia osiem łóżek, okazał się zatem ponad dwa razy większy od londyńskiego University College Hospital. Jak na dziewiętnastowieczne standardy był ogromny[15]. Gdy wzniesiono go w 1729 roku, oferował łóżka dla zaledwie czterech pacjentów. W 1741 roku postawiono nowy gmach przy High School Yards (ulicy przemianowanej później na Infirmary Street). Z czasem szpital został rozbudowany – w 1832 roku i ponownie w 1853 roku. W końcu Royal Infirmary zdominował cały obszar znajdujący się między Drummond Street a High School Yards. Szpital miał długość około trzech piątych boiska do piłki nożnej, a na obu końcach wznosiły się pod kątem prostym ponad sześciometrowe skrzydła. Oprócz parteru były jeszcze trzy kondygnacje, gdzie mieściły się kuchnie, sklep aptekarza, pomieszczenia dla służby, jadalnia i „dwanaście cel dla szaleńców". Przez środek gmachu, wpleciona weń niczym wielka arteria, przebiegała przestronna klatka schodowa, w której mogły się zmieścić nosze, co pozwalało personelowi bez przeszkód wnosić wprost na oddziały ludzi ze złamaniami, zwichnięciami i groźnymi ranami. Większość pacjentów przebywała na piętrach pierwszym i drugim, podczas gdy osoby wymagające operacji dochodziły do zdrowia na trzecim, gdzie miały lepszy dostęp do świeżego powietrza. Na poddaszu znajdowała się duża sala operacyjna, w której co tydzień tłoczyło się dwustu studentów medycyny, żeby obserwować zabiegi.

Dla Listera – którego możliwości rozwoju pod okiem Erichsena zostały ograniczone przez topniejącą po śmierci Listona i Pottera liczbę łóżek przeznaczonych w University College Hospital dla pacjentów chirurgii – była to wyjątkowa szansa zdobycia doświadczenia klinicznego, o które tak zabiegał. Wkrótce po przyjeździe do Edynburga napisał do ojca: „Gdyby dzień był dwa razy dłuższy, i tak miałbym mnóstwo zajęć, żeby go wypełnić, i te zajęcia okażą się dla mnie cenne, jak sądzę, na całe życie, jeśli zechcę się zajmować chirurgią"[16]. Jego pobyt w Edynburgu wciąż się przedłużał.

Lister szybko został prawą ręką Syme'a, biorąc na siebie coraz większą odpowiedzialność w Royal Infirmary i asystując mu przy skomplikowanych operacjach. W liście do swojej siostry Mary napisał, że profesor zbudził go poprzedniego dnia o piątej rano, żeby pomógł mu przy pilnej operacji. Wyjaśnił: „Pan Syme [pomyślał], że mnie ona zainteresuje". W dalszej części listu poinformował siostrę, że jego plany pozostania w Szkocji tylko przez miesiąc uległy zmianie:

Korzystając z nadarzających się sposobności, uczę się tego, czego nie mógłbym się dowiedzieć z żadnych książek ani w gruncie rzeczy od nikogo innego, podczas gdy moje doświadczenie, które z winy naszego małego szpitala przy Gower Street jest znacznie ograniczone, codziennie otrzymuje ważne uzupełnienia. Jestem zatem całkowicie przekonany, że dobrze mi zrobi, o ile wszystko pójdzie dobrze, jeśli spędzę tutaj zimę, nawet gdyby przez to moja wizyta na kontynencie okazała się nadzwyczaj krótka[17].

Kilka dni później Syme wymyślił stanowisko dla swojego protegowanego, mianując go „nadetatowym asystentem", ponieważ posada chirurga rezydenta była już zajęta[18]. To, że Lister – sam będący w pełni wykwalifikowanym chirurgiem i członkiem Królewskiego Kolegium Chirurgów Anglii – przyjął posadę, która byłaby bardziej odpowiednia dla studenta, świadczy o wpływie, jaki miał na niego Syme. Również Syme był najwyraźniej pod wrażeniem Listera, skoro stworzył stanowisko specjalnie dla niego i zatrudnił go z pominięciem innych swoich uczniów.

Syme żywo interesował się karierą Listera i zaczął na nim polegać zarówno w sprawach związanych z Royal Infirmary, jak i w innych. Wyznaczył mu odpowiedzialne zadanie spisywania sprawozdań ze swoich wykładów klinicznych w celu ich opublikowania. Pierwsze ukazało się w „Monthly Journal of Medical Science" i obejmowało również pewne obserwacje mikroskopowe samego Listera dotyczące struktury komórkowej guza kostnego. Wkrótce opublikowano dwa inne artykuły: jeden o przeprowadzonej przez Syme'a operacji czyraka mnogiego, a drugi o stosowaniu kauteryzacji rozgrzanym żelazem jako środka do zwalczania bólu i opuchlizny. Oba artykuły zawierały oryginalne uwagi samego Listera.

Syme stał się źródłem inspiracji dla Listera, który w liście do domu nie krył zachwytu: „Jeśli umiłowanie chirurgii jest dowodem na to, że ktoś się do niej kwalifikuje, to ja z pewnością nadaję się na chirurga: może trudno Ci sobie wyobrazić, jak wielkiej radości doświadczam każdego dnia w tej krwawej i rzeźnickiej dziedzinie sztuki leczniczej"[19]. Lister był tak zafascynowany Syme'em, że musiał się usprawiedliwiać ze swego podziwu przed ojcem, który ostrzegł syna w liście – pół żartem, pół serio – żeby unikał znalezienia się pod zbyt dużym wpływem jednego człowieka: *„Nullius jurare in verba magistri"* (Nie ślubuj wierności jednemu mistrzowi)[20].

Chociaż ojca to trapiło, Lister bronił się, wyjaśniając, dlaczego poświęca tak dużo czasu na pomaganie Syme'owi: „Jestem zadowolony, mogąc służyć pomocą w rozpowszechnianiu wielu jego oryginalnych poglądów dotyczących chirurgii. [...] Gdyby nie publikacja wykładów, znaczna część jego mądrości musiałaby odejść, gdy on sam odejdzie"[21]. Co więcej, napisał ojcu, że chociaż teoretycznie zgadza się z jego ostrzeżeniem, żeby nie ślubować wierności jednemu mistrzowi, po namyśle uznał, że Syme to bardzo czcigodny „magister".

Joseph Jackson nie był jedyną osobą, która zwróciła uwagę na zauroczenie swojego syna starszym chirurgiem. Wieści o świeżej przyjaźni Listera z kłótliwym Szkotem dotarły także do Londynu. W liście do Listera George Buchanan, jego przyjaciel i dawny student, tak z niego żartował: „A niech to! Musisz być w stanie wiecznej rozkoszy nie do opisania. [...] Widzieliśmy twoje nazwisko w artykułach jako adoptowanego dziecka Syme'a, relacjonującego dla niego jakiś przypadek". Buchanan dodał również ostrzeżenie od siebie: „Dorównaj Syme'owi, dajmy na to, w chirurgii, ale błagam, nie zaraź się jego aż nadto widocznym egotyzmem!"[22].

Pomimo zaniepokojenia innych Lister piął się w górę pod okiem Syme'a. W Royal Infirmary stykał się ze znacznie bardziej różnorodnymi przypadkami niż kiedykolwiek wcześniej w Londynie. Jak każdy chirurg w tamtych czasach miewał niepowodzenia i jego pacjenci umierali. Zdarzały się jednak chwile głębokiej satysfakcji, jak wtedy, gdy do Royal Infirmary trafił młody człowiek, którego pchnięto nożem w szyję – w normalnych okolicznościach taka rana okazałaby się w tamtym okresie śmiertelna.

Chłopak miał zarówno szczęście, jak i pecha. Z jednej strony nóż nie przeciął tętnicy szyjnej, bo gdyby tak się stało, śmierć nastąpiłaby natychmiast. Z drugiej – wokół jego tchawicy zbierała się krew, powoli odcinając dopływ powietrza. Jak zauważył jeden ze świadków: „Życie dwóch osób [...] zależało od powolnego, stopniowego wycieku ze zranionej tętnicy", ponieważ gdyby młody człowiek zmarł, napastnik niewątpliwie zostałby powieszony[23].

Syme i Lister nie tracili czasu. Chłopaka wniesiono po schodach na piątą kondygnację Royal Infirmary, czyli poddasze, gdzie obaj chirurdzy rozpoczęli przygotowania do operacji. Wieść o tym, co się dzieje, szybko rozeszła się po całym szpitalu, toteż sala operacyjna wkrótce zapełniła się chirurgami i studentami, którzy przepychali się jeden przez drugiego, żeby być świadkami rozgrywającego się dramatu. Owi świadkowie potencjalnej śmierci stali na widowni jak urzeczeni, a tymczasem z gardła pacjenta dochodziło bulgotanie, bo dławił się własną krwią. Jeden z widzów napisał później, że na każdej twarzy „malowały się niepokój i lęk, które zawsze ożywiają ciekawość"[24].

Syme sprawiał wrażenie spokojnego i opanowanego w porównaniu z Listerem, który niewątpliwie był w pełni świadomy spoczywającej na nim ogromnej odpowiedzialności, gdy szykował się na tę krwawą jatkę. Starszy chirurg wziął nóż i naznaczył długą czerwoną linię nacięcia wzdłuż szyi młodzieńca. Wokół otworu natychmiast zaczęła się tworzyć głęboka kałuża krwi. Niezrażony tym Syme nadal szybko rozcinał tkanki, posuwając się w stronę uszkodzonej tętnicy. Tak to potem opisał: „Nawet teraz nie potrafię myśleć bez drżenia o swoim położeniu, kiedy najdrobniejsze przesunięcie jednej ręki musiałoby natychmiast spowodować fatalny w skutkach krwotok z tętnicy szyjnej, a błędne pokierowanie igły drugą, choćby w najmniejszym możliwym stopniu, wywołałoby niepohamowany strumień z żyły szyjnej"[25].

Mijały sekundy. Widzowie pochylili się do przodu, ale jedyne, co dało się dojrzeć, to „strugi krwi chlustające i tryskające z rany oraz zwinne palce chirurga i asystenta przy pracy". Twarz pacjenta stała się „upiorna w swej bladości". Twarz Listera natomiast, jak sam zauważył, była zlana potem, „jakby biegł w wyścigu"[26].

Obaj chirurdzy nie ustawali w wysiłkach. Syme wcisnął palce do otwartego nacięcia i tępą igłą oraz kawałkiem jedwabnej nici zaczął związywać uszkodzoną tętnicę. Nagle z szyi chłopaka trysnęła krew, zalewając drewniany stół operacyjny i krzepnąc u stóp Listera. Publiczność wstrzymała oddech, spodziewając się, że lada chwila nastąpi zgon. Syme jednak nadal zamykał śliską tętnicę, a Lister rozchylał ranę i usuwał gąbką krew. Po kilku pełnych napięcia minutach obaj cofnęli się od stołu operacyjnego, żeby umożliwić widzom obejrzenie nacięcia. Krwawienie zostało powstrzymane.

Na kilka sekund w sali operacyjnej zapadła cisza, a potem, jakby zdjęto zaklęcie, wśród zebranych rozległy się gromkie wiwaty na cześć obydwu chirurgów.

W styczniu 1854 roku Lister został chirurgiem rezydentem u Syme'a, chociaż w mniejszym lub większym stopniu pełnił tę funkcję już wcześniej. Teraz, oficjalnie zatrudniony na tym stanowisku, miał pod sobą dwunastu dresserów – trzy razy więcej, niż podlegało mu w University College Hospital. Ich liczba miała niebawem wzrosnąć do dwudziestu trzech. Syme dał młodym ludziom wyraźnie do zrozumienia, że ich wzajemne stosunki zawodowe mają być koleżeńskie, a „chirurg rezydent" jest jedynie tytułem. Profesor obiecał nie wtrącać się do leczenia zwyczajnych przypadków i przyznał Listerowi wyjątkowy przywilej wybierania sobie własnych pacjentów spośród tych, którzy byli już hospitalizowani – tego nie mógłby się spodziewać żaden inny chirurg rezydent w żadnym innym szpitalu. Ponieważ jednak Lister nie miał jeszcze prawa wykonywania zawodu w Szkocji, mógł jedynie asystować Syme'owi przy operacjach w Royal Infirmary, a nie je przeprowadzać.

Lister szybko zdobył szacunek i uwielbienie współpracowników[27]. Powaga i sztywne maniery, które często charakteryzowały jego sposób bycia podczas studiów na UCL, najwyraźniej zniknęły, gdy znalazł się w grupie podległych mu młodych i często rozwydrzonych rezydentów. Kilkakrotnie wydał nawet wystawną kolację dla swoich podwładnych, a kiedyś przyłączył się do nich, żeby pomóc zerwać reklamę ustawioną przez miejscowego znachora – triumfujący tłum zabrał bilbord i spalił go na terenie należącym do szpitala w trakcie prześmiewczej ceremonii.

Dresserzy i asystenci nadali Syme'owi przydomek „Mistrz", a Listerowi „Szef" – to pieszczotliwe określenie towarzyszyło mu do końca życia. Wśród personelu Royal Infirmary był ktoś, kto zapałał szczególną sympatią do przystojnego chirurga – budząca grozę pani Janet Porter, przełożona pielęgniarek.

W czasach gdy Lister został mianowany na wspomniane stanowisko, pielęgniarstwo nie było powołaniem wymagającym umiejętności i przeszkolenia ani nie wzbudzało szczególnego szacunku. Wykształcone, zamożne kobiety nie garnęły się do zawodu, który narażałby je na poufałość ze strony męskiego personelu albo zmuszał, żeby zostawały same, bez opieki, w towarzystwie mężczyzn. Florence Nightingale – kobieta, która miała później zrewolucjonizować pielęgniarstwo – wtedy jeszcze nie opracowała w pełni zasad higieny, za co tak ją później chwalono. Co więcej, musiało minąć jeszcze dziewięć lat, zanim powstał Międzynarodowy Czerwony Krzyż, który odegrał zasadniczą rolę w szkoleniu pielęgniarek w drugiej połowie XIX wieku.

W wyniku niskich standardów przy rekrutacji do tego zawodu grupa pielęgniarek, z którymi pracował Lister, stanowiła różnorodną zbieraninę. Sama Florence Nightingale odwiedziła kiedyś Royal Infirmary i uznała, że szpital jest przykładem „bezprawia", jeśli chodzi o zarządzanie personelem pielęgniarskim. Wyjaśniła, że dopilnowanie, by „pijane pielęgniarki nocne były co wieczór wnoszone na noszach", należy do obowiązków starszego chirurga rezydenta[28]. To nieprzyjemne zadanie przypadło w udziale Listerowi w pierwszym roku pracy pod kierownictwem Syme'a. Rzeczywiście była tam na przykład kobieta, która wykorzystywała łóżka szpitalne, żeby przesypiać często przytrafiającego się jej kaca, i Lister kilkakrotnie musiał ją strofować.

Wielbicielka Listera pani Porter znajdowała się na przeciwległym biegunie w stosunku do tych zapijaczonych obiboków. Rządziła chirurgami żelazną ręką i zachowywała się tak, jakby cały ciężar odpowiedzialności za zarządzanie szpitalem spoczywał wyłącznie na jej barkach. Gdy Lister pojawił się w Royal Infirmary, pani Porter miała już mocno ugruntowaną pozycję, ponieważ troszczyła się o tamtejszych pacjentów od ponad dziesięciu lat. Jej salon był prawdziwą galerią fotografii przedstawiających lekarzy, którzy przewinęli się przez jej oddziały. Z biegiem lat zdołała zasypać przepaść między starą awangardą pielęgniarstwa a nową, u tych zaś, którzy ją znali, budziła takie samo uwielbienie jak strach. Poeta W. E. Henley, którego Lister leczył w późniejszym okresie swojej kariery, pisał o „głębi i złośliwości jej chytrych szarych oczu" oraz „ciętym szkockim języku, który schlebia, beszta i prowokuje". Podobnie jak wszystkich, którzy pracowali dla Syme'a, panią Porter cechowało ogromne poczucie obowiązku. Jak powiedział Henley: „lekarze ją uwielbiają, żartują z niej, wykorzystują jej umiejętności", ale „mówią, że sam »Szef« trochę się jej boi"[29].

Wielokrotnie zdarzało się, że nowy chirurg miał na pieńku z panią Porter. Pewnego razu podobno przyłapała Listera na tym, że zabranym z jednej ze szpitalnych sal pogrzebaczem próbował rozbić w drobny mak któryś z jej lodowych kataplazmów. Zgodnie z tą relacją: „wielce urażona, wyrwała mu pogrzebacz oraz kataplazm i głośno pomstując, wycofała się do swojej kuchni"[30].

Mimo wszystkich tych wybuchów gniewu pani Porter otaczała Listera prawdziwie macierzyńską troską. Nigdy nie było to bardziej widoczne niż wtedy, gdy zwijał się z bólu na zdradliwym szlaku zwanym Cat's Nick w pewne wietrzne niedzielne popołudnie 1854 roku. Towarzyszył mu dawny kolega z UCL John Beddoe. Cat's Nick to pnąca się postrzępiona ścieżka, wcinająca się w klify Salisbury Crags, które górują nad Edynburgiem niczym imponująca forteca[31]. Te czterdziestosześciometrowe urwiska, usytuowane niecały kilometr na południowy wschód od centrum miasta, są polodowcowymi pozostałościami karbońskiej żyły pokładowej, która zaczęła się tworzyć w płytkim morzu mniej więcej trzysta czterdzieści milionów lat temu. Lister – który miał lęk wysokości – niechętnie przyjął propozycję przyjaciela, żeby wspiąć się na urwiste zbocze Salisbury Crags, skąd mogliby podziwiać panoramę Edynburga. Beddoe powiedział mu, że zrobili tak wszyscy wielcy myśliciele, na przykład powieściopisarz sir Walter Scott i poeta Robert Burns. Zdecydował się na to nawet Karol Darwin, zapalony piechur, który swym samotnym wędrówkom po Salisbury Crags przypisał potem to, że przejął od geologa Jamesa Huttona pojęcie głębokiego czasu, koncepcję mającą odegrać później zasadniczą rolę w jego teorii ewolucji. Beddoe uważał, że taka wspinaczka to „wyczyn, z którego nie można zrezygnować".

Tak więc we dwóch zaczęli się powoli wspinać. Krok po kroku zostawiali za sobą miasto. Gdy znaleźli się w połowie drogi, Lister zaczął wątpić, czy jest w stanie dotrzeć na szczyt. Krzyknął do idącego przodem przyjaciela: „Mam zawroty głowy! Czy nie byłoby głupie z mojej strony upierać się przy tym dzisiaj?!"[32]. Możliwe, że Beddoe dostrzegł strach w oczach przyjaciela, a może sam był zbyt wyczerpany, żeby posuwać się dalej. Zgodził się, że powinni zawrócić.

Gdy wracali po swoich śladach, Beddoe poślizgnął się, potrącając jakiś głaz. Lister usłyszał, że fragment skały się obluzował, i spojrzał w górę w samą porę, by zobaczyć, że jego przyjaciel i głaz pędzą w dół w jego stronę. Przywarł plecami do powierzchni klifu w momencie, gdy Beddoe zdołał odzyskać równowagę, lecz jego samego ogromny kamień uderzył w udo. Według przyjaciela Listera głaz „turlał się w dół stoku, podskakując i odbijając się, a potem przetoczył się przez środek grupy grających w klasy dzieci, nie czyniąc im żadnej krzywdy"[33].

Beddoe szybko zorientował się, że sytuacja jest poważna. Zostawił poturbowanego towarzysza, pognał w dół Cat's Nick i wkrótce wrócił z lektyką i czterema mężczyznami, którzy zanieśli rannego Listera z powrotem do szpitala, krocząc w pełnym powagi pochodzie. W bramie Royal Infirmary stała pani Porter, załamując ręce i szlochając. Mówiąc z silnym szkockim akcentem, zrugała towarzysza Listera za narażenie na niebezpieczeństwo jej ulubionego chirurga: „Eh, Doketur Bedie! Doketur Bedie! Już ja wiedziałam, że tak będzie. Wy, Anglicy, zawsze jesteście tacy głupi, że ganiacie wte i wewte w dzień święty"[34].

Lister został unieruchomiony na kilka tygodni i ponownie odłożył wyjazd z Edynburga. Na szczęście nie złamał sobie żadnej kości, lecz noga była poważnie stłuczona. Beddoe miał zszargane nerwy od rozmyślania, jak blisko byli śmierci. Wiele lat później zastanawiał się, jak mógłby się zmienić bieg historii, gdyby Lister zginął: „Gdybym tamtego lata zabił swojego przyjaciela Listera, [...] jakże wiele straciłby świat i miliony jego mieszkańców"[35].

6

Żabie nogi

Wszędzie rodziły się pytania; wszystko pozostało bez wyjaśnienia; wszystko było wątpliwe i trudne. Jedynie wielka liczba zmarłych była niewątpliwie realna[1].

IGNAZ SEMMELWEIS

Na polu bitwy rozlegał się huk armat. W powietrzu świstały kule, rozdzierając ciało i okaleczając każdego, kto znalazł się na ich drodze. Oderwane kończyny i wylewające się wnętrzności zabarwiały na karmazynowo trawę krwią żołnierzy, którzy często byli zbyt zszokowani własnymi obrażeniami, żeby krzyczeć. Jak wielu młodych ludzi, którzy nigdy nie widzieli z bliska potworności wojny, Richard James Mackenzie był żałośnie nieprzygotowany na to, co go czekało na polu walki. Wyposażony w niewiele więcej niż torba z narzędziami chirurgicznymi i odrobina chloroformu, wstąpił do 72. Pułku Highlanderów walczącego z Rosjanami na początku wojny krymskiej w 1854 roku.

Trzydziestotrzyletni Mackenzie, asystent Syme'a, wziął urlop naukowy z pracy i zgłosił się na ochotnika jako chirurg wojskowy. On i Lister pracowali pod kierownictwem Syme'a w tym samym czasie, lecz w różnym charakterze. Mackenzie był starszy i działał w Royal Infirmary od lat.

Przez ten czas przejął wiele metod od wielkiego chirurga, w tym słynną technikę amputacji nogi w stawie skokowym. Ze względu na ich bliskie relacje zawodowe duża część pracowników naukowych Uniwersytetu Edynburskiego uważała, że pewnego dnia Mackenzie zostanie następcą Syme'a jako profesor w katedrze klinicznej – najbardziej pożądanej spośród wszystkich trzech katedr chirurgicznych z uwagi na jej stały dostęp do oddziałów szpitalnych Royal Infirmary. Kiedy jednak sir George Ballingall, profesor chirurgii wojskowej, ogłosił, że odchodzi na emeryturę, Mackenzie dostrzegł sposobność przyśpieszenia własnej kariery. Jedyną rzeczą stojącą na przeszkodzie do zdobycia tego stanowiska był brak doświadczenia na polu walki.

Wkrótce po wyjeździe z Edynburga Mackenzie przekonał się, że jego skąpe zapasy materiałów medycznych nie na wiele się zdadzą. Znacznie bardziej od kul i pocisków armatnich niepokoił go brud panujący na polu walki. W liście do domu chirurg napisał: „Przeżywamy tu, jak wiecie, paskudne chwile [...] nie tyle z powodu faktycznej śmiertelności, ile ze względu na ogromną ilość chorób"[2]. Malaria, dyzenteria, ospa i tyfus szalały w obozach wojskowych, osłabiając siły oddziałów, zanim w ogóle przystąpiły one do walki. Mackenzie użalał się nad ludźmi, których „sprowadzono tutaj, żeby gnili bez oddania choćby jednego strzału albo nawet bez oglądania nieprzyjaciela".

Zyskali tę szansę 20 września, gdy siły francuskie i brytyjskie nadciągnęły razem, żeby stoczyć zażarty bój z Rosjanami niedaleko na południe od rzeki Almy na Krymie. Miało to być pierwsze większe starcie podczas tej wojny. Sprzymierzeńcy zwyciężyli, lecz ponieśli ogromne straty w ludziach.

Po stronie Mackenziego ofiar było mniej więcej dwa i pół tysiąca, a po rosyjskiej ponad dwa razy więcej. Bitwa nad Almą okazała się masakrą: oprócz wyciągania niezliczonych kul i bandażowania mnóstwa ran swych poszkodowanych towarzyszy Mackenzie musiał przeprowadzić dwadzieścia siedem operacji tylko tego jednego dnia (w tym dwie amputacje w stawie biodrowym), a wszystkie w prowizorycznych namiotach szpitalnych.

Ci, którzy przeżyli bitwę i utratę kończyn, bynajmniej nie byli jeszcze bezpieczni. Ledwie zamilkły działa, wybuchła epidemia cholery azjatyckiej. Posuwała się krok w krok za batalionem Mackenziego przez rzeki, wzgórza i doliny. Była nieustępliwa w swym pościgu. Choroba ta, wywoływana przez bakterię *Vibrio cholerae*, jest zwykle przenoszona za pośrednictwem wody skażonej fekaliami zarażonych osób. W czasach wojny krymskiej cholera przemieszczała się przez Europę, zatem możliwe, że została zawleczona na linię frontu w jelitach żołnierzy. Po okresie inkubacyjnym trwającym od dwóch do pięciu dni ofiara ma gwałtowny atak ostrej biegunki i wymiotów, co prowadzi do ogromnej utraty płynów i odwodnienia. Śmierć może nastąpić w ciągu kilku godzin, jak zauważył Mackenzie w liście do domu: „Wielu zostało powalonych na porannym apelu i umarło po trzech, czterech lub pięciu godzinach. [...] Nie muszę dodawać, że jakiekolwiek leczenie w takich przypadkach jest całkowicie daremne"[3]. Współczynnik umieralności w wypadku nieleczonej cholery azjatyckiej wynosi czterdzieści–sześćdziesiąt procent.

W trakcie trwającego dwa i pół roku konfliktu zmarło na tę chorobę ponad osiemnaście tysięcy żołnierzy, pochłonęła ona zatem więcej istnień ludzkich niż jakakolwiek inna z tych, które wówczas prześladowały armię brytyjską[4]. Wśród pierwszych, którzy padli jej ofiarą, znalazł się Richard James Mackenzie. Obiecujący chirurg z Edynburga zmarł na cholerę pięć dni po bitwie nad Almą, 25 września 1854 roku. Raz jeszcze śmierć jednego człowieka utorowała drogę do awansu innego.

Wielu kolegów Mackenziego poszło w jego ślady i wyruszyło na wojnę, lecz Listerowi religia zabraniała angażowania się w akty przemocy, mimo że jako chirurg zajmowałby się leczeniem rannych. Ponieważ pod koniec 1854 roku jego rezydentura w Royal Infirmary dobiegła końca, został bez pracy i bez planów na przyszłość. Kilka miesięcy wcześniej w liście do ojca wyraził zainteresowanie ubieganiem się o posadę młodszego chirurga w Royal Free Hospital w Londynie. Chociaż lubił Syme'a, tęsknił za rodziną. Miała to być jego pierwsza z wielu prób powrotu do domu w ciągu następnych dwudziestu trzech lat.

Royal Free Hospital został założony przez chirurga Williama Marsdena w 1828 roku w celu zapewnienia darmowej opieki (co sugerowało słowo *free* w nazwie) tym, którzy nie mogli sobie pozwolić na leczenie. Chociaż brytyjskie szpitale zaspokajały potrzeby ubogich, po pacjentach spodziewano się, że będą pokrywali koszty zakwaterowania i wyżywienia. Poza tym przyjęcie na oddział gwarantowano tylko osobom, które zdołały uzyskać list od zarządcy lub subskrybentów szpitala, co wcale nie było łatwym zadaniem. Marsden natomiast uważał, że „jedynym paszportem [uprawniającym do przyjęcia] powinny być ubóstwo i choroba"[5]. Zdecydował się zbudować Royal Free Hospital po tym, jak pewnego wieczoru na schodach kościoła Świętego Andrzeja znalazł umierającą dziewczynkę. Próbował umieścić ją w jakimś szpitalu, lecz nie zdołał, bo była bez grosza. Kilka tygodni później zmarła.

Posada w Royal Free Hospital pozwoliłaby Listerowi zamieszkać bliżej domu rodzinnego, ale oznaczałaby również awans zawodowy. O stanowisko w szpitalach było trudno, zwłaszcza w stolicy. Gdyby je zdobył, nie tylko podniosłoby to jego prestiż jako chirurga, umożliwiając mu rozpoczęcie lukratywnej praktyki prywatnej, lecz także mogłoby się przyczynić do uzyskania w przyszłości posady uniwersyteckiej. Jednak zarówno Syme, jak i dawny profesor Listera William Sharpey wcale nie byli pewni, czy posada w Royal Free Hospital jest dla niego odpowiednia. Zniechęcali go do ubiegania się o nią, ponieważ obawiali się, że ich protegowany zostanie uwikłany w najnowszy zacięty spór personalny toczący się w tym szpitalu.

Ów spór był stałym przedmiotem plotek w londyńskim środowisku medycznym. W Royal Free Hospital pracowało trzech chirurgów: William Marsden, John Gay, zatrudniony tam od osiemnastu lat, oraz Thomas Henry Wakley, którego ojciec założył czasopismo „The Lancet". W grudniu tamtego roku Gaya zmuszono do ustąpienia ze stanowiska, gdy okazało się, że informacje, które dostarczył do własnej biografii, są krytyczne wobec szpitala. Zarząd Royal Free Hospital uznał, że Gay zrobił zbyt mało, by zdementować uwagi, które pojawiły się w książce. Powstały wówczas dwie frakcje. Tym, którzy uważali, że zarząd postąpił słusznie, usuwając Gaya, przeciwstawiali się ci, którzy twierdzili, że laicy nie powinni ingerować w karierę chirurga. Wakley zawzięcie bronił decyzji zarządu na łamach „The Lancet", w czym nie było niczego dziwnego, ponieważ bezpośrednio skorzystałby na tej sytuacji, uzyskując awans na stanowisko Gaya.

Sharpey napisał w liście do Syme'a: „Nowy chirurg zwiąże się znacznie bardziej z młodym Wakleyem, dlatego obawiam się, że niebawem pojawiłoby się jakieś nieporozumienie, a w takim wypadku dojdzie do niekończących się i irytujących sporów na forum publicznym albo do ustąpienia Listera. Nie potrafię sobie wyobrazić, żeby Lister p o p a r ł Wakleya w związku z jego linią postępowania"[6]. Syme miał jeszcze jeden powód do niepokoju. Martwił się, że Lister przyćmi kłótliwego młodego Wakleya, co mogłoby rozzłościć jego ojca, który nadal miał znaczny wpływ na londyńskie środowisko medyczne. Sharpey również się tym niepokoił: „Nie potrafię sobie wyobrazić, żeby stary Wakley pozwolił jakiemuś nowemu człowiekowi zdobyć renomę k o s z t e m s y n a". Zarówno Sharpey, jak i Syme podzielili się tymi obawami z Listerem, który w końcu za radą swoich mentorów pozwolił, żeby upłynął ostateczny termin składania wniosków o posadę w szpitalu.

W tej sytuacji nadal aktualne było pytanie, co będzie robił po zakończeniu rezydentury w Edynburgu. Rozważał powrót do swojego pierwotnego planu podróży po Europie, do czego zachęcał syna Joseph Jackson: „Możesz sobie teraz pozwolić na realizację bez przeszkód planu, który uznałeś za właściwy [...], aby przyjrzeć się niektórym uczelniom medycznym na kontynencie"[7]. A jednak o ile magia posady w Royal Free Hospital niemal wystarczyła, żeby skłonić go do opuszczenia Edynburga, o tyle podróż po Europie nie zdołała tego zrobić. Zamiast w nią wyruszyć, Lister zaproponował Syme'owi, że przejmie wykłady Mackenziego z chirurgii i będzie się ubiegał o posadę asystenta chirurga w Royal Infirmary.

Co prawda Lister miał zbyt wysokie kwalifikacje jak na rezydenta Syme'a, lecz na tym etapie niewątpliwie n i e w y - s t a r c z a j ą c e, żeby zostać jego asystentem, ponieważ nadal nie miał prawa wykonywania zawodu w Szkocji. Propozycja Listera zaskoczyła Syme'a, który natychmiast postarał się go zniechęcić do tego planu. Listera jednak niełatwo było powstrzymać. Już się zdecydował. W liście do ojca pytał: „Jeśli człowiek nie będzie wykorzystywał okazji, które mu się nadarzają, cóż ma począć albo do czego się nadaje?"[8]. W głębi duszy wiedział, że do tej pracy nadaje się doskonale, nawet jeśli jego aspiracje nieco przewyższały możliwości. „Chociaż początkowo byłem niekiedy gotów niemal się cofnąć przed [sposobnościami] – napisał – potem jednak brałem się w garść z tego rodzaju refleksją, że jeśli nie zrobię tego teraz, to jak będę zdolny do wykonywania swoich obowiązków jako chirurg w przyszłości?" Mimo całej tej brawury nadal wykazywał typową dla siebie skromność i pisząc do ojca kwakra o swoich aspiracjach, wyjaśniał, że nie może mieć nadziei ani liczyć na osiągnięcie „jednej dziesiątej sukcesu", który Syme odniósł w ramach własnej kariery.

Ostatecznie Syme przekonał się do pomysłu, żeby Lister został jego następnym asystentem. Młody chirurg zrobił na nim wrażenie zarówno zręcznością podczas operacji, jak i ciekawością intelektualną. 21 kwietnia Listera wybrano na członka Królewskiego Kolegium Chirurgów Szkocji, co dawało mu prawo praktykowania chirurgii w Edynburgu. Wkrótce potem przeprowadził się do modnej rezydencji przy Rutland Street 3, naprzeciw gabinetu lekarskiego Syme'a. Ojciec, który nadal pokrywał jego wydatki na życie, uważał, że czynsz jest dość wysoki, ale napisał do syna, że aprobuje jego przeprowadzkę do „lokalu, który w swej naturze i wyposażeniu jest całkowicie przyzwoity i odpowiada Twojej pozycji zawodowej"[9]. Gdy tylko Lister urządził się w tym nowo wynajętym mieszkaniu, zarząd szpitala potwierdził przyznanie mu posady w Royal Infirmary. We wrześniu otrzymał pierwszą zapłatę od pacjenta, którego leczył z zastosowaniem chloroformu w związku ze zwichniętą kostką[10]. W ten sposób rozpoczęła się kariera Josepha Listera.

*

Dom Listera był dobrze wyposażony, nie mógł się jednak równać z okazałą rezydencją jego mentora. Chociaż Millbank House znajdował się zaledwie o pół godziny spacerem od centrum miasta, na tych, którzy odwiedzali tam Syme'a i jego rodzinę, sprawiał wrażenie zacisznej wiejskiej posiadłości. Gdy wchodziło się do tej wspaniałej enklawy, dym, brud i zgiełk Edynburga natychmiast znikały. Porośnięty bluszczem dworek górował nad łagodnie opadającymi wzgórzami i uporządkowanymi tarasami, zapewniając psychiczne odprężenie po codziennych okropnościach, których Syme doświadczał w Royal Infirmary. Dom miał już kilka oranżerii i winnic, gdy chirurg kupił go w latach czterdziestych. Z biegiem czasu, w miarę jak majątek Syme'a rósł dzięki prywatnej praktyce, chirurg dobudował oranżerię z figowcami, oranżerię z ananasami, kolejną z bananowcami i dwie z orchideami oraz kilka rusztowań, które w zimie można było przykrywać szkłem, z myślą o hodowli owoców. Przypominało to tropikalny raj w skądinąd poniewieranej przez pogodę Szkocji[11].

Millbank House był miejscem tętniącym życiem. Syme uwielbiał wydawać niewielkie przyjęcia dla przyjaciół i podróżników, którzy przyjeżdżali odwiedzać medyczne i naukowe instytuty Edynburga. Nie znosił dużych zgromadzeń, wolał podejmować najwyżej dwunastu gości naraz. Lister często się do nich zaliczał i był mile widziany przez domowników. Syme miał dużą rodzinę jak na dzisiejsze standardy. Mieszkał z drugą żoną Jemimą Burn i ich trojgiem dzieci oraz córkami Agnes i Lucy z pierwszego małżeństwa. Jego pierwsza żona Anne Willis zmarła kilka lat wcześniej, wydając na świat ich dziewiąte dziecko. Siedmioro dzieci Syme'a z pierwszego małżeństwa oraz dwoje z drugiego zmarło w wyniku różnych chorób i wypadków. Ta bolesna strata przypominała mu, jak bezsilna była nadal medycyna w obliczu śmierci.

Oprócz regularnych zaproszeń na kolacje Listerowi zaproponowano również, żeby przyłączył się do rodzinnego wyjazdu do szwagra Syme'a, mieszkającego w wiejskiej rezydencji w Loch Long na zachodnim wybrzeżu Szkocji. Lister przyjął zaproszenie, ale nie tylko po to, żeby zabiegać o dobrą opinię głowy rodu. Wpadła mu bowiem w oko najstarsza córka przełożonego, Agnes.

Agnes Syme była wysoką, smukłą dziewczyną, której pospolitość stawała się tym bardziej oczywista, gdy porównało się ją z jej piękną młodszą siostrą Lucy. Często wiązała długie czarne włosy w luźny kok, co podkreślało delikatność jej rysów. W liście do domu zauroczony Lister rozpływał się z zachwytu nad swoją „najdroższą Agnes"[12]. Poinformował Josepha Jacksona, że chociaż powierzchowność panny Syme nie jest „bynajmniej ostentacyjna", została ona obdarzona ujmującą osobowością: „Pojawia się na jej obliczu wciąż zmieniający się wyraz, który z prostotą ukazuje szczególnie szczerą, uczciwą, bezpretensjonalną i skromną duszę". Co najważniejsze, jak zauważył Lister, nie brakowało jej „rozsądku i niezależnej inteligencji", którą niewątpliwie odziedziczyła po ojcu. Lister pisał o swojej nowo odkrytej miłości bez większych zahamowań: „Z rzadka, chociaż dla m n i e teraz już nie tak rzadko jak wcześniej, jej oczy wyrażają głębokie uczucie b a r d z o ciepłego serca".

Perspektywa tego związku bynajmniej nie zachwycała matki i ojca Listera. Agnes, podobnie jak jej rodzina, była niezachwianą zwolenniczką Szkockiego Kościoła Episkopalnego i nic nie wskazywało na to, że jest skłonna go porzucić, by przyłączyć się do kwakrów. Rodzice Listera od samego początku wyrażali zaniepokojenie z tego powodu. Joseph Jackson napisał w liście do syna: „Twoja droga matka mówi mi, że przekonywała Cię, byś nie pozwolił, aby i n n e [zobowiązania] pochłonęły Cię zbyt mocno ku naszej zgubie"[13]. Ojciec ostrzegł go, żeby nie robił niczego, co mogłoby zdradzić, że jest zainteresowany poślubieniem Agnes. Dodał (być może po to, żeby podnieść się na duchu), że jest pewien, iż zwycięży logika: „Rozsądek natychmiast odrzuciłby to jako niewłaściwe".

Na przekór obawom rodziców Lister zakochał się jeszcze bardziej. Wkrótce każdy stażysta w Royal Infirmary wiedział, że Szef zaleca się do córki przełożonego. Pewnego wieczoru w połowie maja po kolacji dla personelu jeden z tych młodych ludzi zaśpiewał własną wersję popularnej piosenki wodewilowej zatytułowanej *Villikins and His Dinah*, w której Lister zostaje w tajemniczy sposób zabity nożem chirurgicznym po tym, jak odmówił ożenku z córką Syme'a:

Gdy razu pewnego Syme szpitalne korytarze przemierzał,
Dojrzał ci on Josepha Listera, co martwy na ziemi leżał.
Z ostro zakończonym lancetem porzuconym u boku
I liścikiem głoszącym, że ducha wyzionął od krwotoku.

Syme próbuje uratować życie fikcyjnego Listera, związując przecięte naczynia „po dziesięciokroć", lecz na próżno. Piosenka kończy się wesołym ostrzeżeniem:

O wy, młodzi chirurdzy, przestrogi tej posłuchajcie
I nigdy panu Syme'owi za nic się nie sprzeciwiajcie.
A wy, młode damy, gdy się o tej smutnej historii dowiecie,
Pomyślcie o Josephie, o pannie Syme i o ostrym lancecie[14].

Chociaż ta parodia była podyktowana sympatią, zmienione słowa piosenki miały przypomnieć Listerowi, że powinien zachować ostrożność, zalecając się do Agnes. Jej ojciec nie był człowiekiem, któremu można się było sprzeciwić.

Mimo że Lister bardzo się starał, nie potrafił zapomnieć o Agnes. Ale jedno nie ulegało wątpliwości: gdyby ożenił się z wyznawczynią Kościoła Episkopalnego, musiałby się zrzec członkostwa w społeczności kwakrów. Dla człowieka, który zaledwie siedem lat wcześniej poważnie brał pod uwagę porzucenie studiów medycznych na rzecz duszpasterstwa, była to bardzo trudna decyzja. Należało się zastanowić nie tylko nad konsekwencjami religijnymi – istniało również ryzyko natury finansowej. Otóż Joseph Jackson na razie wciąż wspierał syna, gwarantując mu co roku trzysta funtów na wydatki oraz dodatkowe sto pięćdziesiąt funtów rocznych odsetek z jego własnego majątku. Nie było jednak żadnej gwarancji, że ojciec nadal będzie mu wypłacał pieniądze na życie, jeśli on postanowi odłączyć się od owczarni.

W końcu Lister zapytał ojca wprost, czy będzie mógł liczyć na jego wsparcie finansowe, jeśli poprosi Agnes o rękę. Joseph Jackson odłożył na bok zastrzeżenia religijne i zapewnił go o swojej miłości: „Nie pozwoliłbym, by okoliczność, że nie należy ona do naszej społeczności, wpłynęła na moje zobowiązania finansowe wobec Ciebie albo na zmianę danego Ci jakiś czas temu słowa"[15]. Zaproponował, że da synowi pieniądze na zakup mebli, jeśli jego oświadczyny zostaną przyjęte, i dodał, iż oczekuje, że Syme „zrobi zapis" na rzecz córki (czyli zapewni jej posag), oraz że on uzgodni to bezpośrednio z Syme'em.

Ojciec zapewnił Listera w imieniu swoim i jego matki: „[nie chcemy, żebyś] uczestniczył w modlitwach »Przyjaciół« przez wzgląd na nasze uczucia"[16]. Zasugerował synowi, żeby dobrowolnie zrezygnował z członkostwa w Towarzystwie Przyjaciół, zanim zostanie z niego oficjalnie wykluczony, czego będą wymagały Zasady Dyscypliny, jeśli poślubi kobietę innego wyznania. Joseph Jackson uważał, że będzie to najlepsze wyjście, bo pozostawi Listerowi otwarte drzwi, gdyby postanowił kiedyś powrócić do społeczności kwakrów.

Uspokojony Lister poprosił Agnes o rękę i jego oświadczyny zostały przyjęte. Agnes i jej matka ustaliły datę ślubu na wiosnę następnego roku. Lister, nie mogąc się już doczekać rozpoczęcia życia z nowo poślubioną żoną, skarżył się w liście do ojca na tę zwłokę. Gdyby to od niego zależało, pobraliby się natychmiast. Joseph Jackson – niewątpliwie rozbawiony niecierpliwością syna pragnącego jak najszybciej cieszyć się radościami życia małżeńskiego – zapewnił go: „Tak jak Ty wolałbym, żeby to było wcześniej, ale przekonasz się, iż są p o w o d y, dla których ustalenie tego należy pozostawić uznaniu d a m"[17].

Zaczęły napływać prezenty ślubne: czarny marmurowy zegar od Pimów z Irlandii, piękna zastawa deserowa od jego brata Arthura[18]. Lister, który ledwie się przeprowadził, musiał teraz znaleźć mieszkanie bardziej odpowiednie do wspólnego życia. Dzięki pokaźnemu posagowi Agnes oraz pieniądzom od Josepha Jacksona podarowanym im w charakterze prezentu ślubnego para mogła sobie pozwolić na okazalszy dom[19]. Lister zamieszkał przy Rutland Street 11, zaledwie kilka numerów dalej od swojego dotychczasowego lokum. Ten georgiański dom z granitową fasadą miał dziewięć pokoi rozmieszczonych na trzech kondygnacjach, między innymi pracownię usytuowaną tuż przy holu wejściowym, którą Lister zamierzał przekształcić w gabinet dla swoich przyszłych pacjentów. W liście do matki opisał również pokój na drugim piętrze, który był kiedyś pokojem dziecięcym, ponieważ został „dobrze wyposażony w umywalkę z kranami na ciepłą i zimną wodę"[20].

23 kwietnia 1856 roku para wzięła ślub w salonie Syme'a w Millbank House. Lucy, siostra Agnes, wspominała później, że postąpiono tak „przez wzgląd na kwakrów z rodziny", którzy czuliby się niezręcznie, uczestnicząc w nabożeństwie kościelnym[21]. Na koniec przyjęcia szkocki lekarz i eseista John Brown wzniósł toast na cześć szczęśliwej pary. Jej przyszłość rysowała się w jasnych barwach, zwłaszcza dlatego że Lister zyskiwał coraz większą renomę w Edynburgu. W swym przemówieniu Brown zawarł takie prorocze

zapewnienie: „Wierzę, że Lister jest człowiekiem, który dotrze w swoim zawodzie na sam szczyt"[22].

Gdy Lister wrócił do pracy w Royal Infirmary, nadal zmagał się z tymi samymi problemami, które pojawiały się w University College Hospital w Londynie. Pacjenci umierali na gangrenę, różę, posocznicę i ropnicę. Sfrustrowany tym, co większość chirurgów szpitalnych uznawała za nieuchronne, zaczął pobierać od swoich pacjentów próbki tkanek, żeby badać je pod mikroskopem i w ten sposób lepiej zrozumieć zmiany zachodzące w nich na poziomie komórkowym.

Podobnie jak wielu jego kolegów przyznawał, że pojawienie się zakażenia często jest poprzedzone wyjątkowo ciężkim stanem zapalnym. Gdy do niego dochodziło, pacjent dostawał gorączki, wydawało się zatem, że podstawowym czynnikiem łączącym te dwa stany była podwyższona temperatura. Stan zapalny oznaczał temperaturę podniesioną miejscowo, gorączka zaś ogólnoustrojowy wzrost temperatury. W latach pięćdziesiątych XIX wieku zapobieganie jednemu i drugiemu było jednak trudne, ponieważ rany rzadko goiły się czysto, do tego stopnia, że wielu lekarzy uważało „chwalebną ropę" za niezbędną w procesie gojenia[23]. Co więcej, w środowisku medycznym toczyła się debata dotycząca tego, czy zapalenie jest w istocie „normalnym", czy patogennym procesem, któremu należy przeciwdziałać[24].

Lister chciał za wszelką cenę lepiej zrozumieć mechanizmy wywołujące stany zapalne. Jaki był związek między nimi a gangreną szpitalną? Dlaczego niektóre rany objęte zapaleniem ulegały zakażeniu, a inne nie? W liście do ojca napisał, iż wydaje mu się, „że wczesne etapy [stanu zapalnego] nie zostały prześledzone w należyty sposób, a to pozwoliłoby zaobserwować przejście od stanu zdrowego zaczerwienienia do stanu zapalnego"[25].

Chirurdzy szpitalni borykali się z opanowaniem stanów zapalnych na co dzień. W tamtych czasach uważano, że rana może się goić na jeden z dwóch sposobów. W idealnej sytuacji rana goiła się przez „rychłozrost". Terminem tym chirurdzy określali ponowne połączenie się brzegów rany przy minimalnym stanie zapalnym i nieznacznym ropieniu. Mówiąc prościej, rana goiła się czysto, inaczej „słodko", by użyć ówczesnego określenia. Druga możliwość polegała na tym, że goiła się przez ziarninowanie, czyli powstawanie tkanki bliznowatej – był to długotrwały proces, któremu często towarzyszyły stan zapalny i ropienie. Istniało większe prawdopodobieństwo, że rany gojące się w ten sposób zostaną zainfekowane, czyli staną się „kwaśne".

Chirurdzy opatrywali rany na wiele sposobów, co pokazuje, jak bardzo starali się zrozumieć i opanować stan zapalny, ropienie i gorączkę. Sytuację komplikowało to, że rozwój zakażeń wydawał się przypadkowy i niekiedy nieprzewidywalny. Niektóre rany goiły się świetnie przy niewielkiej pomocy medycznej, podczas gdy inne okazywały się śmiertelne, pomimo starannej opieki polegającej na częstym zmienianiu opatrunków i usuwaniu tkanki martwiczej. Wielu chirurgów dostrzegało następujące zjawisko: proste złamania, które nie wiązały się z przebiciem skóry, nierzadko goiły się bez komplikacji. Wzmacniało to przekonanie, że coś dostawało się do rany z zewnątrz, a to z kolei dało początek popularnej „metodzie zamknięcia", która dążyła do wyeliminowania dostępu powietrza do rany.

Metodę zamknięcia można było zastosować na różne sposoby, zależnie od preferencji chirurga zajmującego się danym przypadkiem. Pierwszy polegał na całkowitym zakryciu rany suchym opatrunkiem, takim jak błona do rozdzielania listków złota wykonana z jelit cielęcych albo plaster przylepny. Jeśli rana zagoiła się przez rychłozrost, metoda okazywała się skuteczna. Jeśli jednak dochodziło do ropienia, trucizna gnilna (czyli, jak dzisiaj wiemy, bakterie) – nie mogąc uwolnić się spod opatrunku – kierowała się do krwiobiegu pacjenta i skutkowała posocznicą. Aby uniknąć takiego efektu, niektórzy chirurdzy stale otwierali opatrunek, żeby usunąć wydzielinę. Taką metodę nazywano „zamknięciem z wielokrotnym otwarciem". W latach czterdziestych Robert Liston potępił te zwyczaje, zauważając, że „pacjent jest utrzymywany w stanie nieustającego pobudzenia i często, wyczerpany cierpieniem, wydzieliną i wysoką gorączką, pada ofiarą tej praktyki"[26].

Wielu chirurgów było przeciwnych metodzie zamknięcia, ponieważ prowadziła ona do uwięzienia ciepła w ranie, co było sprzeczne z intuicją, skoro chodziło o zwalczanie zapalenia. Uważali oni również, że zranionego miejsca nie należy zakrywać w całości, ponieważ bandaże zostałyby „obciążone ohydnymi wyziewami i obfitością krwawej, źle przetrawionej, cuchnącej materii", a to z kolei sprawiłoby, że rana stałaby się „kwaśna". Syme wolał zszyć ranę, pozostawiając niewielki otwór do drenowania. Potem owijał wszystko z wyjątkiem tego ujścia szerokim pasem suchego płótna (szarpiami) i zostawiał bez ingerencji na mniej więcej cztery dni. Po upływie tego czasu szarpie usuwano i zmieniano co drugi dzień, aż do zagojenia się rany.

Niektórzy chirurdzy wybierali „opatrunki wodne", czyli wilgotne bandaże, które ich zdaniem przeciwdziałały wzrostowi temperatury podczas stanu zapalnego dzięki schładzaniu rany. Inni próbowali bezpośrednio przepłukiwać ranę albo nawet zanurzać całego pacjenta w wodzie, która musiała być stale wymieniana. Chociaż ta metoda okazała się najskuteczniejsza, ponieważ niezamierzenie usuwała wydzielinę, gdy ta ledwie się utworzyła, była kosztowna i kłopotliwa, a poza tym pojawiały się liczne kontrowersje, czy woda powinna być gorąca, letnia czy zimna.

Największy problem polegał na tym, że choć większość chirurgów starała się zapobiegać infekcjom ran, nie było zgody co do tego, d l a c z e g o w ogóle się one zdarzają. Niektórzy uważali, że przyczyną jest jakiegoś rodzaju trucizna występująca w powietrzu, lecz nikt nie potrafił powiedzieć, jaki właściwie charakter ma owa trucizna. Inni sądzili, że zakażenie rany może się pojawić od nowa w wyniku procesu samorództwa, zwłaszcza jeśli pacjent był już osłabiony.

Niemal wszyscy w środowisku medycznym przyznawali, że warunki szpitalne w znacznej mierze przyczyniły się do wzrostu współczynnika zakażeń w ostatnich latach. Do szpitali, które w XIX wieku stawały się coraz większe, przyjmowano więcej pacjentów i byli oni bardziej zróżnicowani. Działo się tak zwłaszcza po wprowadzeniu anestezji w 1846 roku, co dało chirurgom większą pewność siebie. Dzięki temu podejmowali się zabiegów, które niekoniecznie odważyliby się przeprowadzić przed pojawieniem się tej innowacji. Przy tak dużej liczbie pacjentów w salach utrzymanie szpitali w czystości stawało się coraz trudniejsze. Autor ważnego podręcznika zatytułowanego *Year-Book of Medicine*,

Surgery, and Their Allied Sciences [Rocznik medycyny, chirurgii i nauk pokrewnych] uznał za stosowne udzielić czytelnikom następującej rady: „Bandaże i narzędzia, których użyto przy ranach zakażonych gangreną, nie powinny być, w miarę możliwości, stosowane po raz drugi; nie powinno się również przygotowywać bandaży, bielizny czy odzieży w pomieszczeniach, w których leżą zarażeni pacjenci. Częsta zmiana pościeli, koców i bielizny jest również niezmiernie użyteczna tam, gdzie choroby te już się rozprzestrzeniły"[27].

Poziom higieny, którego dziś oczekujemy w szpitalach, po prostu nie istniał i na pewno nie występował w Royal Infirmary, gdy Lister zaczął tam pracować. Znalezienie jakiegoś sposobu pozwalającego zrozumieć naturę stanów zapalnych i infekcji stało się ważniejsze niż kiedykolwiek.

*

W ciągu pierwszego roku małżeństwa Agnes przyzwyczaiła się do widoku żab w ich wspólnym domu[28]. Obsesja jej męża na punkcie płazów ujawniła się już podczas miesiąca miodowego. Przed wyruszeniem w czteromiesięczną podróż po Europie nowożeńcy zatrzymali się w domu jednego z wujów w miejscowości Kinross, leżącej zaledwie dzień drogi powozem od Edynburga. Lister zabrał ze sobą mikroskop i złapawszy kilka żab tuż obok posiadłości wuja, urządził prowizoryczne laboratorium, żeby rozpocząć serię eksperymentów, które jak miał nadzieję, pomogą mu lepiej zrozumieć procesy zapalne – ten problem miał go nurtować do końca życia. Na nieszczęście Listera (a szczęśliwie dla żab) tym razem płazy zdołały uciec, wywołując poruszenie w domu, bo służba miotała się, żeby je złapać. Gdy małżonkowie wrócili z podróży, Lister wznowił eksperymenty we własnym laboratorium na parterze domu przy Rutland Street. Pracował niestrudzenie, ze swą sumienną żoną u boku. Agnes często pisała pod jego dyktando, notując skrupulatnie uwagi męża w jego księgach. Chyba nie mieli wiele czasu na cokolwiek poza badaniami.

Do tego czasu Lister badał pod mikroskopem głównie tkankę martwiczą. Próbki często były pobierane od pacjentów, którymi opiekował się w Royal Infirmary, albo, w niektórych wypadkach, pochodziły nawet z jego własnego ciała. W gruncie rzeczy potrzebował jednak ż y w y c h tkanek, żeby zrozumieć, jak dokładnie reagują naczynia krwionośne w różnych okolicznościach. Był to przełomowy krok prowadzący do zrozumienia, jak należy leczyć rany i jakie są przyczyny infekcji pooperacyjnych[29]. Ponownie zainteresował się żywymi żabami, tym razem udał się nad Duddingston Loch, jezioro leżące na wschód od centrum miasta, żeby postarać się o odpowiedni materiał badawczy. Właśnie wtedy zaczął stopniowo odkrywać tajemnicę, która przez stulecia gnębiła przedstawicieli jego zawodu.

Badanie przez Listera stanów zapalnych było kontynuacją wcześniejszych prac prowadzonych przez jego profesora z UCL Whartona Jonesa, który dokonał pod mikroskopem pewnych obserwacji obwodowych naczyń krwionośnych, używając do tego celu prześwitujących skrzydeł nietoperza oraz błon z nóg żaby[30]. Podobnie jak jego dawny profesor, Lister przyznawał, że pojawienie się infekcji jest najwyraźniej poprzedzone zwolnieniem przepływu krwi w naczyniach włosowatych. Chciał zrozumieć, w jaki sposób stan zapalny wpływa na naczynia krwionośne i przepływ krwi w zdrowych kończynach. W swym domowym laboratorium przeprowadził wiele doświadczeń, w ramach których zadawał kontrolowane i stopniowane obrażenia błonom pławnym żab, za każdym razem mierząc średnicę naczyń krwionośnych mikrometrem okularowym. W tym celu umieszczał na błonach rozmaite środki drażniące, począwszy od gorącej wody, której temperaturę sukcesywnie zwiększał przy każdym zastosowaniu, aż w końcu osiągnęła stan wrzenia. Następnie testował skutki potraktowania błon chloroformem, musztardą, olejem krotonowym i kwasem octowym.

Decydujące dla eksperymentów Listera było ustalenie roli, jaką w stanie zapalnym odgrywa ośrodkowy układ nerwowy. Chcąc to lepiej zrozumieć, przeprowadził wiwisekcję dużej żaby i przystąpił do usuwania całego mózgu, bez naruszania rdzenia kręgowego. (Rozcinanie żywych zwierząt w celach naukowych miało w Wielkiej Brytanii długą tradycję. W 1664 roku Robert Hooke – członek założyciel Towarzystwa Królewskiego i pionier badań mikroskopowych – przywiązał bezpańskiego psa do stołu laboratoryjnego i przystąpił do rozcinania klatki piersiowej przerażonego zwierzęcia, żeby móc zajrzeć do jej wnętrza i lepiej zrozumieć mechanizmy związane z oddychaniem. Przed rozpoczęciem tego eksperymentu Hooke nie zdawał sobie jednak sprawy, że płuca nie są mięśniami i że rozcinając klatkę piersiową i unieruchamiając przeponę, pozbawia psa zdolności samodzielnego oddychania. Żeby utrzymać zwierzę przy życiu, wepchnął mu przez gardło do tchawicy kawałek wydrążonej trzciny, a następnie przez ponad godzinę pompował miechem powietrze do płuc psa, uważnie obserwując, w jaki sposób organy rozszerzają się i kurczą przy każdym sztucznym oddechu. Przez cały ten czas pies wpatrywał się w niego z przerażeniem, nie będąc w stanie skomleć ani wyć w agonii. Podobnie jak Hooke, Lister uważał wiwisekcję za zło konieczne swojego zawodu, bezcenne dla jego własnych badań i dla ratowania życia pacjentów).

Po usunięciu żabie mózgu Lister zaobserwował, że „tętnice, które uprzednio były pełnowymiarowe i przenosiły szybki strumień krwi, całkowicie się skurczyły, tak że błony zdawały się pozbawione krwi, z wyjątkiem tej w żyłach"[31]. Przez kilka następnych godzin badacz nadal manipulował rdzeniem kręgowym, czasami nawet usuwając jego fragmenty, aż żaba zdechła: „Krew przestała płynąć w konsekwencji słabości serca"[32]. Doszedł do wniosku, że tętnice u żab pozbawionych mózgu lub rdzenia kręgowego przestają się rozszerzać.

Lister postanowił przedstawić swoje odkrycia Królewskiemu Kolegium Chirurgów w Edynburgu. Gdy jednak nadszedł czas wygłoszenia wykładu, nadal nie ukończył eksperymentów w satysfakcjonujący dla siebie sposób. Zegar tykał, a jego ojciec – który odwiedził wtedy młodych małżonków w Szkocji – zauważył, że do wieczora poprzedzającego wystąpienie syn przygotował dopiero połowę przemówienia i że tamtego dnia „jedna trzecia musiała być wygłoszona z g ł o w y"[33]. Mimo całego tego braku przygotowania referat został wygłoszony gładko, a jego wersję pisemną opublikowano w „Philosophical Transactions of the Royal Society", czasopiśmie wydawanym przez Towarzystwo Królewskie.

W referacie Lister utrzymywał, że „do pewnego stopnia stan zapalny, jako wywołany bezpośrednim podrażnieniem, ma zasadnicze znaczenie dla rychłozrostu"[34]. Innymi słowy, stanu zapalnego należało się spodziewać, gdy powstawała rana w wyniku rozcięcia czy złamania, i właściwie był on w znacznej mierze elementem naturalnego procesu gojenia zachodzącego w organizmie. Stan zapalny rany niekoniecznie zapowiadał posocznicę. W przeciwieństwie do Whartona Jonesa Lister twierdził, że napięcie naczyniowe w nodze żaby jest kontrolowane przez rdzeń kręgowy i rdzeń przedłużony, a zatem na stan zapalny może mieć bezpośredni wpływ ośrodkowy układ nerwowy[35]. Mówiąc prościej, Lister uważał, że istnieją dwa rodzaje stanu zapalnego: miejscowy i nerwowy.

W uwagach końcowych spisał swoje doświadczalne obserwacje żab, wiążąc je z takimi sytuacjami klinicznymi jak uraz skóry spowodowany wrzącą wodą albo nacięciami chirurgicznymi. Te pierwsze prace miały zasadnicze znaczenie dla przyszłych badań klinicznych Listera nad gojeniem się ran i wpływem zakażeń na tkanki[36]. Ostatecznie okazało się, że nie miał racji, sądząc, iż istnieją dwa rodzaje stanu zapalnego, ale jego przełomowe badania pozwoliły lepiej zrozumieć wpływ zapalenia na utratę żywotności tkanek. Miało to pierwszorzędne znaczenie, ponieważ pomogło mu zrozumieć, dlaczego w uszkodzonych tkankach z dużym prawdopodobieństwem mogły powstać warunki sprzyjające posocznicy.

Także po wystąpieniu przed Królewskim Kolegium Chirurgów, kiedy nie prowadził wykładów ani nie leczył pacjentów w Royal Infirmary, nadal intensywnie eksperymentował na żabach, w czym pomagała mu Agnes. Skłoniło to Josepha Jacksona do napisania w liście do syna: „Nie omieszkam zapytać, jakie to nowe kwestie [...] wymagają dalszych eksperymentów na biednych żabach"[37]. Nie był to ostatni raz, kiedy dokładność Listera i jego dbałość o szczegóły miały się okazać przeszkodą w opublikowaniu na czas wyników ważnych badań. Mimo to w ciągu pierwszych trzech lat małżeństwa zdołał opublikować piętnaście artykułów, z których aż dziewięć ukazało się w 1858 roku. Wszystkie napisał, opierając się na własnych oryginalnych odkryciach, a wiele z tych tekstów szczegółowo przedstawiało wyniki jego badań fizjologicznych dotyczących mechanizmu stanu zapalnego. Dały mu one solidne podstawy, na których mógł oprzeć swą nowatorską pracę.

7

Czystość i zimna woda

Chirurg jest niczym gospodarz, który obsiawszy swe pole, oczekuje
z rezygnacją na to, co mu przyniosą żniwa, i zbiera plon w pełni
świadom własnej bezsilności wobec żywiołów, mogących spuścić
na niego deszcz, huragan albo gradobicie[1].

RICHARD VON VOLKMANN

Wlipcu 1859 roku James Lawrie – pięćdziesięciodziewięcioletni profesor królewski (*regius professor*) chirurgii klinicznej na Uniwersytecie w Glasgow – doznał udaru mózgu, w wyniku którego został sparaliżowany i utracił zdolność mowy. Był dobrze znany na uniwersytecie i nawet uczył kiedyś słynnego lekarza, misjonarza i odkrywcę Davida Livingstone'a. Nagle okazało się, że stanowisko Lawriego, pożądane przez wielu przedstawicieli środowiska chirurgicznego, jest do wzięcia.

Lister natychmiast napisał do ojca, żeby podzielić się z nim tą wiadomością: „Doktor Lawrie [...] jest w takim stanie, że zdrowie nie pozwala mu już pełnić tej funkcji"[2]. Wyraził przy tym zainteresowanie ubieganiem się o to stanowisko. Mając tak prestiżowy tytuł, mógłby rozwinąć intratną praktykę prywatną w Glasgow, co nie udało mu się w Edynburgu.

Lister zakładał ponadto, że zostałby również mianowany chirurgiem szpitala w tym mieście, dzięki wpływom swoich przyjaciół, którzy byli pracownikami tamtejszego wydziału medycznego. Co najważniejsze, jak napisał ojcu, był przekonany, że to stanowisko dałoby mu „większe prawo do jakiejś posady w Londynie", jeśli w przyszłości pojawiłaby się taka możliwość[3].

Były jednak także minusy. Gdyby Lister przeprowadził się do Glasgow, oznaczałoby to koniec sześcioletniej współpracy z jego przyjacielem, współpracownikiem i teściem. Żalił się na to w liście do Josepha Jacksona: „Bardzo bym żałował wyjazdu z Edynburga, a w szczególności rozstania z panem Syme'em, którego jak wiesz, darzę głębokim szacunkiem"[4]. Martwił się również tym, co mogłoby to oznaczać dla jego dotychczasowego mentora i praktyki chirurgicznej, którą prowadzili przez kilka ostatnich lat: „Panu Syme'owi [...] ewidentnie bardziej by odpowiadało, gdybym został tutaj i pomagał mu w szpitalu [...], ponieważ nie ma w tym mieście nikogo, kto jest z nim na takiej samej stopie jak ja w kwestiach chirurgicznych". Mimo to trzydziestodwuletni wówczas chirurg nie mógł zignorować sposobności, które czekałyby na niego, gdyby objął profesurę w Glasgow. Odłożył na bok przywiązanie do Syme'a oraz do Royal Infirmary i zgłosił pocztą swoją kandydaturę.

Gotowość objęcia tego stanowiska wyraziło również siedmiu innych wysoko wykwalifikowanych kandydatów: pięciu z Glasgow i dwóch z Edynburga. Sytuację komplikowało to, że w Wielkiej Brytanii w wypadku katedr królewskich mianowanie na wszelkie posady profesorskie leżało w gestii członka gabinetu, a było mało prawdopodobne, żeby minister orientował się w konkretnych wymogach związanych z danym stanowiskiem albo wiedział, który z kandydatów ma najlepsze kwalifikacje, by je spełnić. Syme łaskawie zarekomendował zięcia, nadmieniając typowym dla siebie lakonicznym językiem, że Lister ma „ogromny szacunek dla dokładności, najwłaściwszą zdolność obserwacji i niezwykle zdrowy rozsądek, połączone z rzadką sprawnością manualną i praktycznym umysłem"[5].

Czas mijał, lecz nadal nie było żadnych wieści o obsadzeniu stanowiska. Potem, w grudniu, Lister otrzymał prywatny list od pewnego zaufanego człowieka, który informował go, że to jemu zostanie zaproponowana profesura królewska[6]. Radość nie trwała jednak długo, bo w styczniu gazeta „The Glasgow Herald" doniosła, że ta sprawa nie została jeszcze rozstrzygnięta. W artykule zwrócono uwagę czytelników na list otwarty puszczony w obieg w środowisku medycznym przez dwóch członków parlamentu z Glasgow, którzy prosili w nim tamtejszych lekarzy: „Poinformujcie nas, który z kandydatów ma Waszym zdaniem najlepsze kwalifikacje na to stanowisko, stawiając krzyżyk przy jego nazwisku"[7]. Wywołało to sprzeciw zainteresowanych, jako przejaw korupcji i protekcji. Jeśli któryś z kandydatów zostałby wskazany przez lekarzy z Glasgow, z pewnością oznaczałoby to dyskryminację osób z zewnątrz, takich jak Lister.

Protest się nasilił, gdy William Sharpey, John Eric Erichsen, a także James Syme napisali listy popierające kandydaturę Listera[8]. Dziesięć dni po ukazaniu się artykułu Lister został oficjalnie poproszony przez ministra spraw wewnętrznych o objęcie stanowiska Lawriego. Nazajutrz napisał uradowany do ojca: „Wreszcie nadeszła upragniona wiadomość [...], że Jej Królewska Mość zatwierdziła moją nominację"[9]. Lister wspomniał o uczuciu „upojenia radością", która została „podwojona lub potrojona, w co nie wątpię, przez poprzedzający ją długi okres niepewności". Uważał również, że ta decyzja miała pewne dobroczynne konsekwencje, ponieważ oczyściła Glasgow z powszechnie wysuwanego przeciwko temu miastu zarzutu ciasnoty poglądów i partykularyzmu. Lister wierzył, że on i Agnes zadomowią się w nowym miejscu.

Glasgow leży zaledwie sześćdziesiąt pięć kilometrów od Edynburga. Prastary uniwersytet stanowił serce obu miast, lecz atmosfera intelektualna w Glasgow znacznie różniła się od tej, do której Lister przywykł w Edynburgu, pracując u boku Syme'a. Środowisko medyczne w Glasgow było bardziej autorytarne niż spekulatywne, bardziej konserwatywne niż niezależne[10]. W następnych latach Lister usilnie starał się znaleźć sobie miejsce wśród bardziej tradycyjnie nastawionych profesorów uniwersytetu.

Gdy Lister przyszedł na uroczystość inauguracyjną, sala była wypełniona po brzegi wybitnymi przedstawicielami uczelni, ludźmi, którzy niebawem mieli zostać jego kolegami. Zgromadzili się tłumnie, żeby posłuchać, jak nowy profesor chirurgii klinicznej wygłasza swą pierwszą mowę. Lister był zdenerwowany, bo poprzedniego dnia powiedziano mu, że będzie musiał przemawiać po łacinie. Tak nakazywała staroświecka tradycja wywodząca się z przekonania, że medycy powinni się wykazywać rozległą wiedzą. Pewien współczesny autor napisał: „Powinniśmy być przede wszystkim ludźmi i dżentelmenami, potem zaś lekarzami czy ludźmi nauki"[11].

W przeddzień Lister do późnej nocy zmagał się z przygotowaniem tej ważnej mowy. Teraz, stojąc przed audytorium, kurczowo ściskał słownik łaciński, który zabrał ze sobą za radą Agnes[12]. Niezależnie od tremy martwił się również, że ponownie zacznie się jąkać, co czasami mu się zdarzało pod wpływem silnego stresu. Kiedy jednak zaczął przemawiać, wpadł w rytm i łacińskie słowa płynęły z jego ust z zadziwiającą swobodą. Zamierzał właśnie przejść do dalszych partii swego referatu, gdy rektor podniósł się z miejsca i przerwał mu ze słowami, że może na tym zakończyć, ponieważ już spełnił wymagania, wygłaszając kilka początkowych ustępów[13]. Tak oto zdał pierwszy egzamin.

Pomimo konserwatywnych tendencji na Uniwersytecie w Glasgow dochodziło do pewnych zmian. Niedawne nominacje na stanowiska profesorskie przyciągały nowych studentów i pomagały poprawić nieco słabnącą reputację uczelni. W 1846 roku William Thomson (znany jako lord Kelvin, który później sformułował pierwszą i drugą zasadę termodynamiki) dołączył do grona wykładowców, obejmując profesurę filozofii naturalnej, i jako pierwszy kładł szczególny nacisk na pracę laboratoryjną i doświadczalną podczas zajęć. Dwa lata później Allen Thomson został profesorem anatomii. Jego wykłady z anatomii mikroskopowej stanowiły nowatorski dodatek do skostniałego poza tym programu nauczania. W wyniku tych zmian uniwersytet zaczął odnotowywać stały wzrost liczby przyjmowanych studentów medycyny. Gdy Lister dołączył do wydziału, było na nim trzystu jedenastu studentów, prawie trzy razy więcej niż jeszcze dwadzieścia lat wcześniej[14]. Z tego ponad połowa zapisała się na prowadzony przez Listera nowy kurs chirurgii systematycznej, który stał się dzięki temu najliczniej obsadzonym kursem tego rodzaju w Wielkiej Brytanii[15].

Uniwersytet nie był przygotowany na ten nagły napływ studentów. Podczas gdy Edynburg przeznaczył setki funtów na odnowienie sal wykładowych i pomocy dydaktycznych, w Glasgow nie zrobiono właściwie nic, jeśli chodzi o nakłady finansowe[16]. Lister – którego praktyczne metody nauczania wymagały korzystania z okazów anatomicznych, modeli i rysunków – uznał, że przydzielona mu sala wykładowa jest nieodpowiednia. Postanowił zainwestować w remont tego pomieszczenia własne pieniądze[17]. Poczynione przez niego kroki obejmowały dobudowanie przylegającego do sali „pokoju wypoczynkowego", w którym mógł przechowywać swą niezwykłą kolekcję okazów. Wymieniono również biurka i krzesła. Cała sala została wyczyszczona, a później również pomalowana. W jej odnowieniu pomagała Agnes. Pisząc w maju do matki Listera Isabelli, zauważyła: „Jak to ładnie wygląda [...] grube zielone sukno na trzech drzwiach oraz stelaż na schematy podkreślający dębową kolorystykę, a w drzwiach małe błyszczące mosiężne klamki, które je uwydatniają; i bardzo ładna tablica na stojaku po jednej stronie oraz szkielet zgrabnie zamontowany po drugiej. Niektóre ryciny wiszą na stelażu, a część preparatów leży na ładnym dębowym stole"[18]. Prace remontowe wywarły natychmiastowy wpływ na przychodzących do Listera studentów, którzy wchodząc do sali wykładowej, zdejmowali kapelusze, a po zajęciu miejsc czekali w nabożnym skupieniu[19]. Świeże otoczenie dawało im do zrozumienia, że mogą się spodziewać równie świeżego podejścia do swojego wykształcenia.

Mimo że Lister stale miał obawy przed przemawianiem do dużego grona słuchaczy, jego pierwszy wykład w Glasgow był absolutnym sukcesem. Rozpoczął od zacytowania szesnastowiecznego chirurga Ambroise'a Parégo, który wygłosił słynną uwagę: „Ja go opatrzyłem, Bóg go wyleczył", a następnie przeszedł do omawiania znaczenia anatomii i fizjologii w chirurgii[20]. Wywody Listera były zarówno pouczające, jak i zabawne. Jego siostrzeniec powiedział, że studenci „śmiali się, i to w odpowiednich momentach", gdy ten zazwyczaj powściągliwy kwakier „spokojnie i po dżentelmeńsku zaatakował homeopatię", którą potępiał od czasu studiów na UCL.

Jeden z głównych tematów jego wykładu dotyczył pozostawiania użytecznych kikutów podczas amputacji kończyn, tak aby poddane jej osoby odzyskały jak największą sprawność i nie stały się ciężarem dla swoich rodzin lub dla społeczeństwa. Ponownie rozbawił salę do łez, gdy opowiedział historię o pewnym spokojnym młodzieńcu ze Szkocji, który był w stanie odtańczyć narodowy szkocki taniec po tym, jak Lister amputował mu obie nogi[21]. Po wykładzie chirurg napisał do matki: „Czuję, że z tą samą miłosierną pomocą mogę zrobić wszystko. [...] To ciekawe, że przez cały ten czas nie pojawił się choćby cień niepokoju"[22].

Studenci natychmiast przekonali się do nowego profesora, który z kolei nabrał większej swobody w roli ich nauczyciela. Byli nawet zadowoleni z jego skłonności do jąkania się, bo zmuszała go do mówienia powoli, co ułatwiało im robienie notatek. Jeden z jego absolwentów napisał później, że Lister był wręcz uwielbiany przez studentów. Wieści o postępach protegowanego dotarły także do Syme'a do Edynburga. Napisał on do zięcia: „Można uznać, że kontrolujesz grę", i dodał jakby po namyśle: „Życzę Ci, żebyś rozegrał ją jak najlepiej"[23].

Wkrótce po nominacji na uniwersytecie Listera wybrano na członka Towarzystwa Królewskiego, co było wyjątkowym zaszczytem na tak wczesnym etapie kariery. Wyróżnienie to nadano niegdyś również jego ojcu w uznaniu za wynalezienie pierwszej soczewki achromatycznej. Joseph Jackson był przejęty wiadomością, że syn znalazł się u jego boku jako członek towarzystwa. Lister dołączył do grona wybitnych postaci, wśród których znajdowali się Robert Boyle, sir Isaac Newton i Karol Darwin. Było to wyrazem uznania za oryginalność jego badań nad stanem zapalnym i nad krzepnięciem krwi, które przedstawił w cyklu referatów dla Towarzystwa Królewskiego w 1860 roku.

Gdy Lister przywykł do pracy na uniwersytecie, złożył wniosek o posadę chirurga w Royal Infirmary w Glasgow. Uważał, że stanowisko w szpitalu ma zasadnicze znaczenie dla jego funkcji nauczyciela akademickiego, ponieważ pozwalałoby mu demonstrować studentom swoje teorie i metody na prawdziwych, żywych pacjentach. Zanim objął profesurę, przyjaciele z wydziału medycznego powiedzieli mu, że posada w Royal Infirmary jest niemal pewna i zdobędzie ją, gdy tylko zaaklimatyzuje się na uczelni. Lister rzeczywiście przyznał, że ma taką nadzieję, kiedy po raz pierwszy pisał do ojca o odejściu Lawriego na emeryturę i o wakacie na uniwersytecie, dlatego odrzucenie jego wniosku było dla niego wielkim zaskoczeniem.

Przedstawił swoją sprawę Davidowi Smithowi, szewcowi, który był również prezesem zarządu szpitala. Do zarządu można się było wkupić, dokonując dużej darowizny, toteż nie należało do rzadkości, że szpitalami kierowali ludzie w rodzaju Smitha, którzy nie mieli żadnego wykształcenia medycznego. Zarząd Royal Infirmary składał się z dwudziestu pięciu dyrektorów. Dwaj z nich byli profesorami na uniwersytecie, ale pozostali stanowili zbieraninę dostojników kościelnych, polityków i innych przedstawicieli instytucji publicznych. Trudno ich uznać za naukowych wizjonerów. Było zatem nieuniknione, że Lister – człowiek, który próbował zreformować praktykę chirurgiczną od wewnątrz i na podstawowym poziomie – musi się zmierzyć z kimś pokroju Smitha, kto uważa, że szpitale istnieją tylko z jednego powodu: żeby leczyć pacjentów. Zdaniem Listera i współczesnych mu postępowych przedstawicieli środowiska medycznego, takich jak James Syme, szpital był czymś znacznie więcej: miejscem, w którym studenci mogli się uczyć na rzeczywistych przypadkach.

Lister wyjaśnił Smithowi, że to ważne, aby jako profesor chirurgii klinicznej był w stanie przeprowadzać pokazy dla studentów na terenie szpitala, tak by mogli oni łączyć teorię z praktyką. On sam był wytworem tego typu edukacji. Smith uznał ten pomysł za niedorzeczny. „Dość, dość, panie Lister, to doprawdy jakiś edynburski wymysł – powiedział sfrustrowanemu chirurgowi. – Nasza instytucja jest placówką leczniczą, nie edukacyjną"[24]. Większość dyrektorów szpitala zgodziła się ze Smithem i w 1860 roku zagłosowała przeciwko nominacji Listera.

Twierdzenie Smitha, że zasadniczą funkcją Royal Infirmary w Glasgow jest leczenie, było zgodne z prawdą. W latach 1800–1850 liczba mieszkańców miasta zwiększyła się czterokrotnie. Ponowny taki wzrost nastąpił w latach 1850–1925. W latach dwudziestych XIX wieku napływali tam wywłaszczeni szkoccy górale, a w latach czterdziestych tysiące Irlandczyków uciekających przed głodem spowodowanym zarazą ziemniaczaną. Gdy Lister przyjechał do Glasgow, było to jedno z największych miast na świecie i nazywano je „drugim miastem imperium" po Londynie. Royal Infirmary, jako jedyny duży szpital w czterystutysięcznym mieście, usiłował nadążyć za rosnącymi wymogami medycznymi, jakie nań nakładano.

Podobnie jak w Londynie i Edynburgu, szerzyły się tam przestępczość i choroby. Glasgow było jednak pod tym względem gorsze od większości ówczesnych brytyjskich miast. Po odwiedzeniu go niemiecki filozof i dziennikarz Fryderyk Engels zauważył: „Widziałem nędzę w kilku najgorszych jej odmianach, zarówno tu, jak i na kontynencie, ale zanim nie zwiedziłem wynds [zaułków] miasta Glasgow, nie wierzyłem, żeby w jakimkolwiek cywilizowanym kraju mogło istnieć tyle przestępstw, nędzy i chorób". Było to miejsce, w którym „nikt nie chciałby umieścić swojego konia"[25].

W Glasgow rozwijał się przemysł ciężki, zwłaszcza stoczniowy, maszynowy, hutniczy, naftowy i produkcja lokomotyw. W rezultacie do szpitala często trafiali ludzie z potwornymi obrażeniami. Był wśród nich na przykład trzydziestopięcioletni William Duff, który poważnie poparzył sobie twarz i górną część tułowia, gdy zapalił świecę nad włazem w nowych zakładach naftowych w Keith Place[26]. Był również osiemnastoletni Joseph Neille, który pracował w tamtejszej fabryce amunicji i postawił na ogniu blaszany pojemnik, sądząc, że w środku jest herbata. Gdy zorientował się, że w rzeczywistości zawiera on prawie kilogram prochu strzelniczego, było już za późno[27]. Lekarze szpitala co rusz mieli do czynienia z pękniętymi czaszkami, odciętymi rękami i skutkami groźnych upadków.

Zważywszy na coraz większą liczbę wypadków przy pracy oraz szalejące choroby, zrozumiałe jest, że zdaniem Davida Smitha podstawowym obowiązkiem Royal Infirmary było dbanie o swoich pacjentów, a nie o studentów medycyny i ich profesorów. A jednak pogląd Smitha, że obecność kogoś takiego jak Lister, wykorzystującego sale szpitalne w charakterze sal wykładowych, stwarzałaby trudności, bynajmniej nie był powszechnie podzielany. Już kilkadziesiąt lat wcześniej wiele miejskich szpitali spoza Glasgow dostrzegło korzyści płynące z zawiązywania koalicji z uniwersytetami, żeby w ten sposób przyciągać najlepszych i najwybitniejszych medyków.

W 1860 roku większość stanowisk medycznych w dużych brytyjskich szpitalach była obsadzona przez ochotników i chociaż taka praca oznaczała prestiż, lekarze i chirurdzy nie otrzymywali pensji. Przeważająca część dochodów chirurga pochodziła z dwóch źródeł: z praktyki prywatnej i z czesnego studentów. Wraz z rozwojem nauczania klinicznego w szpitalach Paryża i innych zagranicznych miast brytyjscy studenci zaczęli oczekiwać tego samego od rodzimej edukacji. Zarządy szpitali wiedziały, że jeśli pozwolą personelowi medycznemu nauczać na terenie oddziałów szpitalnych, będą mogły przyciągnąć więcej renomowanych lekarzy i chirurgów, którym w przeciwnym razie zabrakłoby motywacji, żeby poświęcać swój czas i służyć fachową wiedzą w instytucji nieoferującej żadnej zapłaty. W Royal Infirmary w Glasgow najwyraźniej nie podzielano tego poglądu w czasie, gdy Lister ubiegał się tam o stanowisko chirurga. Sytuacja była tym bardziej absurdalna, że szpital znajdował się w pobliżu uniwersytetu, co znacznie ułatwiłoby korzystny dla obu stron sojusz.

Mijały miesiące, a Listerowi nadal nie powierzono oficjalnie opieki nad pacjentami miejskiego szpitala. Również jego studenci byli skonsternowani tą zwłoką, ponieważ oznaczała, że nie mogą czerpać korzyści z żadnych jego zajęć klinicznych na oddziałach szpitalnych. Wykłady Listera zafascynowały ich do tego stopnia, że mianowali go honorowym przewodniczącym swojego towarzystwa medycznego. Pod koniec semestru zimowego studenci posunęli się o krok dalej, żeby wyrazić uznanie dla podziwianego nauczyciela. Podpisali deklarację, w której podzielili się z nim pragnieniem, żeby jego nominacja w Royal Infirmary nastąpiła jak najszybciej: „Proszę pozwolić wyrazić nam nadzieję, ze względu zarówno na rangę Zawodu, jak i na samą Instytucję, że podczas zbliżającej się nominacji na chirurga Royal Infirmary rozpatrzenie Pańskiego wniosku zakończy się pomyślnie, czego wymagają Pańskie zdolności i pozycja"[28]. Ów dokument został podpisany aż przez stu sześćdziesięciu jeden studentów.

W rzeczywistości dopiero po upływie prawie dwóch lat, odkąd Lister zaczął wykładać na uniwersytecie, powierzono mu opiekę nad pacjentami Glasgow Royal Infirmary[29]. Nawet gdy wniosek już przeszedł, nadal pojawiały się głosy sprzeciwu ze strony niektórych dyrektorów szpitala, wyrażających obawy w związku z rosnącą reputacją Listera jako zwolennika postępu. Mimo to wygrał tę bitwę, chociaż jeszcze nie wojnę.

Gdy w 1861 roku Lister rozpoczął pracę w Royal Infirmary, właśnie oddano do użytku nowe skrzydło chirurgiczne. Początkowo szpital miał sto trzydzieści sześć łóżek, ale po rozbudowie już pięćset siedemdziesiąt dwa, dzięki czemu stał się dwa razy większy od Royal Infirmary w Edynburgu i cztery razy większy od londyńskiego szpitala, w którym Lister szkolił się, będąc studentem[30]. Każdemu chirurgowi przydzielono opiekę nad jedną salą dla kobiet i dwiema dla mężczyzn, przy czym jedna z tych ostatnich była przeznaczona do leczenia nagłych przypadków, a druga – chorób przewlekłych. Mimo że skrzydło chirurgiczne zostało wzniesione zaledwie kilka miesięcy wcześniej, wkrótce okazało się, że należy ono do najbardziej niezdrowych miejsc, w jakich Lister kiedykolwiek pracował[31]. Jak zauważył jeden z jego kolegów, „jego nowość nie ustrzegła go przed inwazją powszechnych chorób zakażonych ran"[32].

W salach szpitalnych nigdy nie brakowało aż za dobrze znanych wrogów. Zawsze były obecne krwotoki wtórne, posocznica, ropnica, gangrena szpitalna, tężec i róża. Należało się spodziewać chorobotwórczego ropienia ran. Przydzielona na Listerowi męska sala przeznaczona na nagłe przypadki znajdowała się na parterze, który przylegał do cmentarza (przepełnionego gnijącymi zwłokami po ostatniej epidemii cholery) i był od niego oddzielony jedynie cienką ścianą. Chirurg narzekał, że „najwyższą warstwę mnóstwa trumien" dzieli zaledwie kilkanaście centymetrów od powierzchni ziemi, i dodał, że „ku rozczarowaniu wszystkich zainteresowanych ten imponujący gmach okazał się wyjątkowo niezdrowy"[33]. Poza tym w całym szpitalu niewiele było miejsc przeznaczonych do mycia rąk i narzędzi. Jak zauważył rezydent Listera: „Gdy niemal każda rana była odrażająca z powodu ropienia, naturalne wydawało się odkładanie dokładnego oczyszczania rąk i narzędzi, aż ukończony zostanie program opatrywania i sondowania"[34]. Wszystko było pokryte warstwą brudu.

Jak większość szpitali w latach sześćdziesiątych XIX wieku Royal Infirmary przyciągał pacjentów zbyt biednych, żeby mogli zapłacić za prywatną opiekę. Część z nich była niewykształcona i niepiśmienna. Wielu lekarzy i chirurgów uważało ich za ludzi o niższej pozycji społecznej i traktowało z klinicznym dystansem, który często był dehumanizujący. Lister, wierny swym kwakierskim korzeniom, okazywał niezwykłe współczucie ludziom leżącym w przydzielonych mu salach. Odmawiał używania słowa „przypadek", gdy miał na myśli konkretnych pacjentów, wolał mówić o nich „ten biedny mężczyzna" albo „ta poczciwa kobieta"[35]. Zalecał również swoim studentom używanie przy pacjentach „terminów fachowych", aby „nie powiedziano ani nie zasugerowano niczego, co mogłoby w jakikolwiek sposób wywołać u nich niepokój czy panikę"[36]. Dziś zostałoby to niewątpliwie uznane za nieetyczne, ale u Listera brało się wyłącznie ze współczucia. Jeden z jego studentów opowiadał później, że pewnego razu Lister upomniał instrumentariusza, który wniósł do sali operacyjnej nieprzykrytą tacę pełną noży. Doświadczony chirurg błyskawicznie zarzucił na tacę ręcznik i powiedział powoli zgnębionym tonem: „Jak mogłeś tak okrutnie zlekceważyć uczucia tej biednej kobiety? Czy nie wystarczy, że przechodzi przez tę ciężką próbę? Trzeba było jej dodawać niepotrzebnego cierpienia, pokazując ten zestaw nagich ostrzy?"[37].

Lister rozumiał, że pobyt w szpitalu może być przerażającym przeżyciem, dlatego kierował się własną złotą zasadą: „Każdy pacjent, nawet najbardziej upodlony, powinien być traktowany z taką troską i szacunkiem, jakby był samym księciem Walii"[38]. Znacznie wykraczał poza swoje obowiązki, gdy trzeba było uspokajać dzieci przyjmowane do jego sal. Rezydent Listera Douglas Guthrie opowiedział w późniejszym okresie wzruszającą historię o małej dziewczynce, która trafiła do szpitala w związku z ropniem kolana. Gdy Lister opatrzył jej ranę, dziewczynka podała mu swoją lalkę. Ostrożnie wziął od niej zabawkę i zauważył, że maleńkiej lalce brakuje nogi. Dziewczynka poszperała pod wwpoduszką i – ku rozbawieniu Listera – wyjęła oderwaną kończynę. Lekarz złowieszczo pokiwał głową, badając swą najnowszą pacjentkę. Potem zwrócił się do Guthriego, prosząc o igłę i nici. Starannie przyszył lalce nogę i ze spokojnym uśmiechem zwrócił zabawkę dziewczynce. Guthrie powiedział, że jej „duże brązowe oczy wyrażały bezgraniczną wdzięczność, ale nie odezwali się ani słowem"[39]. Chirurg i dziecko najwyraźniej doskonale się rozumieli.

Gdy ból był nieuniknionym elementem leczenia, często trudno było zdobyć zaufanie osób, które nie w pełni rozumiały zabiegi, jakim je poddawano. Listerowi z pewnością przypadło w udziale wielu kłopotliwych pacjentów, lecz to najwyraźniej nigdy nie wyprowadzało go z równowagi. Pewnego razu do Glasgow Royal Infirmary przyszła czterdziestoletnia pracownica przędzalni ze zranioną ręką, figurująca w kartotece jako „Elizabeth M'K". Lister przeprowadził operację, a po upływie kilku tygodni starał się odgiąć pacjentce palce, żeby przywrócić elastyczność mięśniom i ścięgnom. Niestety kobieta wzięła jego starania za próbę połamania jej palców i w panice uciekła ze szpitala. Wróciła pięć miesięcy później z prawie sparaliżowaną ręką, ponieważ przez cały ten czas trzymała ją w łubkach. Okazując na pozór nieskończoną cierpliwość, Lister na nowo podjął terapię i ostatecznie pacjentka odzyskała częściowo władzę w ręce.

W najpoważniejszych przypadkach Lister osobiście towarzyszył pacjentowi w drodze powrotnej do sali po operacji i koniecznie chciał pomagać przy przenoszeniu go z noszy na łóżko. Starając się zapewnić choremu wygodę, rozkładał rozmaite poduszeczki i butelki z gorącą wodą, uprzedzając swoich pomocników, że te ostatnie powinny być przykryte flanelą, aby znieczulona osoba nie oparzyła się przez nieuwagę podczas rekonwalescencji. Pomagał nawet ubierać pacjentów po operacji. Jeden z jego rezydentów opowiadał, że Lister „z niemal kobiecą troską zmieniał pościel" pacjentowi, „układając ją równiutko i starannie". Tych, którzy byli przytomni, najpierw pytał: „Czy teraz jest panu całkiem wygodnie?", zanim przeszedł do następnego łóżka[40].

Również w swojej prywatnej praktyce Lister okazywał pacjentom wielką empatię, a także zrozumienie dla ich sytuacji finansowej. Oznaczało to, że był przeciwny wystawianiu rachunków leczonym przez siebie osobom, i pouczał studentów, że nie powinni „pobierać opłat za [swoje] usługi jak kupiec za sprzedawane towary". Kierując się ideałami swej wiary, uważał, że dla chirurga największą nagrodą jest świadomość, iż zrobił dobry uczynek na rzecz chorych. „Czy mamy pobierać opłatę za upuszczaną krew albo za ból, który zadajemy?", pytał studentów[41].

Gdy nie był pochłonięty pracą w szpitalu, nadal przeprowadzał eksperymenty w swoim domowym laboratorium i publikował rozmaite wyniki badań dotyczące krzepnięcia krwi i stanów zapalnych. Odkrył, że krew umieszczona w rurce z wulkanizowanego kauczuku pozostaje częściowo płynna przez kilka godzin, lecz krzepnie natychmiast, jeśli znajdzie się w zwykłym kubku. Doszedł do wniosku, że krzepnięcie krwi jest spowodowane „wpływem wywieranym na nią przez zwyczajną substancję, z którą kontakt przez bardzo krótki czas powoduje zmianę we krwi, wywołując wzajemną reakcję składników stałych i płynnych, w związku z czym krwinki przekazują osoczu dyspozycję krzepnięcia"[42]. Zajął się również obserwowaniem pod mikroskopem ropiejących tkanek między innymi w gałce ocznej królika, żyle szyjnej dużego kuca i w świeżej partii próbek pobranych od własnych pacjentów.

Lister zaprojektował i opatentował kilka narzędzi chirurgicznych, udowadniając, że jest racjonalizatorem zarówno w dziedzinie metod operacyjnych, jak i w kwestii opatrywania ran. Były to między innymi: igła do zszywania ran, haczyk pozwalający usuwać ciała obce z ucha oraz opaska uciskowa ze śrubą służąca do zaciskania aorty brzusznej, największego naczynia krwionośnego w ludzkim ciele. Najbardziej znanym narzędziem chirurgicznym wynalezionym przez Listera są kleszcze zatokowe. Mają okrągłe uchwyty jak nożyczki, a ich wąskie, piętnastocentymetrowe ostrza umożliwiają wydobycie zanieczyszczeń nawet z najmniejszego otworu[43].

Narzędzia te, choć przydatne, nie na wiele się zdały, jeśli chodzi o zmniejszenie śmiertelności w szpitalu. Ludzie nadal umierali w zastraszającym tempie, gdy w salach szpitalnych dochodziło do wybuchu hospitalizmu. W sierpniu 1863 roku Lister przeprowadził operację nadgarstka u dwudziestoletniego robotnika Neila Campbella. Już wcześniej opracował metodę usuwania chorej kości nadgarstka bez uciekania się do amputacji dłoni[44]. Kilka miesięcy później chłopak znów przyszedł do szpitala, bo jego nadgarstek ponownie zaatakowała próchnica. Lister powtórzył zabieg, tym razem usuwając większy fragment chorej kości. Chociaż operacja zakończyła się sukcesem, Campbell nie wrócił do zdrowia. Wkrótce nabawił się ropnicy i zmarł. Lister był coraz bardziej sfrustrowany tym, że nie potrafi zapobiegać zakażeniom u swoich pacjentów ani ich leczyć. W jego zapiskach pojawiają się dręczące go pytania: „Autopsja 11. Wątpliwość. Jak trująca substancja dostaje się z rany do żył? Czy to skrzep w otworach naciętych żył ropieje, czy też trująca substancja jest wchłaniana przez drobne żyłki i przenoszona do pni żylnych?"[45].

*

Chociaż Joseph Lister był pochłonięty pracą, życie prywatne też przysparzało mu zmartwień. Pewnego ponurego dnia w marcu 1864 roku Agnes wyruszyła w podróż do Upton, żeby odwiedzić teściów. Matka Listera Isabella znów była ciężko chora. Cierpiała na jedną z licznych chorób skóry, które absorbowały jej syna – na różę. Jej córki mieszkały nieopodal, ale miały rodziny i nie mogły zapewnić matce takiej opieki, jakiej wymagała. Mimo że w pierwszym roku małżeństwa Lister wspomniał w liście do ojca, że Agnes być może jest w ciąży, dziecko nie urodziło się ani wtedy, ani w przyszłości. Rola opiekunów przypadła zatem bezdzietnej parze.

Tymczasem w czerwcu tamtego roku na Uniwersytecie Edynburskim pojawił się wakat na stanowisku profesorskim. Niezależnie od doskonałej opinii wśród oddanych mu studentów stosunki Listera z dyrektorami szpitala w Glasgow nadal były napięte. Co więcej, przeładowany harmonogram oznaczał, że chirurg miał bardzo mało czasu na prowadzenie własnych badań. Oprócz codziennych wizyt w Royal Infirmary musiał każdego dnia wygłaszać wykład, co nie było banalnym zadaniem dla człowieka, który przygotowywał się do zajęć tak skrupulatnie jak on. Do tego dochodziła rozłąka z Syme'em. Lister tęsknił za czasami, gdy pracował u boku podobnie myślącego intelektualisty, który nigdy nie zadowalał się istniejącym stanem rzeczy, w przeciwieństwie do bardzo wielu jego kolegów z Glasgow. W posadzie w Edynburgu Lister widział także jeszcze jedną możliwość odnalezienia drogi powrotnej do Londynu. Jak napisał później jego siostrzeniec, „w Szkocji Lister zawsze uważał się raczej tylko za ptaka wędrownego [...] i myślał, że jeśli kiedyś będzie rozważana przeprowadzka na południe, Edynburg okaże się lepszym punktem przesiadkowym niż Glasgow"[46].

Lister ponownie przeżył gorzkie rozczarowanie. Dopiero po tym, jak dostał wiadomość o odrzuceniu jego kandydatury i o nominacji rywala, Jamesa Spence'a, Syme przekonywał go, że w Glasgow jest mu lepiej. Teść uważał, że kandydowanie na stanowisko w Edynburgu, choć zakończone niepowodzeniem, i tak przyczyni się do umocnienia jego reputacji w środowisku chirurgów.

Gdy Lister nadal był przygnębiony zawodową porażką, otrzymał wiadomość, że stan jego matki gwałtownie się pogorszył. Sytuacja stała się krytyczna, więc spakował bagaże i wyruszył do Upton, żeby być przy niej. 3 września 1864 roku Isabella Lister przegrała walkę z różą, tą samą chorobą, która wciąż prześladowała jej syna w miejscu pracy.

*

Pragnąc wypełnić pustkę po śmierci żony, Joseph Jackson zaczął jeszcze częściej komunikować się z dziećmi. „Zarówno myśl, że pozwalasz mi wyglądać co tydzień Twoich listów, jak i same listy, gdy przychodzą, przynoszą pociechę Twojemu biednemu ojcu", napisał do syna[47]. Lister przyrzekł pisać do ojca raz w tygodniu i sumiennie dotrzymywał obietnicy[48]. W jednym z wielu listów z tamtego okresu Joseph Jackson przypomniał synowi, że ten jest coraz starszy. Lister wziął to sobie do serca: „Jak mówisz, doszedłem teraz do połowy życia. […] Dziwne się zdaje, gdy pomyśleć, że mam połowę lat siedemdziesięciolatka! Przypuszczam jednak, że druga połowa, jeśli w ogóle spędzę ją na tym świecie, upłynie znacznie szybciej od tej, która minęła. A przecież nieważne, jak szybko, skoro doprowadzi nas to w końcu do właściwego celu"[49].

W tamtych czasach Lister usiłował poprawić stan higieny w Royal Infirmary, licząc, że zminimalizuje to występowanie hospitalizmu. W szpitalach „czystość" oznaczała często tylko tyle, że zamiatano podłogę i otwierano okna w sali operacyjnej, a Royal Infirmary nie był wyjątkiem. Lister przypuszczał, że jeśli zdoła doprowadzić do tego, że sale szpitalne staną się czystsze, to być może jego pacjenci przestaną umierać. Tak więc zaczął wyznawać zasadę zwaną w latach sześćdziesiątych XIX wieku szkołą „czystości i zimnej wody", która zakładała analogię między matowieniem srebra a infekcjami powodowanymi przez skażone powietrze. Zwolennicy tej filozofii wiedzieli, że jeśli zanurzy się łyżkę w zimnej wodzie, opóźni to tworzenie się nalotu w postaci siarczku srebra. Idąc tym samym tokiem myślenia, uważali, że zagotowując wodę, a następnie studząc ją przed umyciem narzędzi oraz zranionego miejsca, chirurg może zapobiec rozwojowi infekcji pooperacyjnych. Szczególną uwagę zwracali na zimną wodę, ponieważ miała ona neutralizować wysoką temperaturę, która ich zdaniem powodowała stan zapalny i gorączkę.

Lister skupiał się na czystości, co wiązało się z jego przekonaniem, że za wybuchy hospitalizmu odpowiada trujące powietrze w salach szpitalnych. Inni zaczęli już kwestionować tę teorię. W latach 1795–1860 trzech lekarzy wysunęło pogląd, że gorączka połogowa (inaczej zakażenie połogowe) – której tak jak posocznicy towarzyszy zarówno miejscowy, jak i ogólnoustrojowy stan zapalny – jest wywoływana nie przez miazmaty, lecz przez *materies morbi* (szkodliwe substancje) przenoszone na pacjentkę przez lekarza. Każdy z nich uważał, że chorobie tej można zapobiec, przestrzegając w szpitalach ścisłych zasad higieny[50].

Pierwszym z tych trzech lekarzy był Szkot Alexander Gordon, który pracował w Aberdeen, gdy w grudniu 1789 roku wybuchła tam długotrwała epidemia tej choroby. W ciągu trzech lat Gordon leczył siedemdziesiąt siedem kobiet, które dostały gorączki połogowej. Dwadzieścia pięć z nich zmarło, gdy były pod jego opieką[51]. W raporcie opublikowanym w 1795 roku dowodził, że „przyczyną omawianej gorączki połogowej nie był szkodliwy skład atmosfery" (czyli miazmaty) – odpowiadał za nią sam personel medyczny, który roznosił gorączkę wśród nowych pacjentek po tym, jak zajmował się zarażonymi[52]. Gordon był przekonany, że przyczyną gorączki połogowej jest coś przenoszonego przez samych pracowników szpitala. Utrzymywał, że potrafi „przepowiedzieć, które kobiety zostaną dotknięte chorobą, wystarczy, że usłyszy, która akuszerka ma odbierać poród albo która pielęgniarka będzie się nimi zajmowała podczas połogu". Prawie za każdym razem jego przepowiednie okazywały się trafne. Wobec tych dowodów Gordon radził, żeby ubrania i pościel zarażonych kobiet były po ich śmierci palone; ponadto pielęgniarki i akuszerki, które opiekowały się tymi pacjentkami, „powinny się starannie umyć i dać swoją odzież do odkażenia, zanim założą ją ponownie".

Drugą osobą, która doszła do podobnego wniosku, był amerykański eseista Oliver Wendell Holmes, lekarz, a potem profesor anatomii na Uniwersytecie Harvarda[53]. W 1843 roku opublikował broszurę zatytułowaną *The Contagiousness of Puerperal Fever* [Zaraźliwość gorączki połogowej]. Jego praca opierała się w znacznej mierze na dokonaniach Gordona i przygotowała grunt pod ożywienie poglądów Szkota pięćdziesiąt lat po ich pierwszym opublikowaniu. Niestety Holmes nie zdołał przekonać swoich współczesnych i w latach pięćdziesiątych XIX wieku został zaatakowany za swe przekonania przez dwóch wybitnych położników, uznających za osobistą zniewagę wysuwanie oskarżeń, że są nosicielami tej samej choroby, którą próbują zwalczać.

Był wreszcie Ignaz Semmelweis, który rozwiązał problem zapobiegania gorączce połogowej w Wiedniu w tym samym czasie, gdy Holmes pisał o niej w Ameryce. Semmelweis, pracując jako asystent lekarza w tamtejszym szpitalu ogólnym, zauważył pewną rozbieżność między jego dwoma oddziałami położniczymi. Jeden był obsługiwany przez studentów medycyny, a drugi przez akuszerki i ich uczennice. Chociaż każdy z oddziałów zapewniał pacjentkom identyczne warunki, ten, w którym pracowali studenci medycyny, miał znacznie, bo aż trzykrotnie, wyższy współczynnik umieralności. Przedstawiciele środowiska medycznego, którzy dostrzegli tę różnicę, przypisywali ją bardziej obcesowemu traktowaniu pacjentek przez studentów niż przez akuszerki. Uważali, że mężczyźni narażają witalność matek, sprawiając, że są one bardziej podatne na gorączkę połogową. Semmelweisa to nie przekonało[54].

W 1847 roku jeden z jego kolegów zmarł po tym, jak skaleczył się w rękę podczas sekcji zwłok. Ku własnemu zdziwieniu węgierski lekarz uświadomił sobie, że choroba, która zabiła jego przyjaciela, niczym się nie różni od gorączki połogowej. Czyżby lekarze pracujący w prosektorium przenosili „trupie cząsteczki" na oddziały szpitalne, gdzie odbierali porody, i to właśnie było przyczyną wzrostu współczynników zakażenia? Przecież, jak zaobserwował Semmelweis, wielu z tych młodych ludzi prosto po wykonaniu autopsji szło do szpitala, gdzie zajmowało się ciężarnymi kobietami.

Semmelweis uznał, że gorączka połogowa jest wywoływana nie przez miazmaty, lecz przez „chorobotwórczą substancję" pochodzącą z martwych ciał, dlatego umieścił w szpitalu miednicę z chlorowaną wodą. Osoby przychodzące z prosektorium proszono o umycie rąk, zanim zajmą się żywymi. Współczynnik umieralności na oddziale obsługiwanym przez studentów medycyny gwałtownie spadł. W kwietniu 1847 roku wynosił 18,3 procent. Po wprowadzeniu w następnym miesiącu obowiązku mycia rąk współczynnik wyniósł 2,2 procent w czerwcu, 1,2 procent w lipcu i 1,9 procent w sierpniu[55].

Semmelweis uratował życie wielu osobom, nie był jednak w stanie przekonać większości lekarzy do swojego poglądu, że występowanie gorączki połogowej ma związek ze skażeniem spowodowanym kontaktem ze zwłokami. Nawet ci, którzy byli skłonni wypróbować jego metody, często robili to tak nieudolnie, że rezultaty okazywały się zniechęcające. Po licznych negatywnych recenzjach książki, którą napisał na ten temat, gwałtownie atakował swoich krytyków. W końcu zachowanie Semmelweisa stało się tak nieodpowiedzialne i krępujące dla jego współpracowników, że zamknięto go w zakładzie psychiatrycznym, gdzie spędził ostatnie dni życia, rozprawiając o gorączce połogowej i pomstując na lekarzy, którzy nie chcieli myć rąk.

Rzeczywiście metody i teorie Semmelweisa miały niewielki wpływ na środowisko medyczne[56]. Lister odwiedził klinikę w Budapeszcie, gdzie ostatnio pracował krytykowany lekarz, i później zanotował następującą refleksję: „Nigdy nie wspomniano przy mnie nazwiska Semmelweisa; najwyraźniej został on zupełnie zapomniany w swoim rodzinnym mieście i na całym świecie"[57].

Pomimo usilnych starań Listera żadne z zapoczątkowanych przez niego działań nie wpłynęło na wskaźniki umieralności. Nie pomogła nawet poprawa higieny w salach szpitalnych, które miał pod opieką. Pacjenci nadal umierali i wydawało się, że niewiele można zrobić, żeby to powstrzymać. Tylko w jednym tygodniu Lister stracił w wyniku ropnicy pięciu pacjentów, podczas gdy większość pozostałych leżących w tej samej sali cierpiała na gangrenę szpitalną[58]. Rezydent Listera powiedział o nim, że opętało go boskie niezadowolenie. Jego umysł, jak zaznaczył, „pracował nieustannie, usiłując zrozumieć, jaki charakter ma problem, który należało rozwiązać"[59]. Irytacja Listera dała się odczuć również w sali wykładowej, gdy zwrócił się do studentów z pytaniem, które prześladowało go od pewnego czasu: „Powszechnie obserwuje się, że gdy dochodzi do obrażeń niepowodujących rozerwania skóry, pacjent niezmiennie wraca do zdrowia, nie zapadłszy na żadną groźną chorobę. Zawsze natomiast istnieje tendencja do pojawiania się najpoważniejszych kłopotów nawet w wyniku najbłahszych obrażeń, gdy występuje rana na skórze. Jak to się dzieje? Człowiek, który potrafi wyjaśnić ten problem, zyska nieśmiertelną sławę"[60].

Wreszcie pod koniec 1864 roku, gdy Lister usiłował zapobiegać zgonom swoich pacjentów w Royal Infirmary, jeden z kolegów, profesor chemii Thomas Anderson, zwrócił jego uwagę na coś, co miało pomóc mu w rozwikłaniu zagadki medycznej, która tak go dręczyła. Były to najnowsze badania dotyczące fermentacji i gnicia, prowadzone przez francuskiego mikrobiologa i chemika, Ludwika Pasteura[61].

8

Wszyscy umarli

Żadna dziedzina naukowa nie może być dla człowieka równie ważna jak ta, która dotyczy jego własnego życia. Żadna wiedza nie jest tak nieustannie konfrontowana z codziennymi zdarzeniami, jak wiedza o procesach, dzięki którym żyje on i działa[1].

GEORGE HENRY LEWES

Gdy pewien chirurg z londyńskiego Guy's Hospital zapytał o stan jednego ze swoich pacjentów, asystent poinformował go, że ów mężczyzna zmarł. Chirurg, który zdążył się uodpornić na tego rodzaju wiadomości, odparł: „Ach, bardzo dobrze!". Przeszedł do następnej sali, żeby zapytać o innego pacjenta. Ponownie padła odpowiedź: „Nie żyje, sir". Chirurg zamilkł na chwilę, a potem wykrzyknął sfrustrowany: „Jak to, chyba wszyscy nie umarli?!". Asystent odpowiedział: „Owszem, sir, umarli"[2].

Tego rodzaju sceny rozgrywały się w całej Wielkiej Brytanii. W latach sześćdziesiątych XIX wieku współczynniki umieralności w szpitalach osiągnęły nienotowany wcześniej poziom. Wysiłki zmierzające do utrzymania czystości w salach nie miały większego wpływu na występowanie hospitalizmu.

Co więcej, od kilku lat środowisko medyczne coraz bardziej różniło się w kwestii dominujących teorii chorób. Teorią miazmatyczną coraz trudniej było wyjaśnić zwłaszcza szerzenie się cholery. W poprzednich dziesięcioleciach doszło już do trzech dużych epidemii, które tylko w Anglii i Walii pochłonęły prawie sto tysięcy ofiar[3]. Choroba szalała w całej Europie, pociągając za sobą kryzys medyczny, polityczny i humanitarny, którego nie dało się zignorować. Chociaż przeciwnicy teorii zakażeń potrafili wykazać, że do wybuchów epidemii często dochodziło w bardzo brudnych rejonach miejskich, nie umieli wyjaśnić, dlaczego cholera posuwała się wzdłuż szlaków komunikacyjnych, rozprzestrzeniając się z subkontynentu indyjskiego, ani uzasadnić, dlaczego niektóre epidemie wybuchały w zimie, kiedy nieprzyjemnych zapachów było najmniej[4].

Już w latach czterdziestych XIX wieku bristolski lekarz William Budd utrzymywał, że cholera rozprzestrzenia się za pośrednictwem skażonych ścieków niosących „żywy organizm odmiennego gatunku, który został przyjęty poprzez połknięcie i zwielokrotnił się w jelitach przez rozmnażanie”[5]. W artykule opublikowanym w „British Medical Journal” Budd napisał, że „nie ma absolutnie żadnego dowodu” na to, jakoby „trucizny konkretnych chorób zakaźnych kiedykolwiek powstawały samoistnie”[6] albo były przenoszone powietrzem za pośrednictwem miazmatów. Podczas ostatniej epidemii traktował priorytetowo stosowanie dezynfekcji przy użyciu środka odkażającego, udzielając następującej rady: „Jeśli to możliwe, wszystkie wydzieliny pochodzące od chorych powinny być przyjmowane, podczas wydalania ich z organizmu, do naczyń zawierających roztwór chlorku cynku”[7].

Budd nie był jedyną osobą kwestionującą samoistne powstawanie cholery i jej rozprzestrzenianie się w powietrzu. Chirurg John Snow zaczął badać tę sprawę, gdy w 1854 roku epidemia tej śmiertelnej choroby wybuchła w pobliżu jego domu w londyńskiej dzielnicy Soho. Snow przystąpił do nanoszenia poszczególnych przypadków na mapę i dzięki temu zorientował się, że większość ludzi, którzy zachorowali, piła wodę z pompy znajdującej się przy południowo-zachodnim rogu skrzyżowania ulic Broad (obecnie Broadwick) i Cambridge (obecnie Lexington). Okazało się, że nawet przypadki, które na pierwszy rzut oka nie miały nic wspólnego z pompą, mimo wszystko były z nią związane. Na przykład śmierć pięćdziesięciodziewięcioletniej kobiety mieszkającej dość daleko od tamtego źródła wody. Kiedy Snow przepytał jej syna, dowiedział się, że matka często odwiedzała Broad Street, ponieważ lubiła smak wody z tej konkretnej pompy. Zmarła w ciągu dwóch dni od jej wypicia.

Podobnie jak Budd, Snow doszedł do wniosku, że cholera jest przenoszona przez skażoną wodę, a nie przez trujące gazy, czyli miazmaty w powietrzu. Na poparcie swojej teorii opublikował mapę epidemii. Mimo mocno sceptycznej postawy lokalnych władz Snow zdołał przekonać urzędników, żeby usunięto ramię pompy z Broad Street, a wtedy epidemia szybko ustąpiła.

Tego rodzaju wydarzenia sprawiały, że zaczynano podawać w wątpliwość dominujące w środowisku medycznym przekonanie, że choroby biorą się z brudu i są przenoszone w powietrzu przez szkodliwe gazy, czyli miazmaty. Kolejny dowód pojawił się w 1858 roku, kiedy po Londynie snuł się potworny, przemożny fetor wciskający się we wszelkie zakamarki w odległości dwóch kilometrów od Tamizy. Letnie upały nasiliły ten wstrętny odór. Wszyscy zadawali sobie wiele trudu, żeby trzymać się z dala od rzeki. „Wielki smród" wziął się z masy ludzkich odchodów piętrzących się wzdłuż jej brzegów. Problem nasilał się, w miarę jak w Londynie przybywało mieszkańców. Michael Faraday, uczony słynący ze swojego dzieła na temat elektromagnetyzmu, zauważył, że „cuchnące nieczystości zbijały się w tumany tak gęste, że widać je było na powierzchni"[8]. Płynąc pewnego razu rzeką, zobaczył, że woda jest „nieprzeźroczystym jasnobrązowym płynem". Fetor był tak nieznośny, że parlamentarzyści musieli zasłonić okna grubymi kotarami, żeby w ogóle móc pracować. „The Times" doniósł, że urzędnicy państwowi, „zdecydowani jak najdogłębniej zbadać tę kwestię, odważyli się wybrać do biblioteki, [gdzie zostali] natychmiast zmuszeni do odwrotu, a każdy mężczyzna przyciskał do nosa chusteczkę"[9].

Londyńczycy zakładali, że wydobywające się z wody „trujące wyziewy" (to znaczy miazmaty) doprowadzą do wybuchu epidemii w mieście. Krążyły nawet pogłoski, że pewien właściciel łodzi już zmarł z powodu wdychania szkodliwych oparów. Tysiące ludzi uciekło ze stolicy w obawie o życie. Po latach prób zdobycia funduszy na nowy system kanalizacji reformatorzy dążący do poprawy higieny uznali, że sprawiedliwości stanie się zadość, jeśli w końcu zainterweniuje w tej sprawie parlament, bo sam zostanie zdziesiątkowany. A jednak tamtego lata, o dziwo, nie doszło do żadnej epidemii.

W latach pięćdziesiątych i sześćdziesiątych XIX wieku nastąpiło zauważalne odchodzenie od miazmatycznej teorii chorób na rzecz teorii zakażeń. Wynikało to częściowo z tamtych wypadków. Jednak wielu lekarzy nadal nie dawało się przekonać. Zwłaszcza badania Snowa wciąż nie wyjaśniały prawdopodobnego mechanizmu p r z e n o s z e n i a choroby. Jego wnioski wiązały cholerę ze skażoną wodą pitną, ale Snow, podobnie jak inni zwolennicy teorii zakażeń, nie twierdził kategorycznie, że zaraza jest przenoszona przez wodę. Czy chodziło o jakieś żyjątko? A może o trującą substancję chemiczną? Ale czy w tym drugim wypadku nie rozcieńczyłaby się ona całkowicie w ogromnej masie wody, jaką jest Tamiza? Co więcej, sam Snow przyznał, że teoria zakażeń nie daje satysfakcjonującego wyjaśnienia dotyczącego w s z y s t k i c h chorób, i nadal dopuszczał możliwość samoistnego powstawania tych, które wywoływały procesy gnilne, takich jak róża.

Głosy domagające się lepszego wyjaśnienia przyczyn chorób zakaźnych i epidemii były coraz głośniejsze.

Problem infekcji szpitalnych dręczył Listera od tak dawna, że chirurg zastanawiał się, czy kiedykolwiek uda mu się go rozwiązać, ale po rozmowie z profesorem Andersonem o najnowszych badaniach Pasteura dotyczących fermentacji poczuł nowy przypływ optymizmu. Natychmiast odszukał publikacje Francuza na temat rozkładu substancji organicznych i z pomocą Agnes przystąpił do odtwarzania doświadczeń Pasteura w swoim domowym laboratorium. Po raz pierwszy miał odpowiedź w zasięgu ręki.

Badania, z którymi zapoznawał się Lister, zostały zapoczątkowane dziewięć lat wcześniej, gdy miejscowy handlarz winem zwrócił się do Pasteura z pewnym problemem. Otóż pan Bigo wytwarzał wino z soku buraczanego i zauważył, że podczas fermentacji zawartość bardzo wielu kadzi skwaśniała. Pasteur był wtedy dziekanem Wydziału Nauk Przyrodniczych na Uniwersytecie Lille. Już kilka lat wcześniej zyskał reputację wybitnego chemika, gdy wykazał, że kształt kryształu, jego struktura molekularna i jego wpływ na polaryzację światła są ze sobą ściśle związane. Niedługo potem sformułował pogląd, że tylko żywe organizmy mogą wytwarzać optycznie czynne związki asymetryczne oraz że dalsze badania asymetrii molekularnej ujawnią tajemnice pochodzenia życia.

Ale dlaczego Bigo postanowił zwrócić się ze swoimi problemami do chemika? Otóż w tamtych czasach fermentację uważano za proces chemiczny, a nie biologiczny. Chociaż wielu uczonych przyznawało, że drożdże pełnią funkcję katalizatora podczas przetwarzania cukru w alkohol, większość uważała, że są one złożoną substancją chemiczną. Bigo zapoznał się z pracami Pasteura, ponieważ jego syn studiował u niego na uniwersytecie. Wydawało się zatem całkiem naturalne, że powinien zwrócić się o pomoc do chemika.

Prawdę mówiąc, Pasteur miał własne powody, żeby podjąć się badania przyczyn psucia się wina w kadziach. Od pewnego czasu interesowały go właściwości alkoholu amylowego i odkrył, że stanowi on „skomplikowane środowisko składające się z dwóch izomerów; jednego, który [...] skręca płaszczyznę światła pod polarymetrem; i drugiego, który jest nieaktywny [i] nie wykazuje żadnej aktywności optycznej"[10]. Co więcej, ten pierwszy miał te same właściwości asymetryczne, które jak wykazał Pasteur, mogą tworzyć jedynie żywe organizmy. Sok buraczany zawierał mieszankę czynnego i nieczynnego alkoholu amylowego, co dawało

Pasteurowi niepowtarzalną okazję badania tych dwóch izomerów w różnych warunkach.

Pasteur zaczął codziennie odwiedzać wytwórnię win
i ostatecznie przekształcił tamtejszą piwnicę w prowizoryczne laboratorium[11]. Tak jak Bigo, zauważył, że niektóre partie
wina pachną ładnie, a inne wydzielają niemal cuchnącą woń.
Kadzie te były również pokryte tajemniczą powłoką. Zaintrygowany Pasteur pobrał próbki z każdej kadzi i zbadał je
pod mikroskopem. Ku swemu zdziwieniu odkrył, że kształt
drożdży jest różny w zależności od próbki. Jeśli wino się nie
zepsuło, drożdże były okrągłe. Jeśli zaś skwaśniało, były wy-
dłużone i towarzyszyły im inne, mniejsze twory w kształcie
pałeczek – bakterie[12]. Analiza biochemiczna zepsutych partii
wykazała również, że w niesprzyjających warunkach wodór
doczepia się do azotanów zawartych w burakach, wytwa-
rzając kwas mlekowy, który wydziela cuchnącą woń i nadaje
winu kwaśny smak.

Co najważniejsze, Pasteur zdołał wykazać, że alkohol amylowy, który był optycznie czynny, powstał z drożdży, nie
z cukru, jak wcześniej twierdzili niektórzy uczeni. Zrobił to,
dowodząc, że alkohol amylowy zbadany polarymetrem za
bardzo różni się od cukru, czynnika nieożywionego, żeby
mógł po nim odziedziczyć asymetrię. A ponieważ Pasteur
uważał, że jedynie życie odpowiada za asymetrię, musiał
dojść do wniosku, że fermentacja jest procesem biologicznym
i że drożdże, które pomagają wytwarzać wino, są żywym
organizmem.

Oponenci Pasteura zwracali uwagę, że drożdże nie są
konieczne do fermentacji cukrowej, w trakcie której powstaje kwas mlekowy lub kwas masłowy, oraz że nie da się

zobaczyć organizmów drożdżowych w rozkładającym się mięsie. Ale to nie drożdże były odpowiedzialne za p s u c i e s i ę wina w kadziach. To bakterie (mikroby w kształcie pałeczek) sprawiły, że wino skwaśniało. W podobny sposób Pasteur wykazał również, że to samo dotyczy kwaśnego mleka i zjełczałego masła, chociaż za każdym razem mikroby odpowiedzialne za ten proces różniły się od siebie. Wydawało się, że mikroby, które obserwował pod mikroskopem, mają pewne specyficzne właściwości.

Wnioski Pasteura były odważne. Twierdzenie, że drożdże działają na sok buraczany, ponieważ są żywym organizmem, stało w sprzeczności z doktrynami dominującymi w chemii w połowie XIX wieku. Chociaż strażnicy starego porządku byli skłonni zaakceptować obecność mikroorganizmów w substancjach ulegających fermentacji, to tylko na tej podstawie, że owe mikroorganizmy tworzą się samoistnie w ramach procesu fermentacyjnego. Pasteur natomiast uważał, że te mikroby zostały przeniesione przez powietrze na drobinkach kurzu i że same się rozmnażają. Nie powstały zatem *de novo*.

W ramach cyklu doświadczeń Pasteur doprowadzał do wrzenia substancje ulegające fermentacji, żeby pozbawić je wszelkich mikroorganizmów. Następnie umieszczał te substancje w dwóch kolbach różnego rodzaju. Pierwsza była typową kolbą z otwartą górną częścią. Druga miała szyjkę w kształcie litery S, która zapobiegała dostawaniu się do środka kurzu i innych drobinek. Ta kolba również pozostawała otwarta i wystawiona na działanie powietrza. Po pewnym czasie w pierwszej kolbie roiło się od mikrobów, podczas gdy ta z łabędzią szyjką pozostała nieskażona.

Na podstawie tych doświadczeń Pasteur udowodnił w końcu, że mikroby nie powstają samoistnie. W przeciwnym wypadku kolba z wygiętą szyjką zostałaby ponownie skażona. Jego eksperymenty ustaliły to, co dziś jest uważane za jeden z kamieni węgielnych biologii: życie rodzi się tylko z życia. Podczas wygłoszonego na Sorbonie wykładu na temat swoich odkryć Pasteur powiedział: „Doktryna samorództwa nigdy się nie podniesie po śmiertelnym ciosie zadanym jej przez to proste doświadczenie"[13]. Już wkrótce na określenie tych wielopostaciowych mikrobów zaczęto używać słowa „drobnoustroje".

W jednej chwili Pasteur przestał być poważnym chemikiem, szanowanym przez większą część środowiska naukowego, i został uznany za ekscentryka, ponieważ opowiadał się za istnieniem czegoś, co nazywał „światem nieskończenie małych stworzeń"[14]. Jego badania natychmiast stały się obiektem ataków, bo groziły obaleniem odwiecznych poglądów na to, jak funkcjonuje świat. Czasopismo naukowe „La Presse" wydało werdykt potępiający francuskiego uczonego: „Obawiam się, że doświadczenia, na które się Pan powołuje, Panie Pasteur, obrócą się przeciwko Panu. [...] Świat, do którego chce nas Pan zabrać, jest doprawdy zbyt fantastyczny"[15].

Niezrażony Pasteur zaczął kojarzyć fermentację z gniciem. „Zastosowanie dla moich pomysłów jest ogromne – napisał w 1863 roku. – Gotów jestem zbliżyć się do wielkiej tajemnicy chorób gnilnych, które stale zaprzątają mój umysł"[16]. Pasteur miał dobry powód, żeby tak bardzo interesować się chorobami zakaźnymi: w latach 1859–1865 trzy z jego córek zmarły na dur brzuszny.

Pasteur uważał, że gnicie, tak jak fermentacja, jest powodowane rozwojem mikroorganizmów, przenoszonych w powietrzu przez kurz. „Życie kieruje działaniem śmierci na każdym etapie", napisał[17]. Pojawił się jednak pewien problem. Pasteur nie był lekarzem, nad czym ubolewał, gdy jego badania w tej dziedzinie posuwały się naprzód. „Jaka szkoda, że nie mam [...] specjalistycznej wiedzy, której potrzebuję, by energicznie zająć się badaniami doświadczalnymi nad jedną z chorób zakaźnych"[18]. Na szczęście dla Pasteura jego prace zaczęły już przyciągać uwagę garstki wybrańców ze środowiska medycznego, takich jak sir Thomas Spencer Wells, chirurg królowej Wiktorii.

Wells mówił o najnowszej pracy Pasteura na temat fermentacji i gnicia podczas prelekcji dla Brytyjskiego Towarzystwa Medycznego w 1863 roku, na rok przed tym, jak zwróciła ona uwagę Listera. W swym wystąpieniu Wells twierdził, że badania Pasteura nad rozkładem substancji organicznych rzucają światło na przyczyny infekcji prowadzących do gnicia ciała: „Dzięki zastosowaniu wiedzy, którą zawdzięczamy Pasteurowi, o występowaniu w atmosferze organicznych drobnoustrojów [...], łatwo zrozumieć, że niektóre drobnoustroje znajdują najodpowiedniejsze pożywienie w wydzielinach z ran, czyli w ropie, i że tak ją modyfikują, aby zmieniła się w truciznę, gdy zostanie wchłonięta"[19]. Niestety słowa Wellsa nie wywarły na słuchaczach takiego wrażenia, na jakie liczył. Jego koledzy nie byli przekonani co do istnienia drobnoustrojów, a Wells, podobnie jak inni, którzy czytali pracę Pasteura, nie podjął żadnej poważnej próby zastosowania w praktyce teorii o roli drobnoustrojów w procesie gnilnym[20].

Pałeczkę przejął Lister. Początkowo skupił się na tych elementach badań Pasteura, które utwierdziły go we wcześniejszym przekonaniu, a mianowicie, że niebezpieczeństwo rzeczywiście jest obecne w powietrzu otaczającym pacjenta. Podobnie jak Wells, Lister wyniósł z pracy Pasteura pogląd, że to nie powietrze jako takie, lecz żyjące w nim mikroby są źródłem zakażeń szpitalnych. W tym najwcześniejszym okresie prawdopodobnie sądził, że skażenie powietrza i infekcję ran należy przypisać inwazji jakiegoś jednego organizmu. Lister nie potrafił sobie jeszcze wyobrazić, jak ogromna jest liczba przenoszonych przez powietrze drobnoustrojów i w jak różnym stopniu są one zjadliwe. Nie rozumiał również, że mogą być przenoszone na wiele rozmaitych sposobów i przez wiele rozmaitych nośników.

Lister doszedł do zasadniczego wniosku, że nie jest w stanie zapobiec kontaktowi rany z drobnoustrojami żyjącymi w powietrzu, wobec tego skoncentrował się na znalezieniu sposobu zniszczenia mikroorganizmów w samej ranie, zanim dojdzie do infekcji. Pasteur przeprowadził wiele doświadczeń, które wykazały, że drobnoustroje można zniszczyć na trzy sposoby: wysoką temperaturą, filtracją albo środkami odkażającymi. Lister wykluczył dwie pierwsze metody, ponieważ żadna nie nadawała się do leczenia ran, skupił się natomiast na znalezieniu najskuteczniejszego środka odkażającego, który zabije drobnoustroje, nie powodując dalszych obrażeń: „Kiedy przeczytałem artykuł Pasteura, powiedziałem sobie: tak jak potrafimy zniszczyć wszy na pokrytej gnidami głowie dziecka, stosując truciznę, która nie powoduje uszkodzenia skóry, tak wierzę, że możemy posmarować rany pacjenta toksycznymi produktami, które zniszczą bakterie bez szkody dla delikatnych części tej tkanki"[21].

Chirurdzy już od pewnego czasu używali środków odkażających do przepłukiwania ran. Problem polegał na tym, że wśród lekarzy nie było jednomyślności co do przyczyn posocznicy, dlatego te substancje stosowano do kontrolowania ropienia dopiero p o pojawieniu się zakażenia. Mniej więcej w tym czasie „The Lancet" donosił: „Jednym z największych zmartwień dawnych medyków było zapobieganie stanom zapalnym i [...] ich leczenie. Teraz już tak się ich nie boimy. Dla dzisiejszych lekarzy zakażenie krwi jest równie wielkim źródłem strachu jak stan zapalny dla ich poprzedników, a stanowi ono znacznie większe i bardziej realne zło"[22]. Niestety, chociaż zakażenie krwi jest znacznie groźniejsze od stanu zapalnego, czasopismo medyczne całkowicie się w tej kwestii myliło: stan zapalny towarzyszy ropieniu, które często stanowi o b j a w zakażenia krwi i posocznicy[23]. Nie jest on jednak chorobą samą w sobie i często oznacza, że dzieje się coś znacznie groźniejszego. Zanim przeprowadzono takie rozróżnienie, chirurgom trudno było zrozumieć sens stosowania środków odkażających, nim pojawiła się infekcja, zwłaszcza że wielu przedstawicieli środowiska medycznego uważało stan zapalny i ropę za integralną część procesu gojenia. Dobra, czysta i występująca w ograniczonej ilości „chwalebna" ropa była według nich niezbędna do normalnego gojenia się rany, lecz nadmierną ilość ropy lub ropę zanieczyszczoną uznawano za niebezpieczny czynnik rozkładu.

Sytuację dodatkowo komplikowało to, że substancje odkażające okazywały się nieskuteczne albo powodowały dalsze uszkodzenie tkanki, sprawiając, że rana była jeszcze bardziej podatna na infekcje. Do leczenia zakażonych ran stosowano wszystko, od wina i chininy po jodynę i terpentynę, lecz żaden z tych środków nie był bezsprzecznie skuteczny w powstrzymywaniu gnicia i ropienia, gdy już do nich doszło. Substancje żrące, takie jak kwas azotowy, które mogłyby skutecznie zwalczać infekcję prowadzącą do gnicia ciała, często rozcieńczano zbyt mocno, żeby rzeczywiście na coś się przydawały.

W ciągu kilku pierwszych miesięcy 1865 roku Lister przetestował wiele roztworów odkażających, próbując znaleźć ten najlepszy do neutralizowania mikrobów, które – jak teraz rozumiał – wywoływały infekcje szpitalne. Większość z tych środków uważano za nieprzydatne, prawdopodobnie dlatego, że stosowano je dopiero wtedy, gdy już doszło do stanu zapalnego i ropienia. Lister chciał sprawdzić skuteczność tych roztworów, stosując je profilaktycznie. Najpierw sięgnął po jedną z najpopularniejszych wówczas substancji, zwaną płynem Condy'ego, czyli nadmanganian potasu, który był również używany przez pierwszych fotografów jako proszek błyskowy. Lister przetestował płyn Condy'ego na pacjencie zaraz po operacji, zanim wywiązała się infekcja. Jego dresser Archibald Malloch napisał, że „trzymał kończynę w jednej ręce, a w drugiej płaty [skóry], z których wycięto wszystkie szwy, podczas gdy pan Lister wlewał czajnik za czajnikiem gorącego roztworu płynu Condy'ego pomiędzy płaty, żeby je oczyścić; na koniec kikuty zostały pokryte kataplazmem z siemienia lnianego"[24]. Mimo że ów związek chemiczny ma silne działanie utleniające i może służyć jako środek bakteriobójczy, rana ostatecznie zaczęła ropieć. Lister nie osiągał wyników, na jakie liczył, i zarzucił próby.

Któregoś dnia przypomniał sobie, że czytał, iż w oczyszczalni ścieków w Carlisle technicy stosowali kwas karbolowy do neutralizowania odoru gnijących odpadów, żeby ich woń nie utrzymywała się na okolicznych pastwiskach nawadnianych płynnymi zanieczyszczeniami. Postępowali tak za radą Fredericka Crace'a Calverta, profesora honorowego chemii w Royal Institution w Manchesterze, który zapoznał się z cudownymi właściwościami tego związku podczas studiów w Paryżu[25]. Niespodziewana korzyść wynikająca z takich działań polegała na tym, że kwas karbolowy zlikwidował również pasożytnicze pierwotniaki wywołujące epidemie zarazy bydlęcej u zwierząt hodowlanych pasących się na tych łąkach. Lister napisał, że był „zdumiony relacją o znakomitych efektach stosowania kwasu karbolowego w miejskich ściekach"[26]. Czy mógł to być środek bakteriobójczy, którego szukał?

Kwas karbolowy, zwany również karbolem albo fenolem, jest otrzymywany ze smoły węglowej. Odkryto go w 1834 roku i stosowano w jego pierwotnej postaci jako kreozot służący do impregnowania podkładów kolejowych i wręg statków[27]. W brytyjskiej chirurgii był nieznany. Najczęściej zalecano go bezkrytycznie, a to do konserwowania żywności, a to jako środek owadobójczy, a czasami jako dezodorant.

Lister otrzymał od przedsiębiorczego Thomasa Andersona próbkę czystego kwasu i badał jego właściwości pod mikroskopem. Wkrótce zorientował się, że będzie potrzebował znacznie więcej tego związku, żeby przetestować jego skuteczność na pacjentach. Anderson skontaktował go bezpośrednio z mieszkającym w Manchesterze Calvertem, który właśnie rozpoczął na niewielką skalę produkcję karbolu w postaci białych kryształków, rozpuszczających się po podgrzaniu. Calvert od dawna był zwolennikiem stosowania smoły węglowej w medycynie, zwłaszcza do usuwania martwych tkanek z ran i konserwowania zwłok przed sekcją. Chętnie dostarczył Listerowi próbki kwasu karbolowego.

Lister nie musiał długo czekać, aż nadarzy się okazja przetestowania karbolu w praktyce. W marcu 1865 roku przeprowadził zabieg usunięcia zaatakowanej przez próchnicę kości z nadgarstka pacjenta Royal Infirmary. Następnie starannie przemył ranę kwasem karbolowym w nadziei, że usunie z niej wszelkie czynniki zanieczyszczające. Ku jego konsternacji doszło jednak do infekcji i był zmuszony przyznać, że próba zakończyła się niepowodzeniem. Kolejna sposobność nadarzyła się kilka tygodni później, gdy do Royal Infirmary przyniesiono dwudziestodwuletniego Neila Kelly'ego ze złamaną nogą. Lister ponownie zastosował otrzymany od Calverta kwas karbolowy do zdezynfekowania zranionej kończyny, lecz wkrótce pojawiło się ropienie. Mimo to nadal wierzył, że kwas karbolowy jest kluczem do sukcesu, i za niepowodzenie winił siebie: „Teraz uważam, że okazał się nieskuteczny w rezultacie niewłaściwego obchodzenia się z nim"[28].

Lister musiał wprowadzić jakąś lepszą procedurę, jeśli zamierzał nadal wypróbowywać kwas karbolowy na pacjentach. Nie mógł go testować na chybił trafił, ponieważ poszczególne przypadki zbyt się od siebie różniły, co nie pozwalało mu ocenić rzeczywistej skuteczności tego związku chemicznego. Dlatego na jakiś czas wykluczył przypadki chirurgiczne. Doszedł również do wniosku, że ponieważ złamania proste nie wiążą się z przebiciem skóry, mikroby nie mogą się dostać do organizmu z powodu braku otwartej rany[29]. Postanowił zatem ograniczyć testy kwasu karbolowego do złamań złożonych: obrażeń, w których odłamki kości zraniły skórę. Ten konkretny rodzaj złamań wiązał się z wysokim współczynnikiem zakażeń i często prowadził do amputacji. Z etycznego punktu widzenia testowanie kwasu karbolowego w wypadku złamań złożonych było uzasadnione. Gdyby środek bakteriobójczy zawiódł, nadal można było amputować nogę, do czego prawdopodobnie i tak by doszło. Gdyby natomiast kwas karbolowy okazał się skuteczny, kończyna pacjenta mogłaby zostać uratowana[30].

Lister był ostrożnym optymistą, jeśli chodzi o tę metodę. Musiał tylko zaczekać, aż do szpitala trafi ktoś ze złamaniem złożonym.

*

Na ruchliwych ulicach Glasgow łoskot powozów zaczynał się już o świcie i milkł dopiero wtedy, gdy większość mieszkańców miasta poszła spać. Przeładowane dyliżanse posuwały się chwiejnie po wyboistych drogach, a zatłoczone omnibusy przejeżdżały ze stukotem zatłoczonymi arteriami komunikacyjnymi. Dorożki toczyły się majestatycznie, podczas gdy wozy handlarzy z piętrzącymi się wysoko towarami pędziły jak szalone, wymijając zygzakiem inne pojazdy, żeby jak najszybciej dotrzeć na targowiska. Czasami tę chaotyczną gonitwę spowalniały spowity w czerń karawan i podążający za nim orszak żałobników, wymuszając pełne szacunku żółwie tempo, ale najczęściej ruch pieszy i kołowy sprawiał, że tętniące życiem ulice przypominały rwącą rzekę. Zgiełk przeludnionych miast, takich jak Glasgow, brzmiał tak, „jakby wszystkie odgłosy wszystkich kół wszystkich powozów na świecie zostały zmieszane i stopione w jeden stłumiony, chrapliwy, zawodzący szum", napisał jeden z ówczesnych autorów[31]. Codzienny tumult atakował uszy nieprzywykłych do tej kakofonii przyjezdnych.

Pewnego wilgotnego dnia na początku sierpnia 1865 roku pośrodku owego miejskiego chaosu znalazł się jedenastoletni James Greenlees. Wielokrotnie przechodził przez te ulice, ale tym razem się zamyślił. Ledwie wszedł na jezdnię, potrącił go przejeżdżający wóz. Przewrócił się, a jego lewa noga została zmiażdżona jednym z kół zaopatrzonych w metalowe obręcze. Wystraszony woźnica zatrzymał pojazd i zeskoczył z kozła. Na miejscu wypadku natychmiast zgromadził się tłum gapiów. Greenlees leżał na ziemi i krzyczał z bólu, a po twarzy spływały mu łzy. Kość piszczelowa pękła pod ciężarem wozu i wystawała przez krwawiącą ranę w goleni. Jeśli była jakaś nadzieja na uratowanie nogi, ranny musiał się jak najszybciej znaleźć w szpitalu.

Przetransportowanie chłopca do Royal Infirmary w tym stanie nie było łatwe. Trzeba było najpierw wydostać jego nogę spod ciężkiego wozu, ułożyć go na prowizorycznych noszach i zanieść na drugą stronę miasta. Na miejsce dotarł po trzech godzinach od wypadku. Zanim został przyjęty do szpitala, stracił dużo krwi i był w stanie krytycznym.

Ponieważ tamtego popołudnia Lister był jednym z chirurgów dyżurnych, został powiadomiony o tym przypadku, gdy tylko przyniesiono chłopca do szpitala. Zachował spokój, oceniając sytuację. Złamanie nie było czyste. Co gorsza, otwarta rana nogi została skażona brudem i kurzem podczas drogi przez miasto. Nie można było wykluczyć amputacji. Lister wiedział, że wielu pacjentów straciło życie w wyniku złamań złożonych znacznie mniej poważnych niż u Greenleesa. Jego teść James Syme prawdopodobnie natychmiast przystąpiłby do operacji. Lister wziął jednak pod uwagę także młody wiek rannego. Utrata nogi niemal na pewno zdegradowałaby chłopca do pozycji obywatela drugiej kategorii, zdecydowanie ograniczając możliwość podjęcia przez niego pracy w przyszłości. Jak zdołałby zarobić na życie, jeśli nie mógłby chodzić?

Pozostawała jednak niewygodna prawda: odwlekanie amputacji bez wątpienia naraziłoby życie Greenleesa na niebezpieczeństwo. Gdyby na skutek tej zwłoki chłopiec nabawił się infekcji szpitalnej, odpiłowanie nogi mogłoby nie wystarczyć do zatrzymania bezlitosnego rozwoju posocznicy. Jednocześnie Lister nadal wierzył, że kwas karbolowy może zapobiec infekcji, a jeśli tak by się stało, noga Greenleesa – od której zależał jego byt – zostałaby uratowana. Była to okazja, na którą czekał. Podjął błyskawiczną decyzję i postanowił zaryzykować, stosując środek odkażający.

Szybko przystąpił do działania i podał majaczącemu z bólu chłopcu chloroform. Otwarta rana w nodze była odsłonięta od kilku godzin, toteż Lister musiał oczyścić krwawiące rozcięcie, zanim mikroby, które już dostały się do środka, zdążą się rozmnożyć. Z pomocą swojego chirurga rezydenta doktora MacFee zaczął dokładnie przemywać ranę kwasem karbolowym. Następnie przykrył ją kitem, żeby roztwór karbolu nie został wypłukany przez wydzieliny takie jak krew i limfa. Na koniec umieścił na opatrunku blaszaną osłonę w celu powstrzymania dalszego parowania kwasu karbolowego.

W ciągu następnych trzech dni Lister opiekował się Greenleesem, co kilka godzin podnosząc osłonę i polewając opatrunek kwasem karbolowym, żeby przepłukać ranę. Chłopiec, pomimo koszmaru, który właśnie przeżył, był w dobrym nastroju i Lister zauważył, że dopisuje mu apetyt. Co najważniejsze, chirurg nie wyczuł żadnej nieprzyjemnej woni wydobywającej się z opatrunku, gdy codziennie oglądał jego nogę. Rana goiła się czysto.

Czwartego dnia Lister zdjął bandaże. Napisał w historii choroby, że skóra wokół rany jest lekko zaczerwieniona, ale nie doszło do ropienia. To, że nie pojawiła się ropa, było dobrym znakiem, lecz Listera niepokoiło zaczerwienienie. Kwas karbolowy najwyraźniej podrażniał skórę chłopca i wywoływał właśnie tego rodzaju stan zapalny, jakiemu Lister rozpaczliwie próbował zapobiec. Jak mógł zneutralizować ten efekt uboczny, nie niwecząc antyseptycznego działania kwasu karbolowego?

Przez pięć kolejnych dni Lister wypróbowywał rozcieńczanie kwasu karbolowego wodą. Niestety niewiele to pomogło na podrażnienie wywołane antyseptykiem. Wobec tego sięgnął po oliwę z oliwek i nią rozcieńczył środek chemiczny. Najwidoczniej miało to kojący wpływ na ranę, a przy tym nie osłabiało antyseptycznych właściwości karbolu. Wkrótce zaczerwienienie na nodze Greenleesa zbladło, a rana zaczęła się zasklepiać. Nowy roztwór poskutkował.

Sześć tygodni i dwa dni po tym, jak wóz zmiażdżył Jamesowi Greenleesowi nogę, wyszedł on z Royal Infirmary o własnych siłach.

Lister był teraz przekonany, że kwas karbolowy jest antyseptykiem, którego przez cały czas szukał. W ciągu następnych miesięcy, stosując podobne metody, leczył w Royal Infirmary pacjenta za pacjentem. Znaleźli się wśród nich trzydziestodwuletni parobek, który został kopnięty przez konia i miał strzaskaną prawą kość piszczelową, oraz dwudziestodwuletni robotnik, któremu zgruchotała nogę metalowa skrzynia o wadze ponad sześciuset kilogramów. Wyślizgnęła się z przytrzymujących ją łańcuchów i spadła z wysokości prawie półtora metra. Najbardziej rozdzierający serce był przypadek dziesięciolatka, któremu podczas pracy w fabryce ręka utknęła w jakiejś maszynie parowej. Lister zanotował, że chłopiec wzywał pomocy, ale przez dwie minuty nikt nie pośpieszył mu na ratunek. Tymczasem maszyna wciąż była w ruchu, „wrzynając się w łokciową część przedramienia i łamiąc [kość] mniej więcej w połowie, a kość promieniowa została wygięta [do tyłu]"[32]. Gdy chłopca zabierano do Royal Infirmary, górny fragment kości, przebiwszy skórę, wystawał na zewnątrz, a z ziejącej rany zwisały dwa strzępy mięśni długości pięciu–siedmiu centymetrów. Lister zdołał uratować rękę chłopca, a także jego życie.

Nie znaczy to, że wszystko szło gładko. W tym okresie Lister doznał dwóch niepowodzeń. Raz, gdy siedmioletni chłopiec, któremu zatłoczony omnibus przejechał po nodze, dostał gangreny szpitalnej, kiedy chirurg wyjechał na urlop, powierzywszy opiekę nad nim doktorowi MacFee, a ten nie zajął się raną tak skrupulatnie jak Lister[33]. Chłopiec ostatecznie przeżył, ale nie obyło się bez amputacji kończyny. Drugi pacjent zmarł niespodziewanie, kilka tygodni po doznaniu obrażeń. „Parę dni później – napisał Lister – nastąpił bardzo obfity krwotok, krew przeciekała przez łóżko i kapała na podłogę pod spodem", zanim personel medyczny zwrócił na to uwagę[34]. Okazało się, że ostry fragment kości w złamanej nodze mężczyzny przebił tętnicę podkolanową w udzie. W rezultacie pięćdziesięciosiedmioletni robotnik wykrwawił się na śmierć.

Spośród dziesięciu osób ze złamaniami złożonymi, znajdujących się pod opieką Listera w 1865 roku, osiem wróciło do zdrowia dzięki zastosowaniu kwasu karbolowego[35]. Jeśli nie weźmie się pod uwagę amputacji, do której doszło, gdy pacjentem opiekował się doktor MacFee, współczynnik niepowodzeń Listera wyniesie dziewięć procent. Jeśli zaś policzy się amputację, będzie to osiemnaście procent. Według Listera był to absolutny sukces.

Co typowe dla Listera, uważał on, że liczy się jak największa skrupulatność, dlatego chciał ocenić skuteczność kwasu karbolowego w leczeniu innego rodzaju ran, zanim ogłosi swoje odkrycia. Ostatecznym testem miało być sprawdzenie, czy jego metody okażą się skuteczne w przypadkach operacyjnych. Minęło dwadzieścia lat, odkąd był świadkiem przeprowadzonej przez Roberta Listona historycznej operacji z zastosowaniem eteru, która zapoczątkowała nową epokę bezbolesnych zabiegów chirurgicznych. Od tego czasu chirurdzy nabierali coraz większej śmiałości, jeśli chodzi o to, jak głęboko byli gotowi nacinać ciało. W miarę jak operacje stawały się coraz bardziej inwazyjne, rosło ryzyko infekcji pooperacyjnych. Gdyby Lister zdołał ograniczyć lub wyeliminować owo zagrożenie, na zawsze zmieniłoby to charakter chirurgii, bo pozwoliłoby chirurgom przeprowadzać jeszcze bardziej skomplikowane operacje bez obawy, że w ranach pacjenta rozwinie się posocznica.

Lister najpierw zainteresował się ropniami, zwłaszcza takimi, które powstają w wyniku powikłań po gruźlicy kręgosłupa. Są nazywane ropniami mięśni lędźwiowych i tworzą się, gdy duża ilość ropy zbiera się na jednym z mięśni długich w tylnej części jamy brzusznej. Zwykle rozrastają się tak bardzo, że sięgają do pachwiny, co wymaga nacinania i drenowania. Ze względu na obszar ciała, w którym powstają, są podatne na infekcje, a interwencja chirurgiczna w takich przypadkach była do tej pory niezwykle niebezpieczna.

W ciągu następnych miesięcy Lister opracował metodę dezynfekowania kwasem karbolowym skóry wokół nacięcia, a następnie opatrywania zagłębienia rany substancją przypominającą kit, podobną do tej, którą zastosował u Greenleesa[36]. Mieszał zwykłe bielidło (węglan wapnia) z roztworem kwasu karbolowego we wrzącym oleju lnianym. Między raną a kitem umieszczał kawałek szarpi, również nasączony olejem karbolowym. Krew, która przesączała się przez szarpie, tworzyła pod nimi strup. Opatrunek był codziennie zmieniany, ale nasiąknięty olejem kawałek szarpi zostawiano na miejscu. Gdy nadchodził czas usunięcia go, na ciele zostawała trwała blizna. W liście do ojca Lister tak chwalił się swoimi osiągnięciami: „Sposób postępowania z przypadkami ropni leczonymi w ten sposób tak p i ę k n i e harmonizuje z teorią tworzenia się ropy, a poza tym leczenie stało się teraz tak proste do stosowania przez k a ż d e g o, że doprawdy mnie to zachwyca"[37].

W lipcu 1866 roku Lister – który wtedy nadal udoskonalał metody stosowania kwasu karbolowego – dowiedział się, że jest wakat na stanowisku kierownika katedry chirurgii systematycznej na UCL. Chociaż w Glasgow szło mu dobrze, wciąż marzył o powrocie do swojej *Alma Mater*, żeby znaleźć się bliżej ojca, który miał teraz osiemdziesiąt lat. Taka perspektywa wydawała mu się tym bardziej atrakcyjna, że profesura wiązała się również ze stałą posadą w University College Hospital, gdzie zaczynał karierę.

Lister napisał do lorda Broughama, który był zarówno rektorem UCL, jak i dyrektorem szpitala, z prośbą o poparcie swojej kandydatury. Do listu dołączył wydrukowany artykuł *Notice of a New Method of Treating Compound Fractures* [Uwagi dotyczące nowej metody leczenia złamań złożonych]. Opowiadał się w nim za teorią drobnoustrojów powodujących rozkład. Po raz pierwszy ogłosił wówczas swoją zasadę antyseptyki poza wąskim kręgiem przyjaciół, członków rodziny i kolegów. Wkrótce po zwróceniu się do lorda Broughama o poparcie, został powiadomiony, że przegrał wybory, nie dopuścił jednak, by ta wiadomość na dłużej odwróciła jego uwagę od badań. „Ostatnio myślę czasami, że nie mógłbym tak pracować, gdybym był w University College – napisał do ojca wkrótce po otrzymaniu zawiadomienia o odrzuceniu jego kandydatury. – Tutaj prawdopodobnie jestem wykorzystywany z większym pożytkiem, chociaż bardziej dyskretnie"[38].

Lister wrócił do eksperymentowania z kwasem karbolowym, rozszerzając jego stosowanie na leczenie ran szarpanych i tłuczonych[39]. Pewnego razu usunął z ramienia pacjenta duży guz. Był on usytuowany tak głęboko, że chirurg uznał, iż doszłoby do ropienia rany, gdyby nie zastosował swojej metody antyseptycznej. Kilka tygodni później mężczyzna opuścił szpital, ocaliwszy zarówno rękę, jak i życie.

Lister zaczął sobie uświadamiać, jakie efekty przynoszą jego metody, gdy każdy rok dostarczał kolejnych dowodów na to, że zdają egzamin. „Teraz przeprowadzam operację usunięcia guza i tym podobne, z całkowicie odmiennymi odczuciami niż wcześniej. Bez wątpienia chirurgia staje się czymś zupełnie innym", napisał któregoś dnia do ojca[40]. Gdyby potrafił przekonać świat o skuteczności swych metod, przyszłe możliwości jego zawodu byłyby nieograniczone.

Ostatecznie po dwóch latach od rozpoczęcia doświadczeń z kwasem karbolowym w Glasgow Royal Infirmary Lister opublikował swoje odkrycia w czasopiśmie „The Lancet". 16 marca 1867 roku ukazał się drukiem pierwszy odcinek pięcioczęściowego artykułu zatytułowanego *On a New Method of Treating Compound Fracture, Abscess, etc., with Observations on the Conditions of Suppuration* [O nowej metodzie leczenia złamań złożonych, ropni i tym podobnych, z opisem obserwacji dotyczących występowania ropienia]. Cztery kolejne opublikowano w następnych tygodniach i miesiącach. W artykułach tych Lister dowodził, że wprowadził w życie system oparty na powszechnie kwestionowanym poglądzie Ludwika Pasteura, zgodnie z którym gnicie jest powodowane przez drobnoustroje występujące w powietrzu. Napisał, że „maleńkie zawieszone [w powietrzu] drobiny, które są zarodkami różnych niskich form życia i już dawno zostały ujawnione przez mikroskop, lecz były uważane za jedynie przypadkowe czynniki towarzyszące gniciu", stanowią, jak wykazał teraz Pasteur, jego „zasadniczą przyczynę"[41]. Konieczne było zatem „opatrywanie ran przy użyciu jakiejś substancji zdolnej zabić te septyczne zarodki". System Listera zakładał wykorzystywanie antyseptycznych właściwości

kwasu karbolowego, żeby zapobiec dostawaniu się do ran
drobnoustrojów, a także zlikwidować te, które już zaatako-
wały organizm[42].

Artykuły Listera były raczej pouczające niż teoretyczne,
chociaż jego przywiązanie do doktryn naukowych Pasteura
nie pozostawiało wątpliwości. Większą część każdego tekstu
stanowiły szczegółowe historie choroby, w których autor opisywał swoje wysiłki zmierzające do zapobieżenia gniciu ran
lub do jego opanowania u każdego z pacjentów. Zamiarem
Listera było p o k a z a n i e czytelnikom – których zachęca-
no, by poczuli się, jakby stali u boku chirurga – jak powie-
lać jego metody. W serii tych artykułów autor przedstawiał
również ewoluowanie swojego systemu, wyjaśniając, dlaczego zrezygnował z pewnego rodzaju opatrunków oraz dlaczego wypróbowywał różne sposoby, gdy inne zawiodły.
Wszyscy mogli wyraźnie zobaczyć bezsprzecznie naukowe
metody, które Lister zastosował w swoich doświadczeniach.

Ewidentne były również chwalebnie altruistyczne cele, jakimi się kierował, opracowując, a następnie rozpowszechnia-
jąc swoje metody antyseptyczne. Okazując bezinteresowność
wpojoną mu dzięki kwakierskiemu wychowaniu, napisał:
„Korzyści, które płyną z tej praktyki, są tak nadzwyczajne,
że uważam, iż mam obowiązek zrobić, co w mojej mocy,
by je upowszechnić"[43]. Każdy, kto szukał fizycznych dowodów tych korzyści, mógł je znaleźć w dwóch przydzielonych
mu salach w Glasgow Royal Infirmary. Chociaż wcześniej
należały one do najbardziej niezdrowych w całym szpitalu
ze względu na ograniczony dostęp do świeżego powietrza,
Lister zakomunikował, że zastosowanie u pacjentów leczenia
antyseptycznego znacznie zmniejszyło liczbę przypadków

infekcji. Odkąd wprowadził swój system, w jego salach nie doszło do ani jednego zakażenia ropnicą, gangreną czy różą.

Lister uczynił pierwszy krok w propagowaniu metod antyseptycznych, które jego zdaniem z pewnością miały zasadnicze znaczenie dla ratowania życia niezliczonym pacjentom. Poczucie satysfakcji miało jednak wkrótce zostać stłumione przez kłopoty rodzinne.

9

Burza

Dysputy medyczne [...] są nieuniknionymi wypadkami związanymi z postępem naukowym. Przypominają burze, które oczyszczają atmosferę; musimy się z nimi pogodzić[1].

JEAN-BAPTISTE BOUILLAUD

Gdy późną wiosną 1867 roku Isabella Pim wysiadała z dorożki przed schodami frontowymi dwukondygnacyjnego domu w stylu georgiańskim, czuła się tak, jakby na jej barkach spoczywał ciężar całego świata. Żeby znaleźć się pod tymi drzwiami, przejechała w dusznym skwarze niemal sześćset pięćdziesiąt kilometrów. Kilka tygodni wcześniej Isabella – przez najbliższych nazywana pieszczotliwie „B." – wykryła u siebie stwardnienie w piersi. Bojąc się najgorszego, postanowiła odbyć uciążliwą podróż pociągiem do Glasgow, z przesiadką w Edynburgu, żeby zasięgnąć porady najlepszego chirurga, jakiego znała – swojego brata, Josepha Listera.

Smutna prawda była taka, że w tamtych czasach większość kobiet zbyt długo zwlekała z szukaniem pomocy po wykryciu u siebie guzka piersi. W pierwszych stadiach raka piersi nowotwór jest stosunkowo bezbolesny. Tymczasem zabieg chirurgiczny był niezwykle bolesny, a prawdopodobieństwo śmierci bardzo duże, nawet po poddaniu się operacji, ponieważ większość chirurgów nie usuwała wystarczającej ilości tkanki, żeby powstrzymać rozwój raka. Jeden z najwybitniejszych londyńskich chirurgów James Paget narzekał, że nowotwór często powraca, nawet po wycięciu chorych tkanek. „Wszystko, co miejscowo groźne, da się usunąć – napisał – coś jednak zostaje, albo, po jakimś czasie, odnawia się i znów występuje podobna choroba, która w pewnym sensie i do pewnego stopnia jest zwykle gorsza od tej pierwszej i zawsze prowadzi do śmierci"[2].

Ryzyko, że tkanka nowotworowa nie zostanie w całości usunięta podczas operacji, było szczególnie duże przed wynalezieniem środków znieczulających w połowie XIX wieku, bo wtedy ów niezwykle bolesny zabieg należało przeprowadzać jak najszybciej. Sześćdziesięcioletnia Lucy Thurston w liście do córki opisała straszliwe katusze, przez jakie przeszła podczas mastektomii. Gdy zjawił się chirurg, otworzył dłoń, żeby pokazać jej nóż.

Potem nastąpiło długie, głębokie nacięcie, najpierw z jednej strony mojej piersi, później z drugiej. Opanowały mnie gwałtowne mdłości i pozbawiły śniadania. Nadeszło skrajne wyczerpanie. Cierpienie już nie było miejscowe. W całym organizmie pojawiło się ogólne uczucie dotkliwego bólu. Czułam, każdym calem samej siebie, jakby ciało odmawiało mi posłuszeństwa. [...] Ja sama byłam w pełni zdecydowana zobaczyć, jak się to odbywa. Ale o ile sobie przypominam, wszystko, co przypadkiem zdołałam dojrzeć, to prawa ręka doktora całkowicie pokryta krwią, aż po sam nadgarstek. Powiedział mi później, że w pewnym momencie krew z jakiejś arterii zalała mu oczy i nic nie widział. Operował mnie przez prawie półtorej godziny: wyciął całą pierś, wyciął węzły chłonne pod ramieniem, związał arterie, usunął krew, zszył ranę, przyłożył plastry opatrunkowe i założył bandaże[3].

Pani Thurston przeżyła operację i żyła jeszcze dwadzieścia dwa lata, ale wiele kobiet nie miało tyle szczęścia.

Wraz z pojawieniem się środków znieczulających operacje piersi stawały się stopniowo coraz bardziej inwazyjne, ponieważ ból nie powstrzymywał już noża chirurga. Miało to niestety opłakane skutki dla współczynników umieralności, i to z różnych powodów. W 1854 roku Alfred Armand Velpeau – główny chirurg Uniwersytetu Paryskiego – zachęcał swoich kolegów po fachu, żeby agresywniej traktowali raka piersi, bo to zagwarantuje, że wszystkie tkanki nowotworowe zostaną wycięte. Radził, żeby w tym celu usuwać nie tylko pierś, lecz także znajdujące się pod spodem mięśnie klatki piersiowej w ramach tak zwanej mastektomii całościowej. Taka operacja oczywiście narażała pacjentkę na późniejszą infekcję.

Isabella stanęła teraz przed podobnym dylematem. Chirurg z londyńskiego St. Bartholomew's Hospital już odmówił przeprowadzenia operacji, a gdy zatrzymała się po drodze w Edynburgu, również James Syme opowiedział się przeciw mastektomii. Guz był duży i wymagał rozległego usunięcia tkanki, jeśli zabieg miał być skuteczny. Syme obawiał się, że nawet gdyby Isabella przeżyła operację, otwarta rana klatki piersiowej ulegnie zakażeniu i pacjentka umrze. Chociaż z powodzeniem stosował antyseptyczny system Listera na własnych pacjentach, martwił się, że trudno będzie sobie poradzić z tak dużą raną, czy to z kwasem karbolowym, czy bez. Lepiej, żeby Isabella przeżyła resztę życia, jaka jej została, niezależnie od tego, jak długo miałoby to potrwać.

Ale Isabella jeszcze nie porzuciła nadziei. Wiedziała, że jej brat usunął w swojej karierze wiele guzów nowotworowych. Całkiem niedawno usłyszała od niego, że ograniczył ryzyko infekcji pooperacyjnej, stosując kwas karbolowy. Jak napisał Lister, „B. zdaje się mieć do mnie całkowite zaufanie"[4].

Po zbadaniu Isabelli Lister zgodził się przeprowadzić pierwszą w życiu mastektomię. Podejmując tę decyzję, postąpił wbrew zaleceniom medycznym dwóch powszechnie szanowanych przedstawicieli swojego zawodu. Jeśli jednak istniała choć niewielka szansa, że zdoła zapobiec rozprzestrzenianiu się raka głębiej w ciele ukochanej siostry, musiał spróbować. „Zważywszy, j a k a to ma być operacja – napisał do ojca – raczej nie pozwoliłbym przeprowadzić jej nikomu innemu"[5]. Co nie znaczy, że ktoś inny chciał się jej podjąć.

Lister najpierw udał się do uniwersyteckiego prosektorium, gdzie przećwiczył mastektomię na zwłokach. Gdy szykował się do operacji, postanowił jednak w ostatniej chwili pojechać do Edynburga i skonsultować się z Syme'em. Oczywiście miał na uwadze to, że człowiek, którego rady tak sobie cenił, początkowo opowiedział się przeciwko zabiegowi chirurgicznemu. Tymczasem Syme skapitulował. „Nikt nie może powiedzieć, że operacja nie daje szansy", oznajmił zięciowi na koniec długiej rozmowy[6]. Obaj mężczyźni omawiali również ostatnie doświadczenia Listera z kwasem karbolowym. Syme zasugerował, że zastosowanie go u Isabelli może w znacznym stopniu zapobiec niebezpieczeństwu, jakie wiąże się z mastektomią. „Bardzo mocno odczułem jego prawdziwą życzliwość oraz w y r a ź n ą, choć słabo okazywaną, sympatię i wyjechałem z Edynburga znacznie spokojniejszy", napisał Lister o swoim spotkaniu z teściem[7].

Wrócił do Glasgow z poczuciem pewnej ulgi i rozpoczął przygotowania do operacji. Dzień przed uzgodnionym terminem wysłał list do Josepha Jacksona: „Przypuszczam, że zanim przeczytasz te słowa, będzie już po operacji kochanej B. Zwlekanie choćby o dzień dłużej niż to konieczne było ewidentnie niepożądane, gdy już zapadła decyzja: wobec tego zeszłego wieczoru ostatecznie wszystko uzgodniłem [...] i chcemy, żeby operacja odbyła się jutro o wpół do drugiej"[8]. Isabella miała zostać poddana mastektomii, lecz nie w Royal Infirmary, bo to tylko zwiększyłoby ryzyko, że nabawi się takiej czy innej infekcji szpitalnej. Lister postanowił operować ją we własnym domu, używając do tego celu stołu z jadalni – rozwiązanie typowe w przypadku osób, które mogły sobie pozwolić na prywatną opiekę.

16 czerwca 1867 roku Isabella Lister Pim weszła do prowizorycznej sali operacyjnej, gdzie stał jej brat z trzema asystentami. Narzędzia, zanurzone zawczasu w kwasie karbolowym, były ukryte pod ścierką, żeby ich widok nie zaniepokoił pacjentki. Isabella usadowiła się na stole, przy którym zaledwie poprzedniego wieczoru jadła kolację, i wkrótce zapadła w głęboki sen w wyniku działania chloroformu. Lister i trzej pozostali chirurdzy zanurzyli ręce w roztworze kwasu karbolowego, a następnie przemyli operowane miejsce. Lister zbliżył się do stołu z nożem w dłoni. Ostrożnie rozdzielił oba mięśnie piersiowe i oczyścił pachę. Gdy już usunął tkankę piersi, mięśnie i węzły chłonne, przystąpił do opatrywania rany.

Przykrył klatkę piersiową siostry ośmioma warstwami gazy nasączonej uprzednio roztworem antyseptycznym zawierającym kwas karbolowy i olej lniany[9]. W trakcie przeprowadzania doświadczeń przekonał się, że materiały porowate nie są idealne do opatrunków antyseptycznych, ponieważ kwas karbolowy może być wypłukiwany przez krew i wydzieliny. W związku z tym wsunął mniej przepuszczalny kawałek tkaniny bawełnianej używanej do produkcji bandaży – który także został nasączony płynem antyseptycznym – pod górną warstwę gazy. Pozwalało to wydzielinom wyciekać z rany, lecz zapobiegało ulatnianiu się wraz z nimi kwasu karbolowego. Nałożył te opatrunki zarówno z przodu, jak i na plecach pacjentki. Każdy pasek gazy sięgał od wyrostka barkowego łopatki do miejsca nieco poniżej łokcia i przechodził przez kręgosłup do ręki. Lister umieścił także znaczną ilość gazy między bokiem a przedramieniem, żeby ręka nie znalazła się zbyt blisko ciała. Chociaż dla Isabelli było to niewygodne, uważał, że jest szczególnie ważne, by rana w żadnym momencie nie miała kontaktu z kończyną i żeby można ją było swobodnie drenować. Zabandażowana niczym mumia Isabella została przeniesiona do pokoju gościnnego, gdzie przeszła rekonwalescencję.

Hector Cameron, asystent Listera, zauważył, że jego przełożonego bardzo dużo kosztowało, w sensie umysłowym i emocjonalnym, podjęcie się tak śmiałego zabiegu u tak bliskiej mu osoby[10]. Gdy było już po wszystkim, chirurg poczuł ogromną ulgę: „Bardzo się cieszę, że to zostało zrobione [...]. Mogę powiedzieć, że operacja została przeprowadzona c o   n a j m n i e j tak dobrze, jakby ona nie była moją siostrą. Ale nie chcę robić czegoś takiego ponownie"[11].

Rana zagoiła się, nie ropiejąc, a to dzięki starannemu stosowaniu przez Listera kwasu karbolowego podczas zabiegu i po nim. W wyniku tych wysiłków Isabella żyła jeszcze trzy lata, zanim rak powrócił, tym razem atakując wątrobę. Inaczej niż poprzednio, nie było nic, co Lister mógłby zrobić dla siostry, ale przynajmniej jego system antyseptyczny otwierał nowe perspektywy, jeśli chodzi o operowanie piersi. Już wkrótce chirurdzy mieli podejmować decyzję o przeprowadzeniu mastektomii jedynie na podstawie rokowań, a nie tego, czy istnieje ryzyko wystąpienia u pacjentki zakażenia pooperacyjnego.

Lister, ośmielony osiągnięciem, jakim była mastektomia u Isabelli, oraz pasmem sukcesów w Royal Infirmary, przedstawił Brytyjskiemu Towarzystwu Medycznemu referat na temat swoich doświadczeń z kwasem karbolowym. 9 sierpnia 1867 roku wygłosił prelekcję pod tytułem „O zasadach antyseptyki w praktyce chirurgicznej"[12]. Zaledwie kilka tygodni wcześniej „The Lancet" opublikował ostatni ze wspomnianej serii pięciu artykułów. Na razie w środowisku medycznym nie było żadnych negatywnych reakcji na jego badania. Przeciwnie, dotychczasowy oddźwięk okazał się zdecydowanie pozytywny. Syme udzielił zięciowi poparcia, opisując w tym samym czasopiśmie siedem udanych operacji z użyciem kwasu karbolowego, obejmujących zarówno złamania złożone, jak i przypadki chirurgiczne[13], a niedługo po wykładzie Listera dla Brytyjskiego Towarzystwa Medycznego redaktor „The Lancet" wyraził ostrożny optymizm, pisząc: „Jeśli wnioski profesora Listera dotyczące skuteczności kwasu karbolowego w przypadkach złamań złożonych zostaną potwierdzone [...], trudno będzie przecenić wagę tego, co rzeczywiście możemy nazywać jego odkryciem"[14].

A jednak zanosiło się na burzę. Gdy pojawiły się pierwsze różnice zdań, początkowy sprzeciw wobec antyseptycznych metod Listera niewiele miał wspólnego z kwestią ich skuteczności. Największe kontrowersje budziło najwyraźniej to, że w błędnej ocenie wielu krytyków Listera przypisywał on sobie zasługę odkrycia antyseptycznych właściwości kwasu karbolowego, który chirurdzy na kontynencie stosowali od lat. 21 września do redakcji edynburskiej gazety „Daily Review" przyszedł list podpisany „Chirurgicus". Autor wyraził w nim pewne obawy w związku z ostatnim artykułem Listera: „[Jest on] obliczony na zdyskredytowanie nas – zwłaszcza wśród naszych francuskich i niemieckich sąsiadów – z tego względu, że przypisuje pierwsze zastosowanie kwasu karbolowego w chirurgii profesorowi Listerowi"[15]. W dalszej części listu Chirurgicus zwrócił uwagę, że francuski lekarz i farmaceuta Jules Lemaire pisał o kwasie karbolowym na długo przed tym, zanim Lister zastosował go po raz pierwszy: „Mam przed sobą grubą książkę na ten temat [...] napisaną przez doktora Lemaire'a z Paryża, której drugie wydanie ukazało się w 1865 roku". Lemaire wykazał użyteczność kwasu karbolowego „w powstrzymywaniu ropienia podczas zabiegów chirurgicznych oraz jako opatrunku przy złamaniach złożonych i ranach", utrzymywał autor listu.

Chociaż list został napisany pod pseudonimem, wszyscy wiedzieli, że Chirurgicus to w rzeczywistości James Y. Simpson, wpływowy lekarz, który wynalazł chloroform. Ów sławny położnik ochoczo rozprowadzał ten tekst wśród przedstawicieli środowiska medycznego, przekazał go także

redaktorowi „The Lancet" Jamesowi G. Wakleyowi. Tydzień
później list ukazał się w tym czasopiśmie wraz z następu-
jącym komentarzem Wakleya: „Profesorowi Listerowi należy się uznanie za to, że ten środek stał się ogólnie znany
w naszym kraju"[16]. Tymi słowami czołowe czasopismo medyczne sugerowało, że jedynym osiągnięciem Listera było
powielenie w Wielkiej Brytanii praktyk stosowanych na kontynencie, podczas gdy w rzeczywistości proponował on re-
wolucyjne podejście do leczenia ran na podstawie pewnej
teorii naukowej.

Simpson miał osobiste powody, żeby umniejszyć znaczenie odkrytego przez Listera leczenia antyseptycznego. Otóż
gdyby okazało się ono skuteczne, bezpośrednio zagroziłoby
promowanej przez położnika metodzie akupresury, która
również miała sprzyjać gojeniu się ran bez ropienia. (Była
to ta sama metoda, którą potępił Syme, drąc broszurę Simpsona na oczach widzów zgromadzonych w sali operacyjnej
Royal Infirmary w Edynburgu). Akupresura powstrzymywała
krwawienie podczas operacji dzięki zastosowaniu metalowych igieł, którymi należało umocować końce przeciętych
dużych naczyń krwionośnych do wewnętrznej powierzchni
skóry lub do tkanki mięśniowej. Eliminowało to konieczność
stosowania podwiązek, które często stawały się źródłem zakażenia po operacji. Lister już wcześniej zdyskredytował akupresurę w artykule opublikowanym w 1859 roku i Simpson
nie mógł mu darować zniewagi. Wysłał nawet oponentowi
egzemplarz swojej broszury omawiającej tę metodę, wraz
z listem przewodnim krytykującym „dziwne i niewytłuma-
czalne" używanie podczas operacji podwiązek, które „upar-
cie i systematycznie zaszczepiają [...] martwą, rozkładającą

się tkankę tętniczą w każdej dużej ranie"[17]. Miał obsesję na punkcie tego, że tak niewielu chirurgów przyswoiło sobie jego metodę. Pewien dawny biograf napisał o Simpsonie, że był zazdrosny o wszystko, co zagraża akupresurze: „Nie powinno się jego zdaniem tolerować niczego, co zmierza do dalszego stosowania podwiązek podczas amputacji, skoro wyższość akupresury została, w jego mniemaniu, dowiedziona"[18].

Lister raz jeszcze starł się z upartym Simpsonem. Kilka tygodni po pierwszym ataku w edynburskiej gazecie „Daily Review" odpowiedział Chirurgicusowi na łamach czasopisma „The Lancet". Przyznał, że nigdy nie czytał książki Lemaire'a, ale dodał, że nie ma w tym „nic dziwnego", ponieważ dzieło francuskiego chirurga „raczej nie przyciągnęło niczyjej uwagi" wśród przedstawicieli ich zawodu[19]. Następnie bronił swojego systemu, pisząc, że ludzie odwiedzający Glasgow, którzy byli naocznymi świadkami leczenia antyseptycznego, nie kwestionowali jego oryginalności. „Nowatorstwem było nie użycie kwasu karbolowego w chirurgii (nigdy tak nie twierdziłem), lecz metody jego zastosowania z zamiarem ochrony procesu zdrowienia przed zakłóceniami powodowanymi przez czynniki zewnętrzne". Lister zakończył swoją odpowiedź przycinkiem pod adresem autora listu: „Ufając, Sir, że tak niegodne drobne zastrzeżenia nie przeszkodzą w przyjęciu pożytecznej procedury, pozostaję z poważaniem *etc.*".

Lister szukał książki Lemaire'a, by przygotować się na kolejne ataki. Okazało się, że ta siedemsetstronicowa praca jest nie do zdobycia w Glasgow, wybrał się więc do Edynburga, gdzie otrzymał egzemplarz w bibliotece uniwersyteckiej[20]. Książka pojawiła się tam niby przypadkiem zaledwie kilka dni wcześniej, zapewne podłożona przez samego Simpsona, chociaż Lister nigdy nie wyraził takiego podejrzenia. W trakcie lektury Lister przekonał się, że Lemaire zalecał kwas karbolowy niemal na każdą dolegliwość, jaką można sobie wyobrazić. Co najważniejsze, nie proponował żadnej metody ani zasady przewodniej, jeśli chodzi o jego stosowanie. I chociaż rzeczywiście odnotował skuteczność kwasu karbolowego w dezynfekowaniu powietrza i ułatwianiu gojenia się ran, polecał go również jako środek osłabiający woń rozchodzącą się z wydzielin organicznych. Nie uważał natomiast, że ropa jest efektem gnicia. Po przeczytaniu książki Lister zwierzył się ojcu, że jest sceptyczny wobec twierdzeń francuskiego chirurga: „Mam powody sądzić, że patrzy on na wyniki swoich doświadczeń przez najbardziej różowe okulary", bo użył „w y j ą t k o w o słabego wodnego roztworu kwasu"[21].

19 października Lister opublikował drugą odpowiedź na list Chirurgicusa. Powtórzył, że nigdy nie twierdził, iż jako pierwszy użył kwasu karbolowego w chirurgii: „Sukces, który towarzyszył jego zastosowaniu tutaj, zależy nie tyle od jakiejś konkretnej zalety [karbolu], ile od wspaniałych zdolności zdrowienia posiadanych przez zranione części ciała, gdy są skutecznie zabezpieczane przed szkodliwym wpływem rozkładu"[22]. Czyżby znaczyło to, że kwas karbolowy wcale nie był najistotniejszym czynnikiem prowadzącym do tak zachęcających rezultatów? Być może starając się odwrócić uwagę od Lemaire'a i ponownie skierować ją na własne odkrywcze metody leczenia, Lister wyraził następujące przypuszczenie: „Gdybym przeprowadził doświadczenie z innymi powszechnie używanymi środkami antyseptycznymi [...], naprawdę uważam za prawdopodobne, że uzyskałbym mniej

więcej takie same wyniki, jeśli zastosowałbym się do tych samych zasad".

Odpowiedzi Listera towarzyszył list wysłany do niego przez studenta medycyny Philipa Haira, mieszkającego w Carlisle, tym samym mieście, w którym kilka lat wcześniej potraktowano karbolem ścieki. Jak zapewnił chirurg: „[młody człowiek] nie miał żadnych trudności z odróżnieniem zwykłego użycia kwasu karbolowego od zalecanej przeze mnie procedury"[23]. W swoim liście Hair oświadczył, że poprzedniej zimy studiował w Paryżu i nie widział tam niczego, co dałoby się porównać z antyseptycznym leczeniem wynalezionym przez Listera. Po powrocie do kraju był świadkiem skutecznego stosowania tych metod w Edynburgu i napisał, że chętnie dostarczy mu nazwiska i adresy ośmiu innych magistrantów, którzy mogą potwierdzić jego słowa.

Simpson nie lubił, jak mu się rzuca wyzwanie, więc odpowiedź Listera jeszcze bardziej go rozzłościła. Porzucił pseudonim i odpowiedział mu bezpośrednio na łamach czasopisma „The Lancet"[24]. Rozpoczął od sarkastycznego nawiązania do wzmianki o „niegodnych drobnych zastrzeżeniach", co tym bardziej zdemaskowało go jako autora listu do „Daily Review". Położnik ponownie zrobił aluzję do Lemaire'a i oskarżył Listera o niemal karygodną nieznajomość literatury medycznej. Następnie stwierdził, że William Pirrie ze szpitala uniwersyteckiego w Aberdeen zastosował akupresurę do powstrzymania ropienia w dwóch trzecich leczonych przez siebie przypadków, w tym podczas usuwania nowotworów piersi, oraz że jest ona najlepszym sposobem zapobiegania tworzeniu się ropy, niezależnie od tego, czy metoda antyseptycznego leczenia zalecana przez Listera rzeczywiście działa. Na wypadek gdyby ktoś nie zrozumiał go dobrze za pierwszym razem, Simpson dodał: „Niech mi będzie wolno wykazać tutaj pokrótce, że pan Lister bez najmniejszych wątpliwości miał poprzedników w osobach innych autorów, jeśli chodzi o wszystkie jego główne teorie i metody związane z tą kwestią".

Lister nie połknął przynęty. Wysłał do czasopisma „The Lancet" krótką odpowiedź: „Ponieważ postarałem się już przedstawić tę sprawę w prawdziwym świetle, nie wyrządzając nikomu krzywdy, muszę się powstrzymać od wszelkich komentarzy do zarzutów [Simpsona]"[25]. Zamiast tego poinformował czytelników, że dowiedzie zalet swojego systemu w serii artykułów, które ukażą się w nadchodzących miesiącach, i niech środowisko medyczne samo zdecyduje, czy krytyczne uwagi Simpsona są uzasadnione. Lister uważał, że jego metody należy oceniać na podstawie dowodów naukowych, a nie tego, na ile elokwentnie on sam się broni.

Traf chciał, że profesor Pirrie – którego nazwisko przytoczył Simpson w obronie akupresury – opublikował artykuł w czasopiśmie „The Lancet" tego samego dnia, w którym ukazała się tam ostateczna odpowiedź Listera. A konkretnie chwalił zalety kwasu karbolowego przy leczeniu oparzeń i przewidywał, że jeśli antyseptyczna metoda Listera jest równie użyteczna w leczeniu innych dolegliwości, „okaże się wielkim błogosławieństwem w przypadku tych niebezpiecznych i bolesnych ran"[26]. W swoim artykule ani razu nie wspomniał o akupresurze. Simpson chwilowo się uspokoił.

Chociaż na forum publicznym Lister zachowywał pełne godności milczenie, w głębi duszy czuł się urażony tymi atakami. W liście do Josepha Jacksona żalił się: „Zawsze miałem wrażenie, że najlepsze, co mogłoby się zdarzyć, to gdyby redaktorzy tych czasopism medycznych w ogóle nie zwracali uwagi na jakiekolwiek artykuły, które piszę; tak aby pożytek, jeśli jakiś jest, z mojej pracy mógł się ujawnić w postaci poprawy stanu wiedzy i usprawnienia leczenia chorób"[27]. I dodał ze smutkiem: „Sława nie jest rośliną, która wyrasta na jałowej ziemi". Siostrzeniec Listera napisał o wuju, że uważał on ataki Simpsona za odrażające i przykre. Spokojny, powściągliwy chirurg – który myślał kiedyś, że szkockie miasta okażą się odpowiedniejsze dla jego temperamentu niż Londyn, bo toczy się w nich znacznie mniej zawodowych sporów – zaczął sobie uświadamiać, jak trudne stoi przed nim zadanie i że będzie potrzebował czegoś więcej niż świadectwa kilku studentów medycyny, by zachęcić chirurgów do poważnego potraktowania leczenia antyseptycznego.

Wielu oponentów kojarzyło antyseptyczny system Listera z tradycyjną praktyką polegającą na nakładaniu maści na gnijące rany w nadziei, że nadejdzie poprawa – tak postępowali medycy, którzy od dziesięcioleci stosowali wino, chininę i płyn Condy'ego. Frederick W. Ricketts, młody lekarz z Liverpoolu, stanął po stronie Simpsona, twierdząc, że akupresura jest „prosta, skuteczna i elegancka", a metody Listera „przestarzałe i nieeleganckie"[28]. Podobnie James Morton, lekarz, który pracował z Listerem w Royal Infirmary do czasu, aż jego umowa wygasła w październiku 1867 roku, doszedł do wniosku, że kwas karbolowy nie jest „z pewnością lepszy od niektórych innych środków antyseptycznych będących w powszechnym użyciu, a co najwyżej taki sam jak one"[29]. Tak jak Ricketts, Morton uważał, że metody Listera są przestarzałe, i kwestionował nazywanie ich „systemem" leczenia. Scharakteryzował je wręcz jako „antyseptyczny sposób opatrywania" – jeden z wielu istniejących – i uważał, że w swoich artykułach Lister „prawdopodobnie nieco się zagalopował", gdy wychwalał osiągane przez siebie rezultaty[30].

Z kolei starsze pokolenie chirurgów, chociaż skłonne było wypróbować leczenie antyseptyczne na pacjentach, miało trudności z zaakceptowaniem leżącej u podstaw systemu Listera teorii o odpowiedzialności drobnoustrojów za roz-kład. Skoro chirurdzy nadal opacznie rozumieli przyczynę infekcji, było mało prawdopodobne, że poprawnie zastosują jego metody leczenia. W trakcie tej debaty Lister wygłosił prelekcję dla Towarzystwa Medyczno-Chirurgicznego Glasgow, zwracając szczególną uwagę na to, że wysiłki wkładane w stosowanie leczenia antyseptycznego powinny się opierać na rozsądnych zasadach, a mianowicie tych, które sformu-łował Ludwik Pasteur[31].

Morton, współpracownik Listera, nie tylko dopatrywał się wad w jego metodach, lecz także nie zgadzał się z założeniem, że winą za gnicie należy obarczać drobnoustroje. Opubliko-wane badania chirurga nazwał sianiem paniki. „Przedstawia się tu przyrodę jako jakąś krwiożerczą wiedźmę – napisał – której szatańskim machinacjom trzeba przeciwdziałać. Na-leży ją zmusić do grzecznego zachowania, bo nie można już jej ufać"[32]. Nawet redaktor czasopisma „The Lancet" nie chciał używać słowa „drobnoustroje" – wolał nazywać je „septycznymi elementami zawartymi w powietrzu"[33]. Wielu chirurgom u szczytu kariery trudno było pogodzić się z tym, że być może od piętnastu czy dwudziestu lat nieumyślnie zabijają pacjentów, dopuszczając do zakażenia ran maleńkimi, niewidzialnymi żyjątkami.

Stosowanie antyseptycznych metod Listera stwarzało również problemy natury praktycznej, dlatego uważano je za zbyt skomplikowane. Poza tym stale ewoluowały. Nawet jeśli chirurdzy byli skłonni uznać, że winowajcami są drobnoustroje, wielu z nich nie potrafiło lub nie chciało naśladować metod Listera z tak dużą precyzją, jakiej wymagało osiągnięcie obiecanych rezultatów. Zostali wyszkoleni przez pokolenie chirurgów, którzy przedkładali szybkość i praktyczność nad dokładność. „Na sali operacyjnej pan Rouse od czasu do czasu przecierał ranę gąbką, zanim założył szwy, ale ponieważ nie dostrzegł żadnych płynących z tego korzyści, zarzucił ten zwyczaj", napisano w pewnym raporcie[34]. Podobnie pan Holmes Coote „nie pochwala metody Listera, którą uważa za natarczywą"[35]. Inny chirurg poinformował, że antyseptyczne leczenie metodą Listera wystarcza, żeby zlikwidować rozkład, gdy już do niego doszło, nie jest natomiast skuteczne jako środek zapobiegawczy: „Pomimo jego przeciwgnilnych właściwości nie osiągnięto takich zadowalających rezultatów"[36].

Wybitny chirurg James Paget również uzyskał niejednoznaczne rezultaty, wykorzystując antyseptyczne metody Listera w Londynie. W swoim pierwszym opublikowanym artykule na ich temat przyznał, że być może stosował je nieprawidłowo[37]. Wkrótce jednak całkowicie zdyskredytował system Listera, twierdząc, że jest niebezpieczny, zwłaszcza wtedy, gdy kwas karbolowy zbyt długo pozostaje w ranie. Tym razem Paget utrzymywał, że skrupulatnie naśladował każdy krok, „jeśli nie z całą zręcznością, z jaką [kwasu karbolowego] użyłby profesor Lister, to jednak z większą, niż mógłby być powszechnie stosowany w ramach leczenia złamań". Zdaniem Pageta antyseptyczne leczenie proponowane przez Listera „z pewnością nie przyniosło żadnych korzyści"[38].

Zważywszy na wysoką pozycję Pageta w środowisku medycznym, jego negatywna opinia była druzgocąca. Nic dziwnego, że w tej sytuacji największy opór przeciwko antyseptycznemu leczeniu metodą Listera pochodził ze stolicy. Ponieważ pojawiało się coraz więcej ocen krytycznych, redaktor czasopisma „The Lancet" zaczął się zastanawiać, dlaczego to właśnie Londyn najostrzej sprzeciwia się metodom Listera. „Czy tutaj warunki sprzyjające ropieniu są inne niż w Glasgow? – pytał żartobliwie. – A może chodzi o to, że leczenie antyseptyczne nie jest wypróbowywane z taką starannością, bez której, na co zawsze wskazuje pan Lister, nie jest skuteczne?"[39] Tak długo, jak długo inni stosowali jego metody niestarannie albo bez przekonania, zdobycie powszechnego uznania graniczyło z cudem. Lister musiał podjąć energiczniejsze działania.

10

Szklany ogród

Nowe poglądy uchodzą zawsze za podejrzane i natrafiają zwykle na sprzeciw z tej tylko racji, że nie są jeszcze przyjęte powszechnie[1].

JOHN LOCKE

James Syme przyłapał swojego asystenta na tym, że dziwnie na niego patrzy z drugiego końca pokoju. Thomas Annandale bacznie mu się przyglądał przez całe przedpołudnie, gdy on badał pacjentów w swym gabinecie lekarskim przy Shandwick Place, i zaczynało go to irytować. Dwa poprzednie miesiące okazały się dla starego chirurga bardzo trudne, toteż humor mu nie dopisywał. Była wiosna 1869 roku, Syme miał prawie siedemdziesiąt lat. W lutym zmarła niespodziewanie jego żona Jemima, w sercu męża i w domu zagościła pustka. Joseph Jackson – sam będący wdowcem – napisał do syna po usłyszeniu tej wiadomości: „Naprawdę współczuję Twojemu szanownemu teściowi w związku z tą bolesną stratą i osamotnieniem, jakie musi czuć w domu". Millbank House już nie był taki sam bez pocieszającej obecności Jemimy.

Syme wiedział, że przyjaciele i rodzina martwią się o niego, ale tamtego dnia przed południem miał wrażenie, że niepokój Annandale'a jest konkretniejszy. Godzinę wcześniej poczuł, że jego usta lekko się wykrzywiły, gdy rozmawiał z pacjentem, i że drżała mu ręka, gdy gryzmolił receptę. Nie przywiązywał jednak do tego większej wagi. Może to chwilowy nawrót jąkania, a może kwestia wieku. Tak czy inaczej, zachowanie Annandale'a zaczynało go krępować, więc postanowił to przerwać. Na wypadek gdyby młody człowiek nie zauważył tamtego drobnego incydentu, Syme powiedział głośno i wyraźnie: „Jakież osobliwe uczucie miałem przed chwilą. Poczułem, jakbym chciał się odezwać, ale nie mogłem".

Później tego samego dnia Syme przeprowadził kilka operacji w różnych częściach miasta. Przez cały czas czuł na sobie świdrujące spojrzenie asystenta. Podczas wszystkich zabiegów młodszy chirurg stał u jego boku. „Chociaż z niepokojem obserwowałem każdy ruch – powiedział później Annandale – nie potrafiłem dostrzec w zachowaniu pana Syme'a [w trakcie operacji] niczego [...] niezwykłego"[2]. Mimo to nie mógł się pozbyć wrażenia, że coś jest nie całkiem w porządku.

Późnym popołudniem obaj mężczyźni wrócili do prywatnej kliniki przy Shandwick Place. W gabinecie na Syme'a czekali syn i siostrzenica, więc miał chwilę wytchnienia od badawczego spojrzenia Annandale'a, gdy rozmawiał na osobności z bliskimi. Po krótkiej, lecz miłej pogawędce odprowadził ich do wyjścia, bo spodziewał się następnego pacjenta. Kiedy zamykał drzwi gabinetu, zauważył, że asystent podszedł do jego syna i siostrzenicy i że rozmawiają po cichu w holu.

Kilka minut później rozległ się głośny trzask, gdy Syme upadł na ziemię.

Syme doznał udaru mózgu i chociaż mógł mówić, miał sparaliżowaną lewą stronę ciała. Sytuacja wydawała się groźna, lecz osoby z jego otoczenia zachowywały optymizm. Rok wcześniej wiekowy chirurg wyzdrowiał po udarze, więc wszyscy zakładali, że za drugim razem będzie tak samo. „The Lancet" poinformował świat medyczny o wylewie, twierdząc, że nie był on poważny i że „są wielkie nadzieje na całkowity powrót do zdrowia"[3]. Kilka tygodni później czasopismo znów podało wiadomość o stanie zdrowia Syme'a, który odzyskał władzę w ręce i był teraz w stanie przechadzać się po ogrodzie. „Powtarzamy jedynie odczucia całego środowiska – napisano w dalszej części artykułu – gdy wyrażamy pragnienie, aby pan Syme dożył późnego wieku, jeśli nie po to, żeby operować z niespotykaną zręcznością, to w każdym razie po to, by dzielić się swymi jasno sprecyzowanymi opiniami dotyczącymi tych zagadnień zawodowych, w związku z którymi jego ogromne doświadczenie i wnikliwy osąd uczyniły z niego autorytet"[4].

Lister i jego żona pojechali do Edynburga, żeby dotrzymać Syme'owi towarzystwa podczas rekonwalescencji. Agnes opiekowała się chorym na zmianę z młodszą siostrą Lucy. Starszy chirurg powoli, ale wyraźnie zaczął wracać do zdrowia, lecz wkrótce zdał sobie sprawę z własnych ograniczeń. Tamtego lata zrezygnował ze stanowiska kierownika katedry chirurgii klinicznej na Uniwersytecie Edynburskim w nadziei, że jego miejsce zajmie Lister[5]. Niedługo później stu dwudziestu siedmiu studentów medycyny z tej uczelni napisało do Listera, błagając go, żeby przyjął tę posadę: „Zdecydowaliśmy się na ten krok w przekonaniu, że jest Pan najbardziej kompetentnym człowiekiem – sądząc po Pańskich wielkich dokonaniach i osiągnięciach w dziedzinie chirurgii – żeby podtrzymać wysoką rangę i renomę, które Katedra i Uniwersytet zawdzięczają panu Syme'owi"[6]. Chwalili też Listera za jego wkład w rozwój nauki i za niedawne badania nad kwasem karbolowym: „Pańska metoda leczenia antyseptycznego stanowi wyraźny początek pewnej epoki w historii brytyjskiej chirurgii i przyczyni się do nieprzemijającej chwały naszego zawodu oraz przyniesie ludzkości niewypowiedziane korzyści". Lister nie potrzebował dalszych perswazji. Zgodził się i 18 sierpnia 1869 roku został wybrany na kierownika katedry chirurgii klinicznej Uniwersytetu Edynburskiego.

Był to szczęśliwy powrót, chociaż doszło do niego w tragicznych okolicznościach. Jeden z przyjaciół Syme'a napisał wówczas do Listera: „To wielkie szczęście dla wszystkich – zwłaszcza dla pana Syme'a, któremu, jak sądzę, nie zależałoby na życiu, gdyby doszło do najgorszego, a przepadło to, co najlepsze"[7]. „The Lancet" pochwalił nominację, jednak redaktorzy czasopisma starannie unikali wyrażania aprobaty dla leczenia antyseptycznego: „Przez cały czas zdecydowanie popieraliśmy kandydaturę pana Listera. [...] Chociaż należy pohamować optymizm, jaki pojawił się w związku z jego pracami nad antyseptyką, ma on wszelkie szanse, żeby wzmocnić naukowy charakter chirurgii"[8].

W następnym miesiącu Lister i Agnes przeprowadzili się z powrotem do Edynburga. Zamieszkali tymczasowo przy Abercromby Place 17, a potem przenieśli się do okazałego domu przy Charlotte Square 9. Należał on do Syme'a, zanim chirurg przeprowadził się do Millbank House, i chociaż wynajęcie tej nieruchomości wiązało się z ogromnymi kosztami, Lister mógł sobie na to pozwolić. Przebył długą drogę od czasu, gdy był chirurgiem rezydentem.

Tymczasem drwiny z antyseptycznego systemu Listera nadal się nasilały. Wielu przedstawicieli środowiska medycznego próbowało przedstawiać go jako pretensjonalnego szarlatana, którego pomysły są w najlepszym wypadku głupie, a w najgorszym niebezpieczne[9]. W londyńskim University College Hospital chirurg John Marshall pomstował przeciwko leczeniu antyseptycznemu, gdy zaobserwował zielony mocz u kobiety, która przeszła mastektomię. Potem pojawiły się podobne doniesienia. Zdziwiły one Listera. Zdawał już sobie wtedy sprawę z niebezpieczeństwa zatrucia kwasem karbolowym, ponieważ był naocznym świadkiem jego skutków, i kilka lat wcześniej przestrzegł lekarzy, żeby rozcieńczali ten związek[10]. Miał pewność, że chodzi o jeszcze jeden przykład tego, że jego metody zawiodły, ponieważ inni stosowali je w sposób niedbały.

Autorem jednych z najbardziej krytycznych uwag był Donald Campbell Black, chirurg z Glasgow, który nazwał leczenie antyseptyczne „najnowszą zabawką medycyny"[11]. Uważał, że wyniki osiągane przez Listera są dziełem przypadku, i ostrzegał przed, jak się wyraził, „karbolomanią". Napisał, że „nie ma nic bardziej odmiennego od prawdziwego postępu w medycynie czy chirurgii" niż „konik" chirurgów w rodzaju Listera. Co więcej, Black podawał w wątpliwość, czy w Royal Infirmary rzeczywiście nastąpiła poprawa. Uzyskał od czasopisma „The Medical Times and Gazette" dane statystyczne, z których wynikało, że w ciągu ośmiu lat w tym szpitalu wskaźniki umieralności w wyniku amputacji i złamań złożonych nie uległy zmianie.

W latach 1860–1862 umierała jedna trzecia pacjentów, u których przeprowadzono amputację. Umierała również jedna czwarta tych, którzy doznali złamań złożonych, ale nie przeszli amputacji. W latach 1867–1868, czyli już po wprowadzeniu w szpitalu systemu antyseptycznego Listera, wskaźniki umieralności wyglądały podobnie, a właściwie nastąpił niewielki wzrost liczby pacjentów, którzy zmarli po amputacji[12]. Te dane statystyczne były jednak mylące, ponieważ obejmowały wszystkie przypadki śmierci w całym szpitalu. Nie każdy chirurg z Glasgow Royal Infirmary przyswoił sobie metody Listera, a nawet wśród tych, którzy je akceptowali, wielu nie stosowało ich z dbałością i konsekwencją, niezbędnymi do osiągnięcia obiecanych rezultatów. W przyszłości Lister musiał znaleźć sposób na odróżnienie własnych sukcesów od dokonań innych lekarzy z tego samego szpitala, żeby rozwiązać problem tego rodzaju rozbieżności.

Ci, którzy a k c e p t o w a l i wyniki uzyskane przez Listera, nadal mieli wątpliwości co do rzeczywistych przyczyn spadku umieralności. Niektórzy lekarze twierdzili, że jego sukces wynika z ogólnej poprawy higieny w nowym gmachu oddziału chirurgicznego szpitala, a nie tylko z wprowadzenia systemu antyseptycznego. Lister tak odpowiadał na ataki: „Zakładanie, że opisane przeze mnie tego rodzaju zmiany, które uzdrowiły sytuację w moich salach, można przypisać wspomnianym przyczynom, w ogóle nie wchodzi w grę"[13]. Wielokrotnie powtarzał, że zanim zaczął stosować kwas karbolowy, przydzielone mu sale należały do najbardziej niezdrowych w Glasgow Royal Infirmary, i posunął się nawet do twierdzenia, że „być związanym z tą instytucją jest wątpliwym przywilejem". Zdaniem Listera winę za tę sytuację całkowicie ponosili zarządzający szpitalem, ci sami, którzy zablokowali jego nominację w Royal Infirmary, gdy przeniósł się do Glasgow. Tak o tym napisał: „Byłem uwikłany w nieustanny spór z zarządem, który starając się zapewnić miejsce w szpitalu dla rosnącej liczby mieszkańców Glasgow, [...] był skłonny umieścić w nim dodatkowe łóżka"[14]. Chociaż kierownictwo szpitala nakazało usunąć wysoki mur w sąsiedztwie jego sal, żeby poprawić cyrkulację powietrza, nastąpiło to dopiero p o dziewięciu miesiącach od zapoczątkowania przez Listera leczenia pacjentów kwasem karbolowym. Uważał on zatem, że ta decyzja nie mogła wpłynąć na spadek umieralności wśród jego pacjentów. Co do ludzi, którzy przypisywali jego sukces poprawie diety i zwiększeniu racji żywnościowych w podległych mu salach, Lister napisał, że myśl, iż samą dietą można zwalczyć ropnicę, różę i gangrenę szpitalną, „raczej nie przyszłaby do głowy inteligentnemu lekarzowi"[15].

Obserwacje Listera na temat stanu Royal Infirmary w Glasgow nie uszły uwadze dyrektorom szpitala, z których wielu już wcześniej pogardzało przecierającym nowe szlaki chirurgiem. Henry Lamond, sekretarz zarządu, nie zwlekał z odpowiedzią. W liście do wydawcy czasopisma „The Lancet" napisał, że zarzuty Listera, „jeśli chodzi o rzekomo niezdrowe warunki i sytuację szpitala [...], są niesprawiedliwe i nie znajdują potwierdzenia w faktach"[16]. Zarząd uważał, że wprowadzone przez Listera leczenie antyseptyczne w bardzo niewielkim stopniu przyczyniło się do obniżenia wskaźników umieralności w szpitalu w poprzednich latach. Twierdził natomiast, że „poprawę zdrowotności i zadowalające warunki w szpitalu, co jest widoczne na oddziałach zarówno medycznym, jak i chirurgicznym, należy przypisać głównie lepszej wentylacji, poprawie żywienia oraz doskonałej opiece pielęgniarskiej, której dyrektorzy poświęcali tak wiele uwagi w ostatnich latach".

Najbardziej druzgocąca publiczna krytyka pochodziła od Thomasa Nunneleya, angielskiego chirurga z Leeds, który bardzo się szczycił tym, że nie pozwolił, aby choć jeden z jego pacjentów był leczony kwasem karbolowym. W 1869 roku podczas prelekcji dla Brytyjskiego Towarzystwa Medycznego powiedział, że antyseptyczny system Listera jest oparty na „nieuzasadnionych mrzonkach, istniejących co najwyżej w wyobraźni tych, którzy w nie wierzą"[17]. Uważał, że popieranie przez Listera teorii drobnoustrojów jest niedorzeczne: „Te spekulacje o organicznych drobnoustrojach są, obawiam się, czymś znacznie gorszym od niewinnego błędu w rozumowaniu – powiedział uczestnikom konferencji, wśród których był James Y. Simpson. – Wyrządzają one niewątpliwą szkodę, ponieważ nauczanie [...], że te straszne konsekwencje, które tak często są następstwem ran, wynikają z jednej tylko przyczyny i należy im przeciwdziałać, wyłącznie nią się zajmując [...], prowadzi do zaniedbywania owych licznych i nierzadko skomplikowanych przyczyn".

Odpowiadając na zarzuty Nunneleya, Lister z trudem skrywał oburzenie: „To, że dogmatycznie przeciwstawia się leczeniu, które tak słabo rozumie i którego, jak sam przyznaje, nigdy nie wypróbował, jest kwestią bez znaczenia"[18]. Wyczuwając rosnącą frustrację syna z powodu tych ataków, Joseph Jackson starał się go pocieszyć. W liście do niego napisał: „Bez względu na to, jak powoli i nieudolnie wprowadzane są proponowane przez Ciebie udoskonalenia, i niezależnie od tego, że Twoje opinie bywają lekceważone lub kwestionowane, jest rzeczą wielką, że dane Ci było stać się środkiem, za pomocą którego tak wielkie błogosławieństwo jak leczenie antyseptyczne zostało przedstawione innym śmiertelnikom"[19].

Podczas gdy Lister toczył wojnę na słowa ze sceptykami, ponownie nadeszły niepokojące wieści od rodziny. Kilka tygodni po przeprowadzce do Edynburga chirurg dostał wiadomość od swojego brata Arthura, który nieco wcześniej odwiedził Upton, żeby zobaczyć się z ojcem. Wyznał, że nie był „przygotowany na widok tak wielkiej zmiany u drogiego Taty"[20]. Okazało się, że Joseph Jackson był tak słaby, że ledwie starczało mu sił, by przewrócić się w łóżku na drugi bok. Miał teraz osiemdziesiąt trzy lata i choć zawsze był krzepkim mężczyzną, przez kilka ostatnich lat Lister zauważał u niego stopniowe zmiany. Parę miesięcy wcześniej dręczył go ostry kaszel, a w jednym z ostatnich listów do syna narzekał na infekcję skóry na kostce. Jeszcze wymowniejsze było to, że niegdyś wyraźne i staranne pismo ojca robiło się coraz bardziej nieczytelne, co stanowiło niewątpliwą wskazówkę, że osiemdziesięciolatek zaczyna mieć problemy z koordynacją ruchów. Podobne trudności miał Syme po udarze.

Lister spakował bagaż i wyruszył do Londynu. Przyjechał w samą porę. Pięć dni później, 24 października 1869 roku, Joseph Jackson zmarł. Lister boleśnie odczuł tę stratę. Ilekroć

się martwił i wahał, co począć ze swoim życiem i jak pokie-
rować karierą, Joseph Jackson służył mu za wzór i był głosem
rozsądku. Gdy Lister rozważał porzucenie studiów medycznych i zostanie kwakierskim pastorem, ojciec przewidział, że
ta droga nie jest dla niego odpowiednia, i delikatnie skierował
syna na właściwą. W późniejszych latach Listerowi miało
brakować cennych rad ojca.

Pogrążony w głębokim żalu napisał do swojego szwagra
Rickmana Godlee i opowiedział mu dziwny sen, który przy-
śnił mu się ostatniej nocy spędzonej w domu rodzinnym.
W tym śnie wyszedł ze swojej sypialni w Upton House, a kiedy zszedł na dół, został gorąco powitany przez ojca. „Uścisnął
mi serdecznie dłoń i pocałował mnie, jak to miał w zwyczaju, gdy byłem mały", napisał[21]. Zamienili parę słów, a potem
Lister spytał ojca, czy dobrze spał po długiej podróży. Joseph
Jackson odparł, że nie, ale że czuje się całkiem dobrze, i obaj
się ucieszyli. Lister zauważył wtedy, że ojciec ściska w dłoni
jakąś małą książeczkę, i domyślił się, że zawiera ona notatki
z tej podróży. Właśnie wtedy się zbudził i pomyślał, że bardzo chciałby je przeczytać.

Zakończył list szczerym, niemal poetyckim życzeniem:
„Obym tylko Cię spotkał na tym spokojnym brzegu".

Dwa tygodnie po śmierci ojca Lister wygłosił wykład inau-
guracyjny dla swych nowych studentów na Uniwersytecie
Edynburskim. Złożył hołd Syme'owi, który był obecny na sali.
„Możemy się wszyscy cieszyć, że nasz mistrz wciąż jest wśród
nas", powiedział, być może myśląc o własnym ojcu[22]. Potem
zwrócił się do młodych ludzi tymi słowami: „[Ponieważ mam]

swobodny dostęp do niewyczerpanej skarbnicy mądrości i doświadczenia [Syme'a], w pewnym sensie nadal będzie on, za moim pośrednictwem, waszym nauczycielem".

Stan zdrowia Syme'a stale się pogarszał. Kilka miesięcy po wykładzie inauguracyjnym Listera stary chirurg stracił mowę. Stracił również zdolność przełykania, co było groźne w czasach, kiedy nie istniały jeszcze rurki do karmienia. Nie ulegało wątpliwości, że tym razem Syme nie wróci do zdrowia. 26 czerwca 1870 roku „Napoleon chirurgii" zmarł.

Po odejściu tak wybitnego specjalisty świat medyczny pogrążył się w żałobie. Autorzy piszący do czasopisma „The Lancet" ubolewali, że „wraz z panem Syme'em umiera jeden z najznamienitszych myślicieli i być może najlepszy nauczyciel chirurgii na świecie. [...] Nie zostanie zapomniany, dopóki nie umrze ostatni z jego uczniów, a jako chirurg będzie pamiętany dopóty, dopóki ludzie będą potrzebowali sztuki chirurgii"[23]. W podobnym tonie napisali o nim wydawcy „British Medical Journal": „Nie może być żadnych wątpliwości co do umieszczenia pana Syme'a w pierwszym szeregu naszych współczesnych chirurgów"[24].

Lister opłakiwał tę śmierć bardziej niż inni. W ciągu roku stracił dwie bliskie osoby, które były dla niego autorytetami. Teraz, gdy odszedł Syme, zostało już niewielu starszych chirurgów, z którymi mógłby się konsultować. Siostrzeniec Listera napisał później, że dopóki żył, Syme był uznawany za „pierwszego chirurga w Szkocji". Po jego śmierci można się było spodziewać, że kiedyś ten zaszczyt przypadnie w udziale Josephowi Listerowi.

*

Na razie środowisko medyczne raczej nie chciało zaakceptować myśli, że choroby są wywoływane przez jakieś mikroskopijne organizmy. Jak trafnie zauważył jeden z asystentów Listera: „Nowe wielkie odkrycie naukowe zawsze ma tendencję do zostawiania po sobie licznych ofiar w postaci reputacji tych, którzy byli orędownikami starszej metody. Trudno im wybaczyć człowiekowi, którego praca sprawiła, że ich własna przestała się liczyć"[25]. Lister rozumował, że skoro starszym chirurgom niełatwo było „oduczyć się" stosowanych od dziesięcioleci praktyk, znacznie łatwiej będzie mu nawrócić na swoje teorie i metody nowych studentów. Pozyskał już rzeszę oddanych zwolenników w Glasgow, a teraz miał nadzieję, że to samo uda mu się w Edynburgu.

Najważniejszą cechą prowadzonych przez niego zajęć było posługiwanie się przykładami. Jego wykłady często koncentrowały się na teoriach powstawania stanu zapalnego, uzupełnianych studiami przypadków i pokazami laboratoryjnymi. Oferował słuchaczom skarbnicę zaleceń, przestróg i ilustracji, a wszystko to opierało się na jego własnych doświadczeniach. Przyprowadzał nawet pacjentów do sali operacyjnej, gdy miał zajęcia ze studentami na terenie szpitala. Celem Listera nie było wyliczanie faktów, lecz wpajanie zasad. Pewien student wspominał, że chociaż temat był dla niego nowy, „fakty zostały przedstawione w sposób tak klarowny i logiczny, że trudno było sobie wyobrazić, by ta kwestia mogła mieć jeszcze jakąś inną stronę"[26]. William Watson Cheyne – który został później słynnym chirurgiem i orędownikiem antyseptyki – zwrócił uwagę na różnicę między zajęciami z chirurgii systematycznej prowadzonymi przez Listera a takimi samymi prowadzonymi przez innego profesora w czasach, gdy on sam studiował w Edynburgu. Te drugie okazały się „bardzo nudnymi wykładami pełnymi dziwacznych teorii dotyczących reakcji organizmu na stan zapalny", napisał i dodał: „Dla mnie były zupełnie niezrozumiałe". Pierwsze zrobiły na nim zupełnie inne wrażenie: „[Byłem] oczarowany wspaniałą wizją przedstawioną nam przez Listera". Już pierwszego dnia zajęć Cheyne wyszedł z sali wykładowej „pełen entuzjazmu do zawodu"[27].

Studenci Listera wiele się spodziewali po swoim nauczycielu, a on z kolei wiele się spodziewał po nich. Podporządkowywał sobie słuchaczy niczym policjant. Jak to było w zwyczaju w tamtych czasach, studenci przychodzący na wykład okazywali kartę z wypisanym swoim nazwiskiem. Pozwalało to wykładowcy odnotowywać nieobecności. Posługując się tym systemem, Lister nie wpuszczał na zajęcia tych, którzy często je opuszczali. Osobiście odbierał karty wstępu przy drzwiach, gdy młodzi ludzie wchodzili jeden za drugim do jego sanktuarium. Chciał się w ten sposób upewnić, że żaden student nie odda karty za nieobecnego kolegę – była to powszechna praktyka, której Lister nie znosił. „Wszystko, co skłania człowieka do myślenia, że to obojętne, gdy pisze lub wypowiada kłamstwo, jest niezwykle szkodliwe – napisał. – Zacznie później pisać kłamstwa z tą samą obojętnością"[28]. Zamykał również drzwi do sali wykładowej, żeby nie przeszkadzali mu spóźnialscy. „Ze wszystkimi wejściami czy wyjściami robię tak, aby nikt nie mógł się dostać do sali po pewnej godzinie – wyjaśnił – a studenci mogą wychodzić tylko jednymi drzwiami"[29].

Wielu profesorów Uniwersytetu Edynburskiego było znanych z tego, że dawali się ponieść nerwom i wypadali jak burza z sali wykładowej, gdy nie potrafili utemperować niesfornych studentów. Lister jednak, w przeciwieństwie do swoich kolegów, potrafił zapanować nad słuchaczami. Jego sala wykładowa była świętym miejscem, w którym ludzie mogli się gromadzić, by oddawać cześć nauce. Jak powiedział jeden z dawnych uczniów Listera: „W jego obecności można było usłyszeć, jak szpilka spada na podłogę; przykuwał uwagę i rzucał na wszystkich czar powagi i rzetelności"[30]. Ów czar prysł tylko raz, kiedy jakiś młody człowiek „głośno i mentorskim tonem" zażartował z antyseptycznej metody Listera. Profesor podniósł wzrok na dowcipnisia i posłał mu smutne, pełne politowania spojrzenie. Miało ono magiczną moc, powiedział ten sam student, zauważając, że rok później wspomniany krzykacz zmarł na porażenie postępujące. „Nic wtedy nie wiedzieliśmy o krętkach [bakteriach wywołujących kiłę], więc sugerowano w żartach, że Jowisz ukarał go za świętokradztwo".

Te same wysokie wymagania, które Lister stawiał studentom, dotyczyły również jego asystentów chirurgicznych. Pewnego dnia zrobił scenę, gdy zajmując się pacjentem w sali szpitalnej, poprosił dressera o nóż. Ten podał skalpel, a Lister starannie sprawdził ostrze na swojej dłoni i uznał, że jest wadliwe. Powoli i z powagą przeszedł przez salę i wrzucił narzędzie do ognia. Następnie ponowił prośbę. Instrumentariusz znów podał mu skalpel, który Lister ponownie wyrzucił do kominka. „Pacjenci byli zdumieni niecodziennym widokiem profesora palącego własne narzędzia; studenci ożywili się, zerkając to na Listera, to na mnie, a tych, którzy stali najdalej, nagle niezmiernie zaciekawiło, o co w tym wszystkim chodzi", napisał później ów dresser. Lister wrócił do pacjenta i raz jeszcze poprosił o nóż. Wystraszony, roztrzęsiony młody człowiek podał mu trzeci skalpel. Ten został w końcu przyjęty. Lister popatrzył dresserowi prosto w oczy i udzielił mu nagany: „Jak śmiesz dawać mi taki nóż, bym go użył na tym nieszczęśniku? Chyba nie chciałbyś, żeby użyto go na tobie?"[31].

Lister miał powody, żeby być surowy dla studentów i asystentów. Każdy udany zabieg i każde udane zastosowanie opatrunku antyseptycznego służyły za dowód przeciwko doktrynie samorództwa. Życie nie powstaje samoistnie, o czym jego studenci mogli się łatwo przekonać, gdy nie dochodziło do infekcji. Być może raporty Listera publikowane przez „The Lancet" nie wystarczały, żeby przekonać niektórych chirurgów o słuszności teorii drobnoustrojów, ale studenci za każdym razem, gdy towarzyszyli mu podczas obchodu w szpitalu, widzieli na własne oczy, że system antyseptyczny działa. Jeśli uznać, że widzieć to uwierzyć, Lister tworzył grupę wiernych uczniów: ludzi, którzy po ukończeniu studiów mieli rozpowszechniać jego idee poza murami uczelni. Jego zwolennicy, których później zaczęto nazywać listerianami, mieli wkrótce zdominować brytyjskie oddziały chirurgiczne i sposób myślenia o chirurgii, szerząc doktrynę antyseptyki z nabożnym oddaniem.

Ogłoszenie przez Listera zasad systemu antyseptycznego w 1867 roku było zaledwie początkiem jego badań nad gnijącymi ranami[32]. Nadal eksperymentował z kwasem karbolowym, co wiązało się z ciągłym korygowaniem metod i wprowadzaniem poprawek. Rzeczywiście studenci Listera – którzy uczestniczyli w takim czy innym pokazie, koncentrując się na jakiejś jednej metodzie, a potem odkrywali, że od ostatniego spotkania profesor zdążył już opracować nową – nauczyli się oczekiwać takich zmian. Ich zdaniem podkreślały one znaczenie eksperymentowania w medycynie i dowodziły, że przenikliwość badawcza i dokładność mogą prowadzić do postępu w chirurgii.

Od samego początku Lister opowiadał się za kompleksową sterylizacją kwasem karbolowym wszystkiego, od narzędzi po ręce chirurga, chociaż takie postępowanie doprowadziło z czasem do uszkodzenia skóry na jego własnych dłoniach. Okazało się jednak, że podwiązki chirurgiczne – niezbędne do związywania naczyń krwionośnych podczas amputacji albo odcinania dopływu krwi do tętniaków – nadal stwarzały problemy, nawet gdy Lister zaczął je zanurzać w kwasie karbolowym. W tamtych czasach przyjęło się mocno zawiązywać podwiązki i zostawiać jeden lub oba końce na tyle długie, żeby wystawały z rany. Chirurdzy robili tak częściowo dlatego, żeby ułatwić drenaż rany, a częściowo po to, żeby łatwiej było usunąć podwiązkę, gdy już rana się zagoi. Niestety metoda ta sprzyjała również zakażeniom.

Lister doszedł do wniosku, że gdyby udało mu się wyeliminować infekcje, zniknęłaby konieczność drenowania ran, a zatem końcówki podwiązek nie musiałyby zwisać na zewnątrz. Potrzebował jakiegoś mocnego elastycznego materiału, który łatwo dałoby się zawiązywać i który albo stawałby się obojętny dla organizmu, albo byłby przez niego w jakiś sposób wchłaniany. Początkowo wybrał jedwabne nici nasączone kwasem karbolowym, ponieważ istniało niewielkie prawdopodobieństwo, że ich gładka powierzchnia podrażni tkanki. Rozciął szyję koniowi i związał główną tętnicę przy użyciu jedwabnej podwiązki. Sześć tygodni później koń niespodziewanie zdechł z jakiegoś powodu niezwiązanego z tym zabiegiem. Lister był wtedy przeziębiony i leżał w łóżku, więc poprosił swojego asystenta Hectora Camerona, żeby wyciął lewą stronę szyi konia, a potem przyszedł do niego jeszcze tego samego dnia. O jedenastej wieczorem Cameron przyniósł ów wycinek niedomagającemu chirurgowi, który zwlókł się z łóżka i pracował do wczesnych godzin porannych, żeby wyizolować podwiązany obszar. Oględziny potwierdziły jego przypuszczenia: jedwab pozostał na miejscu, ale teraz był obrośnięty włóknistą tkanką.

Wkrótce nadarzyła się okazja przetestowania jedwabnych podwiązek chirurgicznych na człowieku. Do Listera zgłosiła się kobieta cierpiąca z powodu tętniaka w nodze. Chirurg nasączył jedwabną nić kwasem karbolowym, a następnie użył jej do podwiązania tętnicy, która dostarczała krew w rejon obrzęku. Pacjentka przeżyła, lecz dziesięć miesięcy później zmarła w wyniku pęknięcia drugiego tętniaka. Lister zdobył ciało i przeprowadził sekcję zwłok. Odkrył, że jedwabna podwiązka została wchłonięta, lecz w pobliżu otworu zgromadziła się niewielka ilość ropy, która jak się obawiał, była zaczątkiem ropnia[33]. Jedwabne podwiązki chirurgiczne najwyraźniej nie były rozwiązaniem na dalszą metę, na co liczył. W tej sytuacji zainteresował się innym materiałem organicznym: katgutem.

Katgut to rodzaj włókna wytwarzanego z jelit owiec lub kóz, chociaż czasami może być produkowany także z wnętrzności bydła, świń, koni, mułów czy osłów. Lister ponownie przetestował podwiązkę na zwierzęciu, zanim zastosował ją u człowieka. Tym razem wybrał cielę. Jego siostrzeniec

Rickman John Godlee asystował mu podczas eksperymentu: „Zachowałem w pamięci żywe wspomnienie tej operacji
[...] golenia i oczyszczania [nacinanej] części ciała, drobiazgowego przywiązywania wagi do każdego antyseptycznego
szczegółu, opatrunku zrobionego z ręcznika nasączonego olejem karbolowym; i alabastrowego Buddy mojego
dziadka na gzymsie kominka, kontemplującego z nieodgadnionym spojrzeniem przysługę wyświadczaną przez zwierzę człowiekowi"[34]. Miesiąc później cielę zostało zarżnięte,
mięso rozdzielone między asystentów Listera, a tętnica poddana oględzinom. Podwiązka z katgutu została całkowicie
wchłonięta przez okoliczne tkanki.

Niestety kiedy Lister zaczął testować katgut na ludziach,
odkrył, że ów materiał jest wchłaniany tak szybko, że naraża to pacjenta na niebezpieczeństwo wystąpienia wtórnego
krwotoku. Prowadził doświadczenia z najrozmaitszymi roztworami kwasu karbolowego i w końcu udało mu się spowolnić ten proces. Gdy opublikował w „The Lancet" raport na ten
temat, redaktorzy czasopisma skomentowali to w ten sposób,
że podwiązki będą prawdopodobnie „czymś znacznie ważniejszym niż zwykły przyczynek do praktyki chirurgicznej",
ponieważ dowodzą, że martwa substancja organiczna może
zostać wchłonięta przez żywy organizm[35]. Katgut szybko
stał się standardowym elementem leczenia antyseptycznego
Listera i był jednym z wielu przykładów ewoluowania jego
systemu w tamtych pierwszych latach.

Prawdę powiedziawszy, obsesja Listera na punkcie udoskonalania podwiązek z katgutu trwała przez całą jego karierę[36]. Po przeniesieniu się do Edynburga zaczął skrupulatnie
spisywać uwagi dotyczące prowadzonych doświadczeń

w trzystustronicowych notatnikach w formacie folio. Zanim odszedł na emeryturę, zapisał cztery. Pierwszy wpis w pierwszym z tych notatników, z 27 stycznia 1870 roku, dotyczy katgutu, a uwagi badawcze kończą się w 1899 roku wnioskami na ten sam temat.

Ponieważ metody Listera ewoluowały, sceptycy uznali te nieustanne modyfikacje za przyznanie z jego strony, że pierwotny system nie działa. Nie widzieli w tych korektach elementu naturalnego postępu procesu naukowego. James Y. Simpson ponownie wywołał kontrowersje, proponując niemal fatalistyczne podejście do problemu nękającego brytyjskie szpitale. Utrzymywał, że jeśli nie da się zapanować nad zakażeniami krzyżowymi, powinno się od czasu do czasu burzyć szpitale i budować nowe. Z poglądem tym zgodził się nawet dawny nauczyciel Listera John Eric Erichsen. „Gdy szpital zostanie nieuleczalnie zakażony ropnicą, nie da się go odkazić żadnymi znanymi środkami higienicznymi, jakby chodziło o odkażenie starego sera, żeby pozbyć się robaków, które się w nim zalęgły", napisał. Opowiadał się za masowym „burzeniem zainfekowanych gmachów"[37].

Niezależnie od oporu, jaki napotykał Lister, popierali go podobnie myślący ludzie, którzy uznawali rewolucyjny charakter jego badań. Początkowo opracowany przez niego system antyseptyczny zyskał większe uznanie na kontynencie niż w Wielkiej Brytanii, do tego stopnia, że w 1870 roku Lister został poproszony zarówno przez Francuzów, jak i przez Niemców o wskazówki dotyczące leczenia rannych żołnierzy walczących na wojnie francusko-pruskiej[38]. Niemiecki lekarz Richard von Volkmann stał się gorącym zwolennikiem

Listera, ponieważ w swoim szpitalu w Halle – przepełnionym rannymi na wojnie żołnierzami i tak opanowanym przez infekcje, że jego zamknięcie wydawało się nieuchronne – osiągnął zdumiewające rezultaty dzięki zastosowaniu metod angielskiego chirurga. W efekcie system Listera został przejęty przez innych europejskich chirurgów, na przykład Duńczyka M. H. Saxtorpha, który doniósł mu w liście o swoich sukcesach. Lister, wyposażony w takie świadectwo, ponaglał londyńskich chirurgów, którzy byli najbardziej krytyczni wobec leczenia antyseptycznego: „Może się wydać dziwne, że takie rezultaty osiągnięto w Kopenhadze, podczas gdy jak dotąd w tak niewielkim stopniu przybliżono się do nich w stolicy Anglii"[39].

Chirurdzy z ojczyzny Listera powoli, lecz systematycznie zaczynali występować w jego obronie. Jednym z nich był Thomas Keith, pionier owariektomii, która była niebezpiecznym zabiegiem polegającym na wycięciu guzów jajnika w jamie brzusznej. Przez większą część XIX wieku owariektomia budziła ogromne kontrowersje. Tych, którzy odważyli się podjąć tak inwazyjnego zabiegu, przezywano rozpruwaczami brzucha ze względu na długie nacięcie wykonywane w brzuchu pacjentki, często stające się źródłem posocznicy[40].

Keith bronił Listera przed wcześniejszymi atakami Donalda Campbella Blacka, który nie tylko wyraził się lekceważąco o jego badaniach, nazywając je najnowszą zabawką medycyny, lecz także wymienił nazwisko Keitha przy okazji krytykowania systemu antyseptycznego. Keith odpowiedział Blackowi na łamach „British Medical Journal". Wbrew temu, co Black dawał do zrozumienia, Keith opatrywał rany, stosując nowe metody: „dokładnie tak, jak widziałem, że postępuje pan Lister"[41]. Robił to z wielkim powodzeniem. Był skonsternowany tym, że Black, chirurg z Glasgow, atakuje kolegę, który podniósł prestiż uczelni medycznej z tego miasta i ją rozsławił. Jego zdaniem przyszłość należała do systemu antyseptycznego: „Myślę, że dopiero teraz zaczynam sobie uświadamiać, jak antyseptyczna metoda pana Listera i jego nasączone karbolem podwiązki zwierzęce przysłużą się jeszcze chirurgii". Również E. R. Bickersteth, chirurg z Royal Infirmary w Liverpoolu, doniósł o licznych przypadkach, w których skutecznie zastosował antyseptyczne podwiązki z katgutu. W jego opinii metoda antyseptyczna to „ogromny krok ku doskonałości naszej sztuki"[42].

Do tego czasu Lister zdążył już odpowiedzieć na zarzuty, że wskaźnik umieralności w Glasgow Royal Infirmary nie zmniejszył się po wprowadzeniu leczenia antyseptycznego. Porównał liczbę zgonów w swoich salach w latach 1864 i 1866 z danymi z lat 1867–1868, gdy już zaczął stosować kwas karbolowy. Ustalił, że szesnastu spośród trzydziestu pięciu pacjentów, którzy w 1864 i 1866 roku przeszli amputację kończyn, zmarło przed wprowadzeniem leczenia antyseptycznego, w porównaniu z zaledwie sześcioma na czterdziestu w późniejszych latach.

To sprawozdanie skłoniło redaktora czasopisma „The Lancet" do zaapelowania do londyńskich szpitali, żeby po raz drugi przetestowały antyseptyczne metody Listera „uczciwie i rozstrzygająco"[43]. Zaproponował, aby doświadczenia nadzorowali studenci Listera. To, co udało się w Glasgow, „powinno być osiągalne w Londynie", doszedł do wniosku redaktor. I tak w 1870 roku wszystkie oczy były zwrócone na stolicę.

*

Tymczasem w Edynburgu John Rudd Leeson, który niedawno zdobył dyplom chirurga, zbliżał się do domu Josepha Listera. Był wyraźnie zdenerwowany. Sam dom przypominał twierdzę otoczoną „fosą, co sprawiało, że Lister był jeszcze bardziej niedostępny", niż to się wcześniej wydawało młodemu człowiekowi wchodzącemu po szerokich schodach prowadzących do drzwi frontowych. Przyszedł zapytać, czy Lister zechciałby umieścić jego nazwisko na liście oczekujących, którzy ubiegali się o stanowisko dressera sławnego profesora w szpitalu. Chociaż Leeson bywał w salach podległych Listerowi, musiał jeszcze porozmawiać bezpośrednio z człowiekiem, którego tak bardzo podziwiał[44].

Kamerdyner – surowy mężczyzna, który swoją postawą zasłużył na przezwisko „pan Maczuga" – wprowadził go do prywatnego gabinetu Listera i zamknął za nim drzwi. Młody chirurg znalazł się w okazałym pokoju zdominowanym przez mahoniowe oszklone biblioteczki i duże okna wychodzące na północ. Lister wstał zza biurka, żeby przywitać gościa, który „instynktownie poczuł", jakby był „w obecności [...] ucieleśnienia szczytnego celu". Starszy chirurg uspokoił zdenerwowanego nowicjusza, posyłając mu – jak napisał później Leeson – „uroczy i ujmujący uśmiech". Po krótkiej rozmowie Lister wyjął z jednej z szuflad biurka niewielki notes i zapisał w nim nazwisko mężczyzny. Powiedział mu, że pracę w charakterze jego dressera może zacząć następnej zimy.

Gdy Leeson odwrócił się, żeby wyjść, zauważył coś dziwnego na stole pod oknem. Znajdowało się tam kilka rzędów połyskujących w słońcu, przykrytych szklanymi kloszami probówek do połowy wypełnionych rozmaitymi płynami i zatkanych watą – szklany ogród Listera. „Był to osobliwy zbiór, jakiego nigdy nie widziałem; nie potrafiłem się ani trochę domyślić, do czego służyły albo dlaczego zatkano je watą – napisał później Leeson. – Z mojego doświadczenia z probówkami wynikało, że zawsze miały otwarty wylot, i nie przypominam sobie, żebym kiedykolwiek widział je zamknięte".

Dostrzegłszy nagłe zaciekawienie na twarzy młodego chirurga, Lister natychmiast do niego podszedł, zachwycony, że może mu pokazać swoją dziwną kolekcję płynów. Zwrócił mu uwagę, że niektóre są mętne i pokryte pleśnią, podczas gdy inne zachowały przejrzystość. „Próbowałem okazać inteligentne zainteresowanie – wyznał Leeson – ale nie miałem najmniejszego pojęcia, o co w tym wszystkim chodzi". Gdy profesor rozwodził się nad swoimi najnowszymi doświadczeniami dotyczącymi przyczyn gnicia, Leeson nie mógł się nadziwić, że słynny chirurg ma czas, żeby zajmować się tak nieistotnymi i nietypowymi sprawami.

Mając nadzieję zrobić dobre wrażenie na zakończenie spotkania, Leeson gorączkowo szukał jakiegoś tematu do sensownej rozmowy. Jego wzrok padł wtedy na duży mikroskop Powell and Lealand stojący na biurku Listera. Powiedział profesorowi, że powszechnie szanowany osiemdziesięcioletni asystent z St. Thomas' Hospital w Londynie, który uczył go anatomii, używał podobnego przyrządu. Podekscytowanemu Listerowi rozbłysły oczy: wzmianka o mikroskopie „jakby przywróciła go do rzeczywistości". Z zapałem gawędził z Leesonem o znaczeniu tego przyrządu dla przyszłości chirurgii.

„Nie miałem najmniejszego pojęcia, że [mikroskop] ma
jakiś związek z zatkanymi probówkami", przyznał po latach
Leeson. Chociaż świeżo dyplomowany chirurg spędził dwa
i pół roku w jednym z największych i najbardziej postępowych londyńskich szpitali, tak to później wspominał: „Nigdy
nic nie słyszałem o mikrobach [...] i z pewnością absolutnie
nie zdawałem sobie sprawy, że mają coś wspólnego z medycyną lub chirurgią". Rola wiedzy i metodologii naukowej
w praktyce medycznej – które miały zasadnicze znaczenie
dla przekształcenia zawodu chirurga ze sztuki rzeźnickiej
w przyszłościową dyscyplinę – nie została jeszcze ugrunto-
wana, ale do Listera zaczynało się uśmiechać szczęście.

11

Ropień królowej

Prawda z jego ust zwyciężyła, ostra niczym brzytwa,
A głupcom, co szydzić przyszli, pozostała modlitwa[1].

OLIVER GOLDSMITH

4 września 1871 roku powóz Listera zatrzymał się przed
okazałym wejściem do zamku Balmoral, stojącego w samym centrum rozległej posiadłości królowej Wiktorii
w górzystym regionie północnej Szkocji. Dzień wcześniej
profesor otrzymał pilną wiadomość telegraficzną nakazującą
mu stawienie się w tej rezydencji królewskiej. Królowa była
poważnie chora. Ropień, który utworzył się pod pachą, urósł
do rozmiarów pomarańczy i miał już piętnaście centymetrów
średnicy. Po śmierci Syme'a Lister był najbardziej znanym
chirurgiem w Szkocji, więc to zupełnie naturalne, że konsultowano z nim tak poważną sprawę jak zdrowie władczyni.

Kłopoty Wiktorii zaczęły się kilka tygodni wcześniej, gdy
rozbolało ją gardło. Niedługo potem poczuła ból w prawym
ramieniu połączony z opuchlizną. Nieco później żaliła się
w swoim dzienniku: „[…] z ręką nie jest lepiej i nie pomaga żadna terapia. Próbowano już wszystkiego"[2]. Jej lekarze
błagali, żeby pozwoliła sprowadzić chirurga, ona jednak,

nie zdając sobie sprawy z powagi sytuacji, sprzeciwiła się, choć obiecała to przemyśleć. Parę dni później, gdy ból stał się nie do zniesienia, Wiktoria w końcu wyraziła zgodę.

Sumienny chirurg przywiózł ze sobą wszystko, czego potrzebował do operacji, w tym swój najnowszy wynalazek: rozpylacz karbolowy. Pomysł skonstruowania takiego urządzenia przyszedł mu do głowy kilka miesięcy wcześniej i zrodził się częściowo dzięki serii doświadczeń przeprowadzonych przez brytyjskiego fizyka Johna Tyndalla. Przepuszczając przez powietrze skupioną wiązkę światła, Tyndall wykazał wysoką zawartość kurzu unoszącego się w atmosferze. Zauważył jednak, że gdy powietrze było pozbawione cząstek pyłu, światło znikało. Następnie, dzięki podgrzewaniu, uzyskał próbkę powietrza wolnego od kurzu i dowiódł, że wystawione na jej działanie substancje podatne na gnicie pozostają sterylne, podczas gdy kontakt z powietrzem zawierającym kurz prowadzi wkrótce do skażenia ich bakteriami i pleśnią. Fizyk ze zdumieniem mówił o ilości różnych cząstek zawartych w powietrzu, które „kłębią się [...] w naszych płucach w każdej godzinie i minucie naszego życia", i wyraził zaniepokojenie wpływem, jaki mogą mieć zwłaszcza na narzędzia chirurgiczne[3]. To tylko jeszcze mocniej utwierdziło Listera w przekonaniu, że w środowisku szpitalnym należy niszczyć drobnoustroje zawarte w powietrzu. Rozpylacz karbolowy został zatem zaprojektowany z myślą o sterylizowaniu powietrza wokół pacjenta, zarówno w trakcie operacji, jak i później, podczas zmiany opatrunków. Miał jednak jeszcze inne zastosowanie. Lister uważał, że rozpylacz ograniczy potrzebę bezpośredniego przemywania rany kwasem karbolowym, co często niszczyło skórę i zwiększało ryzyko powstania stanu zapalnego i infekcji.

Początkowo ów przyrząd był urządzeniem ręcznym, ale, podobnie jak wszystkie wynalazki Listera, przeszedł za jego życia kilka modyfikacji. W jednej z późniejszych postaci – przezwanej oślą machiną – duży miedziany atomizer spoczywał na trójnogu mniej więcej metrowej wysokości. Trzydziestocentymetrowy uchwyt u góry pozwalał kierować mgiełkę w odpowiednią stronę. To nieporęczne urządzenie ważyło ponad cztery kilogramy i musiało być przenoszone przez asystentów Listera, którzy obsługiwali je na zmianę podczas długich godzin spędzanych w sali operacyjnej. Jeden z jego dawnych studentów napisał, że „obywatele Edynburga przywykli do widoku jadącego ulicami miasta [Listera], siedzącego niewygodnie w swoim krytym powozie obok tego potężnego narzędzia toczonej przez niego walki"[4].

Nawet jeśli urządzenie wyglądało komicznie, zastosowanie rozpylacza karbolowego stanowiło znaczący moment w historii medycyny. Wcześniej krytycy mogli wytykać Listerowi, że jego system antyseptyczny jest jedynie rozszerzeniem tradycyjnych metod polegających na oczyszczaniu ran takim czy innym środkiem odkażającym. Atomizer natomiast wskazywał na jego przywiązanie do teorii drobnoustrojów, a konkretnie tej, którą przedstawił Ludwik Pasteur. Do tamtej pory niewiele uczyniono w kwestii rozróżniania jednego rodzaju bakterii od innego, a tym bardziej odróżnienia bakterii chorobotwórczych od nieszkodliwych. Lister zaprzestał używania rozpylacza karbolowego dopiero kilkadziesiąt lat później, gdy niemiecki fizyk i mikrobiolog Robert Koch opracował metodę barwienia i hodowania bakterii na szalce Petriego (naczyniu laboratoryjnym nazwanym imieniem jego asystenta Juliusa Petriego). Umożliwiło to Kochowi przyporządkowanie poszczególnych mikroorganizmów do konkretnych chorób i wysunięcie teorii, że istnieją różne gatunki bakterii, a każdy z nich wywołuje jedyny w swoim rodzaju syndrom kliniczny. Posługując się tą metodą, dowiódł, że patogeny przenoszone przez powietrze nie są głównym sprawcą zakażenia ran, co oznaczało, że sterylizowanie powietrza jest daremne.

W 1871 roku Lister był jednak wielkim zwolennikiem tej metody, dlatego gdy wezwano go do łoża królowej, przywiózł ze sobą rozpylacz karbolowy. Kiedy wchodził do wspaniałej komnaty sypialnej Wiktorii w zamku Balmoral, miał pewność, że jego system antyseptyczny ratuje życie. Mimo to zastosowanie kwasu karbolowego u pacjentów szpitala, a nawet u własnej siostry, było czymś zupełnie innym niż zastosowanie go w leczeniu królowej. Reputacja profesora zostałaby zrujnowana, gdyby podjęte przez niego działania doprowadziły do trwałego uszkodzenia ciała monarchini. Lister musiał się poważnie zaniepokoić, kiedy zbadał Wiktorię i uświadomił sobie, że sytuacja jest teraz krytyczna. Gdyby ropień przybrał groźniejszą postać, mogłoby się wdać jakiegoś rodzaju zakażenie, co doprowadziłoby do śmierci królowej.

Wiktoria niechętnie wyraziła zgodę na poddanie się operacji. Robiąc później wpis w swoim dzienniku, wyznała: „Byłam okropnie zdenerwowana, bo źle znoszę ból. Miałam dostać chloroform, ale niezbyt dużo, bo wcale nie jest ze mną dobrze"[5]. Rzeczywiście miała pozostać na wpół przytomna, ponieważ Lister postanowił nie podawać królowej dużej dawki środka znieczulającego ze względu na jej zły stan zdrowia.

Lister poprosił o pomoc królewskiego lekarza Williama Jennera, któremu powierzył zadanie obsługiwania rozpylacza karbolowego podczas zabiegu. Gdy sam zaczął dezynfekować narzędzia chirurgiczne, ręce i chore miejsce pod ramieniem królowej, Jenner rozpylał w powietrzu mgiełkę kwasu karbolowego, wypełniając pokój charakterystyczną wonią słodkiego dziegciu. Kiedy Lister uznał, że powietrze w bezpośredniej bliskości chorej jest nasycone wystarczającą ilością środka dezynfekującego, wykonał głębokie nacięcie w ropniu Wiktorii. Z rany trysnęły krew i ropa. Chirurg ostrożnie oczyścił rozcięcie, a Jenner nadal energicznie pompował karbol, pokrywając wszystkich w pobliżu białymi obłokami tej żrącej substancji. W pewnym momencie lekarz, szamocząc się z nieporęczną machiną, niechcący rozpylił mgiełkę kwasu w kierunku twarzy królowej. Gdy się poskarżyła, odparł półżartem, że on jest tylko człowiekiem, który obsługuje miech. Po zakończeniu zabiegu Lister starannie zabandażował ranę i pozwolił wypocząć wyczerpanej władczyni.

Następnego dnia, kiedy Lister zmieniał Wiktorii opatrunek, zauważył, że pod kawałkiem płótna, które umieścił na ranie pooperacyjnej, zgromadziła się ropa. Musiał działać szybko, żeby zapobiec infekcji. Rzuciwszy okiem na atomizer, wpadł na pewien pomysł. Wyjął z urządzenia gumową rurkę, zanurzył ją na noc w kwasie karbolowym, a następnego dnia rano wprowadził do rany, żeby odsączyć ropę. Dzień później siostrzeniec Listera napisał, że jego wuj „ucieszył się, widząc, że nic nie wycieka [z rany], jeśli nie liczyć jednej czy dwóch kropli czystej surowicy"[6]. Sam Lister twierdził potem, że wtedy po raz pierwszy zastosował tego rodzaju dren[7]. Jego pomysłowy, dokonany *ad hoc* wynalazek, w połączeniu

z zastosowaniem opracowanych przez niego metod antyseptycznych, niewątpliwie uratował życie królowej Wiktorii. Tydzień później Lister opuścił zamek Balmoral i wrócił
do Edynburga, zadowolony z powrotu królowej do zdrowia.

Gdy ponownie znalazł się na sali wykładowej, powiedział
żartem do studentów: „Panowie, jestem jedynym człowiekiem, który kiedykolwiek pchnął nożem królową!"[8].

Wieści o wyleczeniu królowej przez Josepha Listera szybko
się rozeszły i umocniły wiarę w jego metody. Wiktoria, pozwalając mu się zoperować, udzieliła królewskiej aprobaty
systemowi antyseptycznemu. Co więcej, nie żył już wtedy
James Y. Simpson, który zmarł na zawał serca, co położyło
kres waśniom niweczącym przez kilka lat wysiłki Listera.

Niedługo po spotkaniu Listera z władczynią do Londynu
przyjechał Ludwik Pasteur. Podczas tej podróży John Tyndall – który nieco wcześniej odwiedził sale szpitalne Listera
w Glasgow – przypadkiem wspomniał w rozmowie z francu-
skim uczonym, że „słynny angielski chirurg" wniósł ważny
wkład w zrozumienie przyczyn chorób zakaźnych i chorób
prowadzących do rozkładu tkanek, kierując się jego doko-
naniami. Wtedy Pasteur po raz pierwszy usłyszał o Listerze.
Rozbudziło to jego ciekawość.

Tak zaczęła się długotrwała korespondencja między obydwoma mężczyznami[9]. W listach omawiali swoje eksperymenty, teorie i odkrycia oraz wyrażali wzajemny szacunek
i uznanie. Lister widział w Pasteurze człowieka, który dostarczył środków pozwalających mu zrozumieć przyczyny
zakażenia ran. Pasteur z kolei podziwiał Listera za dopro-
wadzenie do postępu w tej dziedzinie. W jednym z listów

napisał: „Jestem niezmiernie zaskoczony precyzją pańskich zabiegów [i] tym, jak doskonale rozumie pan metody doświadczalne"[10]. Był zdumiony, że angielski chirurg potrafi znaleźć czas na prowadzenie tak skomplikowanych badań, zajmując się równocześnie pacjentami. „Pozostaje dla mnie całkowitą zagadką – napisał do Listera – że może się pan poświęcać badaniom, które wymagają wiele uwagi, czasu i nieustannego wysiłku, oddając się jednocześnie praktykowaniu chirurgii, i to jako naczelny chirurg w dużym szpitalu. Nie sądzę, żeby tu, wśród nas, dało się znaleźć inny przykład takiego cudu". Dla Listera – człowieka, który zawsze pokładał ogromną wiarę w metodach naukowych – był to największy komplement, jaki mógł usłyszeć, zwłaszcza że pochodził od tak szanowanej postaci jak Pasteur.

W miarę jak rosła sława Listera, jego sale wykładowe coraz bardziej pęczniały od studentów i znakomitych gości z całego świata, którzy przyjeżdżali do Edynburga, żeby zobaczyć słynnego chirurga w akcji. On zaś jeździł po całym kraju, wyjaśniając zalety swojego systemu antyseptycznego słuchaczom ze środowiska medycznego[11]. W końcu zaczęły napływać pocieszające doniesienia z Londynu. Apel czasopisma „The Lancet" przyniósł efekt: szpitale w stolicy ponownie testowały skuteczność metod antyseptycznych. Tym razem rezultaty okazały się bardziej zachęcające niż pod koniec lat sześćdziesiątych, czyli niedługo po tym, jak Lister po raz pierwszy opublikował swoje odkrycia. St. George's Hospital ogłosił wzrost zaufania do jego metod wśród personelu, a Middlesex Hospital wyraził podobną opinię po otrzymaniu pozytywnych wyników testów zarówno z kwasem karbolowym, jak i z chlorkiem cynku. Najsilniejsze poparcie nadeszło jednak z London Hospital, gdzie prawie pięćdziesiąt zabiegów chirurgicznych przeprowadzonych w poprzednim roku „wyróżniało się niewielką ilością zaburzeń konstytucjonalnych wywołanych bardzo poważnymi obrażeniami", odkąd chirurdzy zaczęli stosować system antyseptyczny[12].

Chociaż w stolicy pojawiła się zauważalna zmiana opinii na korzyść metod Listera, upłynęło jeszcze kilka lat, zanim doszło tam do wprowadzenia antyseptyki na skalę masową. W dużej mierze wynikało to z faktu, że wielu tamtejszych chirurgów niechętnie opowiadało się za teorią Pasteura, wyjaśniającą rozkład istnieniem drobnoustrojów. Jeden z londyńskich chirurgów kpił z Listera i jego pionierskiej pracy, zamykając z głośnym trzaskiem drzwi do swojej sali operacyjnej, żeby „nie wpuścić zarazków pana Listera"[13]. W liście, który ukazał się w „The Lancet", autor podpisujący się „Flaneur" podzielił się z czytelnikami trafnym spostrzeżeniem dotyczącym powolnego wprowadzania antyseptyki w Londynie:

Rzecz w tym, że jest to raczej kwestia nauki niż chirurgii, a zatem doktryna antyseptyczna, chociaż chętnie przyswojona przez naukowo myślących Niemców i nieco opornie przez mniej naukowo myślących Szkotów, nigdy nie została nawet w najmniejszym stopniu doceniona ani zrozumiana przez zapracowanego i praktycznego angielskiego chirurga. Na szczęście dla jego pacjentów w znacznej mierze stosuje on od dawna częściowo antyseptyczny system dzięki swym czysto angielskim instynktom; ale przypomina to tę damę, która mówiła prozą, wcale o tym nie wiedząc[14].

Listerowi łatwiej było przekonać do zalet systemu antyseptycznego lekarzy z Glasgow i Edynburga, ponieważ każde z tych miast miało jeden szpital i jeden uniwersytet. W Londynie środowisko medyczne było znacznie bardziej rozproszone i mniej zainteresowane nauką. W stolicy nauczanie kliniczne nie cieszyło się jeszcze taką popularnością jak w Szkocji. Lister pomstował: „Jeśli zwracam się do Londynu i pytam, jak prowadzone jest tam kształcenie w dziedzinie chirurgii klinicznej, przekonuję się – nie tylko zgodnie z moimi własnymi doświadczeniami londyńskiego studenta […], lecz także na podstawie powszechnej opinii cudzoziemców, którzy jadą tam, a potem przyjeżdżają tutaj – że jest to, w porównaniu z naszym systemem, zwyczajna fikcja"[15]. Były to przeszkody, których Lister nie potrafił pokonać, chyba że zdołałby zreformować cały system od środka.

Istniała jednak grupa osób, które nigdy nie wątpiły w skuteczność antyseptycznej metody Listera; byli to ludzie, którzy dzięki niej przeżyli. Pewien starszy mężczyzna, przebywający w szpitalu zarówno przed wprowadzeniem przez Listera nowego systemu na oddziale chirurgicznym, jak i po jego wprowadzeniu, wygłosił następującą uwagę na temat tego, co zobaczył: „Człowieku, ależ wspaniałych ulepszeń dokonałeś, odkąd byłem tu poprzednio"[16]. Nawet osoby spoza środowiska medycznego, które nie były pacjentami, dowiadywały się czasem o przypadkach cudownego wyzdrowienia. W liście do bratowej Agnes Lister opisała historię pewnego chłopca, któremu uratowano życie, stosując kwas karbolowy po tym, jak doznał poważnych poparzeń podczas pracy w miejscowej odlewni. Patrick Heron Watson – dawny chirurg rezydent u Listera – spotkał się z Listerami w dniu wypadku.

Powiedział małżonkom, że „n i e w y d a j e m u s i ę, aby chłopiec zdołał wrócić do zdrowia – napisała Agnes – ale dzięki
kwasowi karbolowemu w r a c a on do zdrowia, a jego przypadek wzbudził ogromne zainteresowanie w kilku odlew-
niach"[17]. Rzeczywiście do szpitala przychodziły delegacje
robotników, którzy chcieli zobaczyć chłopca na własne oczy.
Agnes dodała, że w rezultacie „pracodawcy chłopca mianu-
ją doktora Watsona chirurgiem w swoim zakładzie i dadzą
mu roczną pensję w wysokości trzystu funtów". Inny rezydent pracujący z Listerem napisał później: „Chociaż długo
trzeba było czekać na uznanie ze strony jego kolegów, pacjenci, którzy mieli doświadczenia z obydwoma systemami,
starym i nowym, szybko dostrzegli różnicę".

Sława Listera za granicą jeszcze wzrosła podczas jego głośno komentowanej podróży po Europie, w którą wyruszył
w 1875 roku wraz z Agnes, żeby prezentować swoje metody.
Oddziały chirurgiczne stosujące jego system były chwalone
przez wiele osób za „czystą, zdrową atmosferę" i za „brak
jakiegokolwiek odoru", a „The Lancet" nazwał jego objazd
po miastach uniwersyteckich w Niemczech, gdzie system
Listera cieszył się szczególną popularnością, marszem trium-
falnym. Był jednak kraj, który nadal nie dawał się przekonać
do zalet metod Listera: Stany Zjednoczone.

W kilku amerykańskich szpitalach metody Listera zostały
wręcz zakazane. Wielu lekarzy uważało, że są zbyt skomplikowane i niepotrzebnie rozpraszają uwagę personelu,
ponieważ nie przyjęło jeszcze teorii wyjaśniającej gnicie
istnieniem drobnoustrojów. Nawet do połowy lat siedemdziesiątych XIX wieku wiedza na temat infekcji i leczenia ran

niemal nie posunęła się naprzód, chociaż w amerykańskich czasopismach medycznych pojawiały się publikacje na temat teorii i metod Listera. Środowisko medyczne przeważnie odrzucało system antyseptyczny, uważając go za szarlatanerię. Pomimo panującego za oceanem sceptycyzmu w 1876 roku Joseph Lister skierował spojrzenie na Zachód, ponieważ zaproszono go na Międzynarodowy Kongres Medyczny w Filadelfii, żeby tam bronił swoich metod. Wiedział, że jeśli chce doprowadzić do zmiany postaw w Stanach Zjednoczonych, będzie musiał osobiście rozpowszechniać swoje odkrycia. Okazało się, że przekonanie Amerykanów do zalet antyseptyki nie było tak proste, jak miał nadzieję.

Pięć lat po zoperowaniu królowej Lister był gotów stawić czoło swoim krytykom w Ameryce. W lipcu 1876 roku wszedł na pokład ss Scythia – ostatniego ze słynnych statków z pełnym ożaglowaniem i napędem parowym należących do linii żeglugowej Cunarda – płynącego z Liverpoolu do Nowego Jorku. Rejs trwał zwykle dziesięć dni, ale tym razem w statek uderzył potężny szkwał, łamiąc maszt z głównym marslem, co opóźniło przybicie do portu o kilka dni. Była to pierwsza z przeszkód, z jakimi chirurg miał się zmierzyć podczas tej amerykańskiej podróży.

3 września Lister wysiadł z pociągu, którym przyjechał z Nowego Jorku do Filadelfii. Chociaż czterdziestodziewięcioletni chirurg nie był człowiekiem próżnym, przestrzegał obowiązującej wówczas mody: mógł się poszczycić zadbanymi bujnymi bokobrodami, a pofalowane włosy zaczesał na bok. Ubrał się skromnie, wkładając dopasowaną kamizelkę i koszulę z wysokim nakrochmalonym kołnierzem. Poprawił

wierzchnie odzienie i rozejrzał się dokoła. W mieście wyraźnie czuło się atmosferę podniecenia w związku z napływem tłumów ludzi, którzy chcieli zwiedzić Filadelfijską Wystawę Światową.

Na peronie natknął się na wędrownych handlarzy sprzedających małe parasolki mające chronić użytkownika zarówno przed ostrym słońcem, jak i przed ulewami, które od czasu do czasu nękały Filadelfię o tej porze roku. Urządzenia te można było zainstalować na kapeluszu dżentelmena i regulować za pomocą taśm przymocowanych do ramion. Handlowano również wachlarzami, orzeźwiającymi „arktycznymi" napojami i kubkami z lodem. Chłopcy we frakach i w wiązanych muszkach natarczywie zachwalali przewodniki po pięć centów za sztukę nowo przybyłym, którzy już niebawem przechadzali się z rozdziawionymi ustami, podziwiając niezwykłe widoki, jakie roztaczały się przed nimi dzięki wystawie.

Minęło sto lat od podpisania w Filadelfii *Deklaracji niepodległości*, toteż miasto rozpierała patriotyczna duma w związku z obchodami tej rocznicy. Zorganizowana z tej okazji Wystawa Światowa miała na celu pokazać dominację Ameryki jako lidera w dziedzinach nauki i przemysłu. W tamtych czasach panowała moda na ogromne targi wysławiające naukę i postęp, a te w Filadelfii były jeszcze większe od Wielkiej Wystawy w Londynie w 1851 roku, którą Lister odwiedził z ojcem. Obejmowały trzydzieści tysięcy ekspozycji prezentowanych przez trzydzieści siedem krajów i rozciągały się na imponującym obszarze stu osiemdziesięciu hektarów. Przez tereny targowe wiły się zygzakiem alejki o łącznej długości stu trzydziestu kilometrów, pokryte asfaltem, który topił się i wybrzuszał w bezlitosnym upale. Pierwsza na świecie kolejka jednoszynowa przewoziła pasażerów tam i z powrotem, pokonując stuczterdziestometrowy odcinek między Pawilonem Ogrodniczym a Pawilonem Rolniczym. Zwiedzający gapili się na zdumiewającą kolekcję egzotycznych zwierząt, wśród których znalazły się: mierzący cztery i pół metra mors, niedźwiedź polarny i rekin, a wszystkie wystawiano wraz z bronią służącą do ich upolowania.

Centralny punkt wystawy stanowił Pawilon Maszyn, w którym goście mogli podziwiać ówczesne cuda techniki. Światła elektryczne i windy były zasilane silnikiem parowym Corlissa o mocy tysiąca czterystu koni mechanicznych – największym w swoim rodzaju, ważącym sześćset pięćdziesiąt ton. Eksponowano również lokomotywy, wozy strażackie, prasy drukarskie, mnóstwo sprzętu górniczego oraz latarnie magiczne. Po raz pierwszy zaprezentowano pełnej uznania publiczności najnowsze wynalazki, takie jak maszyna do pisania, kalkulator mechaniczny i telefon Grahama Bella.

We wrześniu wystawę odwiedzało średnio sto tysięcy osób dziennie, co było zdumiewającą liczbą, ale brytyjski chirurg, który w drodze do Ameryki przepłynął ocean, pokonując ponad sześć tysięcy kilometrów, miał na celu tylko jedno: dowieść zalet swojego systemu antyseptycznego. Gdy Lister przeciskał się przez tłum, szykował się na to, co mogło go czekać na Międzynarodowym Kongresie Medycznym.

Zaproszenie Listera do zabrania głosu na konferencji pochodziło od jednego z jego najzagorzalszych krytyków po drugiej stronie Atlantyku[18]. Samuel D. Gross należał do najwybitniejszych amerykańskich chirurgów i również nie wierzył w istnienie drobnoustrojów. Był tak wielkim przeciwnikiem antyseptycznego systemu Listera, że rok wcześniej zamówił obraz, by uczcić swoją wiarę w chirurgiczne *status quo*. Na *Portrecie Samuela D. Grossa* (znanym później jako *Klinika Grossa*) malarz Thomas Eakins przedstawił ciemną i obskurną salę operacyjną. Gross, stojący pośrodku, operuje chłopca cierpiącego na zapalenie szpiku kości udowej. Chirurg jest otoczony asystentami, z których jeden sonduje ranę pacjenta zakrwawionymi palcami. Na pierwszym planie widać niewysterylizowane narzędzia i bandaże znajdujące się w zasięgu równie nieczystych rąk. Nic nie wskazuje na stosowanie antyseptycznych metod Listera.

Niektórzy amerykańscy chirurdzy przyswoili sobie antyseptyczny system Listera, chociaż nadal byli w zdecydowanej mniejszości. Na przykład George Derby – który potem został profesorem higieny na Uniwersytecie Harvarda – czytał o odkryciach Anglika niedługo po ukazaniu się w czasopiśmie „The Lancet" pierwszego artykułu na ten temat. Kilka tygodni później pod opieką Derby'ego znalazł się dziewięcioletni chłopiec ze złamaniem złożonym w połowie kości udowej. Chirurg nastawił nogę, a następnie użył kwasu karbolowego do opatrzenia rany. „Po upływie czterech tygodni – napisał później – [opatrunek nasączony karbolem] został zdjęty i ukazał się okrągły, powierzchowny wrzód o średnicy jednego centymetra, który po paru dniach pokrył się twardym strupem. Teraz nastąpił [...] solidny zrost złamanej kości"[19]. Derby omówił swoje wnioski na zjeździe Bostońskiego Towarzystwa Postępu Medycznego, a 31 października tego samego roku opublikował te spostrzeżenia w „The Boston Medical and Surgical Journal", uznając za źródło inspiracji „Pana Lystera [*sic*], chirurga z Glasgow"[20].

Również George Gay z Massachusetts General Hospital zastosował kwas karbolowy u trzech pacjentów ze złamaniami złożonymi. „Rany – wyjaśnił Gay – były zasadniczo leczone zgodnie z metodą pana Listona [*sic*]"[21]. Chirurg twierdził, że antyseptycznych właściwości kwasu karbolowego nie ma żaden inny związek, z którym miał do czynienia w ramach swoich badań. Gay miał pełne zaufanie do metod Listera, podobnie jak dwaj inni chirurdzy z tego szpitala, którzy w tym okresie zastosowali kwas karbolowy co najmniej u pięciu innych pacjentów. Oczywiście człowiek zmieniający bieg historii zawsze napotyka na swej drodze zagorzałych krytyków. Naczelny chirurg Henry Jacob Bigelow – skłonny do krytyki, apodyktyczny człowiek, który był obecny przy historycznej operacji z użyciem eteru przeprowadzonej w Massachusetts General Hospital w 1846 roku – zakazał stosowania antyseptycznego systemu Listera niedługo po tym, jak Gay i jego koledzy zaczęli używać kwasu karbolowego. Nazywał tę metodę „medycznym hokus-pokus" i posunął się nawet do tego, że zagroził wyrzuceniem z pracy osobom, które zignorują jego polecenia.

Ledwie wyschła farba na przedstawiającym tradycyjną operację malowidle zamówionym przez Samuela D. Grossa, gdy Lister znalazł się na wrogim terytorium. Stało się tak, mimo że niedawno Ameryka była areną wojny domowej, która pochłonęła dziesiątki tysięcy ofiar w wyniku niewłaściwego leczenia potwornych obrażeń odnoszonych na polu bitwy. W ciągu całej wojny secesyjnej amerykańska chirurgia wciąż była prymitywna, a infekcje ran rozwijały się w sposób niekontrolowany. Naszpikowane kulami ręce i nogi ponad trzydziestu tysięcy żołnierzy Unii zostały amputowane przez chirurgów polowych, z których wielu nie miało żadnego doświadczenia, albo tylko niewielkie, w leczeniu pacjentów z takimi urazami. Noże i piły wycierano z zakrzepłej krwi co najwyżej brudnymi szmatami, jeśli w ogóle to robiono. Chirurdzy nigdy nie myli rąk i często byli pokryci krwią oraz fragmentami wnętrzności poprzednich pacjentów, gdy przystępowali do kolejnej operacji. Kiedy brakowało lnu i bawełny, do wypełniania otwartych ran używano zimnej, wilgotnej ziemi. Gdy rany te zaczynały nieuchronnie ropieć, z zadowoleniem witano „chwalebną ropę". Wielu chirurgów nigdy nawet nie było świadkami żadnej poważnej amputacji ani nie leczyło ran postrzałowych, zanim dołączyło do swoich oddziałów, ze szkodą dla tych, którzy znaleźli się pod ich opieką.

Chociaż wojna była przerażająca, lekarze i chirurdzy zdobyli gruntowną wiedzę i doświadczenie kliniczne dzięki temu, że leczyli na pozór niezliczone ofiary działań wojennych, a to z kolei przyśpieszyło rozwój specjalizacji chirurgicznej w amerykańskiej medycynie. Co ważniejsze, nabyli umiejętności administracyjnych, które umożliwiły im organizowanie służb medycznych i pociągów sanitarnych. Gdy tylko wojna dobiegła końca, doświadczeni chirurdzy polowi zaczęli tworzyć duże szpitale ogólne, pracować w nich i nimi zarządzać. Dzięki temu, gdy Lister przybył do Stanów Zjednoczonych, ich zawód miał spójniejsze procedury operacyjne i był gotowy na nowe podejście do sztuki chirurgii.

4 września w południe Lister wszedł do bogato zdobionej kaplicy Uniwersytetu Pensylwanii wraz z innymi uczestnikami Międzynarodowego Kongresu Medycznego. Już w dniu otwarcia system antyseptyczny od razu stał się obiektem

ataków. Lister siedział w pierwszym rzędzie, podczas gdy kolejni mówcy zabierali głos, żeby potępić wszystko, w co wierzył. Pewien lekarz z Nowego Jorku zauważył, że nie ma żadnego przekonującego dowodu na to, że drobnoustroje rzeczywiście mają związek z takimi chorobami, jak cholera, dyfteryt, róża czy jakimikolwiek chorobami zakaźnymi[22]. Inny lekarz, z Kanady, przestrzegł: „Czy nie należy się obawiać, że ta szczególna metoda leczenia zalecana przez profesora Listera będzie przede wszystkim odwracać uwagę chirurga od innych istotnych kwestii?"[23]. Ostatni cios zadał Frank Hamilton, zaprawiony w boju bohater wojny secesyjnej, który zwrócił się z wymówkami bezpośrednio do Listera. „Znaczna część amerykańskich chirurgów najwyraźniej nie przejęła pańskich metod – powiedział, stojąc na mównicy i patrząc z góry na brytyjskiego chirurga. – Nie potrafię powiedzieć, czy to z braku zaufania, czy z innych powodów"[24].

Gdy wreszcie skończyły się diatryby przeciwko niemu, wszystkie oczy zwróciły się na tę postać wywołującą podziały w środowisku medycznym. Lister musiał jednak zaczekać do drugiego dnia konferencji, żeby przemówić do swych oponentów. Nazajutrz o wyznaczonej godzinie skierował się do przedniej części kaplicy, gotowy bronić systemu, co do którego był pewien, że mógłby uratować życie dziesiątkom tysięcy pacjentów umierających w szpitalach dokładnie w tamtej chwili. Na początek wyraził się pochlebnie o słuchaczach: „Amerykańscy lekarze słyną na cały świat ze swej genialnej pomysłowości oraz śmiałości i zręczności w działaniu"[25]. To ich zasługą było stosowanie teraz w chirurgii anestezji. Przez dwie i pół godziny Lister wygłaszał wykład na temat zalet antyseptyki, koncentrując się na wzajemnych związkach brudu, drobnoustrojów, ropy i ran. Urozmaicał swoje wystąpienie zajmującymi pokazami i historiami przypadków. Jego wnioski były trafne i proste: jeśli drobnoustroje zostaną zniszczone podczas operacji i uniemożliwi im się później dostęp do rany, ropa w ogóle się nie wytworzy. „Teoria, że drobnoustroje odpowiadają za gnicie, jest podstawą całego systemu antyseptyki – powiedział zebranym – a skoro teoria ta opiera się na faktach, jest niezaprzeczalnym faktem, że system antyseptyczny oznacza eliminację wszelkich organizmów wywołujących rozkład".

Jeśli Lister żywił jakąś nadzieję, że jego gorliwość i racjonalne argumenty dotyczące systemu antyseptycznego skłonią amerykańskich słuchaczy do zmiany zdania, miał się boleśnie rozczarować. Jeden z uczestników konferencji oskarżył go, że jest niezrównoważony psychicznie i ma „siano w głowie"[26]. Inni zganili go za to, że mówił tak długo. „Ponieważ jest już późno – utyskiwał jeden z jego krytyków – pragnę jedynie zwrócić uwagę na kilka faktów, które [...] przemawiają przeciwko teorii [drobnoustrojów], jeśli chodzi o to, że głosi ona, iż pewnego rodzaju mikroskopijne organizmy żywe [...] mają zasadnicze znaczenie dla procesów chorobowych"[27]. To jednak Samuel Gross – człowiek, który zaprosił Listera do występu na Międzynarodowym Kongresie Medycznym, licząc, że go zdyskredytuje – miał mieć ostatnie słowo: „Po tej stronie Atlantyku światły, doświadczony chirurg pokłada, jeśli w ogóle, niewielką nadzieję w tak zwanej terapii profesora Listera"[28].

Lister nie dał się jednak łatwo zniechęcić do przekonywania Amerykanów do systemu antyseptycznego. Po konferencji wyruszył w transkontynentalną podróż pociągiem, która zawiodła go aż do San Francisco i z powrotem. Po drodze zatrzymał się w kilku miastach, by wygłosić wykłady na temat znaczenia antyseptyki, w salach wypełnionych po brzegi studentami medycyny i chirurgami. Wielu z tych ludzi wypróbowało później skuteczność jego systemu na własnych pacjentach i doniosło o pozytywnych wynikach.

W Chicago Lister gościł u swojej dawnej pacjentki, którą leczył w Glasgow w związku z obrażeniami, jakie odniosła w fabryce. Chociaż wróciła do zdrowia, po wypadku nie była już zdolna do pracy manualnej. Lister, który niepokoił się o przyszłość kobiety, interweniował u jej pracodawcy i poprosił, żeby zatrudniono ją na próbę w dziale projektów. Tak dobrze radziła sobie na nowym stanowisku, że firma wysłała ją do Stanów Zjednoczonych i powierzyła jej zadanie zorganizowania ekspozycji przedsiębiorstwa na innych targach, w Chicago, które odbyły się kilka lat przed filadelfijskimi. Gdy się tam znalazła, poznała pewnego młodego amerykańskiego fabrykanta i wyszła za niego za mąż. Kiedy usłyszała o przyjeździe Listera, z entuzjazmem powitała człowieka, który uratował jej życie, i zaprosiła go do swojego domu na cały czas trwania jego wizyty w tym mieście[29].

Pod koniec podróży Lister przeprowadził operację na Blackwell's Island (obecnie Roosevelt Island) w Nowym Jorku. Przyjechał tam na prośbę Williama Van Burena, wybitnego chirurga, który słyszał wykład Listera w Filadelfii. Okazało się, że było tam kilku uczestników kongresu, którzy prywatnie popierali brytyjskiego profesora. Na przykład William W. Keen, pionier chirurgii neurologicznej, zaczął stosować antyseptykę miesiąc po zakończeniu Międzynarodowego Kongresu Medycznego. Później stwierdził: „Dla mnie zmieniła ona chirurgię z czyśćca w raj", i dodał, że nigdy nie zrezygnuje z systemu Listera[30]. D. Hayes Agnew, który również znalazł się na widowni, też zaczął stosować metody Listera. Wkrótce omówił je w swojej książce *The Principles and Practice of Surgery* [Zasady i praktyka chirurgii]. Był tam oczywiście i Van Buren, na którym wykład Listera zrobił tak wielkie wrażenie, że poprosił go o przeprowadzenie pokazowej operacji dla studentów. W wyznaczonym dniu Lister ze zdumieniem patrzył, jak ponad stu studentów Van Burena wypełnia widownię w Charity Hospital. „Nie miałem pojęcia, że będę się zwracał do tak dużego grona studentów – powiedział Lister do publiczności. – Jest to najbardziej niespodziewany przywilej"[31].

Lister szykował się do zademonstrowania swoich metod antyseptycznych na młodym mężczyźnie, który nabawił się dużego syfilitycznego ropnia w pachwinie. Chirurg zaczął od zanurzenia narzędzi i rąk w miednicy wypełnionej kwasem karbolowym, a w tym czasie pacjentowi podano chloroform. Gdy trwały jeszcze przygotowania, jeden z widzów otworzył okno, żeby wpuścić trochę świeżego powietrza, ponieważ sala operacyjna była wypełniona po brzegi. Zapadła cisza. Lister polecił ochotnikowi rozpylać kwas karbolowy bezpośrednio nad stołem operacyjnym, ale gdy już miał wykonać nacięcie, lekki powiew zdmuchnął unoszący się w powietrzu roztwór kwasu, przenosząc go z dala od pacjenta. Lister odwrócił się i poprosił o zamknięcie okna, a potem wykorzystał to zdarzenie, by przestrzec obecnych, że rygorystyczne zwracanie uwagi na wszelkie szczegóły procedur antyseptycznych jest absolutnie niezbędne. Przystąpił do operacji: ostrożnie rozciął zainfekowany ropień, odprowadził z niego chorobotwórczą ropę i przepłukał ranę kwasem karbolowym. Następnie owinął pachwinę i górną część uda pacjenta antyseptycznymi bandażami. Wykład Listera został zapisany słowo w słowo przez pewnego studenta znajdującego się na widowni[32]. Gdy pokaz dobiegł końca, publiczność zaczęła wiwatować.

Przed wyruszeniem w drogę powrotną do Wielkiej Brytanii Lister pojechał do Bostonu. Jak się okazało, wizyta w tym mieście miała nieoczekiwany przebieg. Spotkał się tam bowiem z Henrym J. Bigelowem, człowiekiem, który zakazał stosowania jego metod antyseptycznych w Massachusetts General Hospital. Bigelow nie uczestniczył w konferencji medycznej w Filadelfii, ale czytał sprawozdania dotyczące wykładu Listera. Chociaż nadal miał wątpliwości, czy drobnoustroje rzeczywiście istnieją, był pod wielkim wrażeniem jego zaangażowania w rozpowszechnianie systemu oraz troski o pacjentów i uwagi, jaką im poświęcał. Bigelow zaprosił Listera do wygłoszenia wykładu na Uniwersytecie Harvarda, gdzie został on serdecznie przyjęty przez studentów medycyny, którzy byli wśród słuchaczy. Zaraz potem amerykański chirurg wygłosił własny wykład. Chwalił w nim „nową doktrynę" i wyznał, że przekonał się do antyseptycznego systemu Listera: „Dowiedziałem się, że obowiązkiem chirurga [...] powinno być niszczenie prawdziwych intruzów [drobnoustrojów] i skuteczne usuwanie ich tłumnie napływających towarzyszy"[33].

Dzięki wsparciu Bigelowa Massachusetts General Hospital został pierwszym szpitalem w Ameryce, który w sposób zorganizowany stosował kwas karbolowy jako chirurgiczny środek antyseptyczny. Oznaczało to niezwykły, całkowity zwrot w polityce szpitala, który przez lata zakazywał metod Listera, a nawet groził zwolnieniem z pracy tym, którzy ośmielą się je wprowadzać.

Lister wrócił do Wielkiej Brytanii z nową energią dzięki bardziej pozytywnym reakcjom Amerykanów na system antyseptyczny pod koniec jego podróży. Wkrótce po tym, jak ponownie osiadł w Edynburgu w lutym 1877 roku, dostał wiadomość, że zmarł sławny sir William Fergusson, który przez trzydzieści siedem lat był profesorem chirurgii w King's College w Londynie. Po jego śmierci uniwersytet zwrócił się do Listera z propozycją objęcia przez niego tej katedry. W związku ze stopniową akceptacją antyseptyki w kraju i za granicą jego renoma była godna pozazdroszczenia. Na wykładach Listera tłoczyła się rekordowa liczba studentów, a sławni cudzoziemcy pokonywali tysiące kilometrów, żeby odwiedzić jego sale szpitalne i zobaczyć, jak operuje. Chociaż King's College mógł awansować współpracownika Fergussona, Johna Wooda, członkowie rady uniwersyteckiej woleli raczej kogoś wybitniejszego, żeby obsadzić ten wakat. Nie przychodził im do głowy nikt, kto lepiej nadawałby się do tej roli niż Joseph Lister.

Jak można się było spodziewać, Lister miał pewne obawy. Martwił się, że w Londynie nie będzie dysponował tak dużą swobodą, jaką zapewniono mu w Edynburgu, toteż odpowiedział na nieoficjalną ofertę członków rady uniwersyteckiej, przedstawiając wiele warunków. Poinformował ich, że jeśli miałby objąć katedrę w King's College, postawi sobie za cel wprowadzenie i rozpowszechnienie systemu antyseptycznego w całej stolicy. Miał również nadzieję na zapoczątkowanie jakiejś wydajniejszej metody kształcenia klinicznego na uniwersytecie, z naciskiem na pokazy praktyczne i przeprowadzanie doświadczeń.

Tymczasem w Edynburgu studenci Listera byli zdruzgotani, gdy wyciekła wiadomość o tych negocjacjach i o jego ewentualnym odejściu. Pewnego dnia po zakończeniu wykładu klinicznego przedstawili mu oficjalną prośbę podpisaną przez ponad siedmiuset studentów. Isaac Bayley Balfour, jeden z jego uczniów, odczytał na głos ten dokument: „Skwapliwie korzystamy ze sposobności, żeby przyznać, jak wielki dług wdzięczności mamy wobec Pana w związku z bezcennymi naukami, które wynieśliśmy z Pańskich zajęć klinicznych. [...] Wielu już poszło w świat i wielu jeszcze pójdzie, zdecydowanych wprowadzać w życie Pańskie zasady i rozpowszechniać [...] system chirurgii, którego jest Pan twórcą"[34]. Kiedy padło to zdanie, studenci zaczęli bić brawo. Gdy się uciszyli, Balfour mówił dalej. „Pomyślność naszej uczelni jest tak ściśle związana z Pańską obecnością – powiedział Listerowi – że nadal mamy szczerą nadzieję [...], iż nigdy nie nadejdzie ów dzień, w którym Pańskie nazwisko przestanie być łączone z Edynburską Szkołą Medyczną". Lister był oszołomiony reakcją studentów. Ku ich radości oznajmił, że nawet gdyby zdobył najwyższą pozycję w prywatnej praktyce w Londynie, nie mógłby objąć stanowiska w King's College, gdyby oznaczało to nauczanie chirurgii klinicznej w taki sposób, w jaki jest ona obecnie wykładana w całej stolicy.

Zarówno apel studentów, jak i odpowiedź Listera zostały później przytoczone w gazetach w całym kraju. Do King's College dotarła zatem wiadomość, że Lister głośno skrytykował metody nauczania dominujące w Londynie. Atmosfera zrobiła się gorąca. „The Lancet" napisał, że Lister zapomniał o „zasadach przyzwoitości i dobrego smaku, z pogardą odrzucając propozycję, której nigdy mu nie złożono"[35]. Zaledwie kilka tygodni później rada zarządzająca King's College mianowała Johna Wooda na stanowisko kierownika katedry po Fergussonie.

Londyńscy przyjaciele Listera nie zrezygnowali jednak z dalszej walki. Ponieważ nie złożono mu żadnej oficjalnej propozycji, nie było również żadnej oficjalnej odmowy. W kwietniu przedłożono radzie rezolucję z żądaniem utworzenia drugiej katedry chirurgii i rozważenia kandydatury Listera na to stanowisko, ponieważ „byłoby to z wielkim pożytkiem dla uczelni"[36]. Tym razem zwyciężył rozsądek – ku konsternacji biednego Wooda, którego bynajmniej nie cieszyła perspektywa dzielenia się władzą z innym chirurgiem. W maju Lister przyjechał do Londynu, żeby spotkać się z radą, i przedstawił jej t r z y n a ś c i e warunków. Targując się zawzięcie, zastrzegł, że chce zachować całkowitą kontrolę nad swoimi salami szpitalnymi i swoimi zajęciami. Dodał, że liczy na uczciwy podział wynagrodzenia między niego i Wooda. Członkowie rady niechętnie przystali na te warunki, bo wiedzieli, że jeśli będą mieli w swoim gronie pedagogicznym tak sławnego profesora, podniesie to reputację uniwersytetu. Wkrótce Lister został oficjalnie mianowany profesorem chirurgii klinicznej w King's College.

Była to chwila radości zaprawiona kroplą goryczy. Przez niemal ćwierć wieku Lister liczył, że pewnego dnia wróci do Londynu, a teraz, kiedy miał pięćdziesiąt lat, w końcu nadarzyła się taka okazja. Opuszczenie Edynburga u szczytu kariery i zaczynanie od nowa nie było jednak łatwym przedsięwzięciem. Dwadzieścia lat wcześniej pragnienie powrotu do stolicy wynikało z chęci poprawy własnej sytuacji materialnej i awansu zawodowego. Teraz motywem był uparty brak wiary londyńskiego środowiska medycznego w system antyseptyczny. Lister miał zatem misję polegającą na nawróceniu niedowiarków, tak jak to zrobił w Glasgow i Edynburgu, a także w Ameryce.

We wrześniu 1877 roku Lister wymknął się po cichu ze szkockiego miasta, w którym po raz pierwszy zakochał się w krwawej, rzeźnickiej sztuce chirurgii praktykowanej pod troskliwym okiem swojego wielkiego mentora Jamesa Syme'a. Zanim wsiadł do pociągu, skontrolował na pożegnanie stan swoich pacjentów, którzy zostali w Royal Infirmary. Idąc po raz ostatni szpitalnymi korytarzami, robił bilans zauważalnej transformacji tej placówki. Miał pewność, że będzie bezpieczna w rękach jego uczniów, którym teraz powierzono wprowadzenie systemu antyseptycznego w całym szpitalu. Minęły już czasy zarośniętych brudem, zatłoczonych sal pełnych pacjentów marniejących w nędznych warunkach. Minęły również czasy zakrwawionych fartuchów i stołów operacyjnych poplamionych płynami ustrojowymi. Minęły wreszcie czasy niemytych narzędzi i tego wszystkiego, co kiedyś sprawiało, że sala operacyjna zalatywała „poczciwym szpitalnym smrodem". Teraz Royal Infirmary lśnił czystością i miał odpowiednią cyrkulację powietrza. Już nie był domem śmierci, był domem zdrowienia.

Epilog
Uniesienie ciemnej zasłony

To chirurgia, gdy już dawno wyjdzie z użycia,
będzie pamiętana jako chluba medycyny[1].

RICHARD SELZER

W grudniu 1892 roku Joseph Lister pojechał do Paryża na uroczyste obchody siedemdziesiątych urodzin Ludwika Pasteura. Na Sorbonie zgromadziły się setki delegatów z całego świata, żeby oddać hołd uczonemu i w imieniu swoich narodów wyrazić podziw dla przełomowych badań, które prowadził przez całą karierę zawodową. Lister znalazł się tam nie tylko jako przedstawiciel Towarzystwa Królewskiego w Londynie i Towarzystwa Królewskiego w Edynburgu, lecz także jako przyjaciel Pasteura i towarzysz jego intelektualnych rozważań.

W rześki zimowy poranek obaj mężczyźni weszli na Sorbonę. Każdy z nich był wybitnym przedstawicielem swojej dziedziny. Oprócz zagranicznych dygnitarzy tego dnia w Paryżu zgromadziły się tysiące zwykłych ludzi pragnących być świadkami uroczystości. Chociaż panowała radosna atmosfera, w życiu prywatnym obu uczonych nie wszystko układało się pomyślnie. Posunęli się w latach i wydawało się, że ich dni powoli dobiegają końca. Lister, teraz sześćdziesięcio-pięcioletni, osiągnął wiek, w którym rezygnacja z profesury w King's College była obowiązkowa. Kilka miesięcy później miała umrzeć jego żona i towarzyszka od trzydziestu siedmiu lat – pozostawiła po sobie pustkę nie do wypełnienia. Pasteur niedawno przeszedł udar, drugi z trzech, których miał doznać w życiu. Kiedyś, pisząc do Listera, do Londynu, zrobił następującą uwagę na temat swojej choroby: „Upośledzenie mowy stało się u mnie permanentne, tak jak permanentny stał się częściowy paraliż lewej strony ciała"[2]. W dniu jubileuszu ten gigant intelektu pokuśtykał na scenę, nie potrafiąc poruszać się sprawnie bez pomocy.

Lister w swoim przemówieniu złożył hołd francuskiemu uczonemu. Z typową dla siebie skromnością zbagatelizował własną rolę w transformacji chirurgii, przypisując Pasteurowi zasługę „uniesienia ciemnej zasłony" w medycynie. „Zmieniłeś chirurgię [...], która była ryzykowną loterią, w bezpieczną, opartą na solidnych podstawach naukę – powiedział do Pasteura. – Jesteś liderem nowego pokolenia chirurgów naukowców, toteż w naszym zawodzie każdy mądry, dobry człowiek, zwłaszcza w Szkocji, patrzy na ciebie z szacunkiem i przywiązaniem, jakimi darzy się niewielu ludzi"[3]. Gdyby udar nie nadwyrężył tak poważnie zdolności mowy Pasteura, być może wyraziłby dokładnie taką samą opinię na temat Listera.

Kiedy Lister skończył wygłaszać wyrazy uznania dla francuskiego uczonego, na widowni rozległy się gromkie brawa. Pasteur wstał z fotela i z pomocą osób towarzyszących podszedł, żeby objąć swego starego przyjaciela. Według oficjalnego sprawozdania z tej uroczystości wyglądało to „jak żywy obraz braterstwa nauki w służbie ludzkości"[4].

Ci dwaj mieli się już nigdy więcej nie spotkać.

*

Lister żył jeszcze kilkadziesiąt lat po tym, jak jego teorie i metody zostały powszechnie zaakceptowane. Ostatecznie okrzyknięto go bohaterem chirurgii. Został mianowany nadwornym chirurgiem królowej Wiktorii, przy czym termin „nadworny" oznaczał, że chodziło o stałą posadę. W ostatnich dekadach życia otrzymywał wiele oficjalnych wyróżnień. Nadano mu tytuł doktora *honoris causa* na Uniwersytecie Cambridge i Uniwersytecie Oksfordzkim oraz przyznano Nagrodę Boudeta za największy wkład w rozwój medycyny. Później uczestniczył w Międzynarodowym Kongresie Medycznym w Londynie. W przeciwieństwie do okoliczności towarzyszących pierwszemu z tych zjazdów, który odbył się w Filadelfii, sława Listera zdążyła sięgnąć szczytu, a jego metody zyskały pełne uznanie, zanim przedstawiciele środowiska medycznego zebrali się ponownie, tym razem w stolicy Wielkiej Brytanii. Nadano mu również tytuł szlachecki i mianowano baronetem. Został wybrany przewodniczącym Towarzystwa Królewskiego, a także wyniesiony do rangi para z tytułem Lord Lister of Lyme Regis. Był współzałożycielem medycznego gremium badawczego, które później nazwano na jego cześć Instytutem Medycyny Profilaktycznej imienia Listera (Lister Institute of Preventive Medicine). Ponadto dziesięć lat przed śmiercią mianowano go członkiem Tajnej Rady i uhonorowano Orderem Zasługi, a wszystko to za pracę dla dobra nauki i medycyny.

Rosnąca świadomość istnienia mikrobów nasiliła w wiktoriańskim społeczeństwie troskę o czystość, a rynek zalała nowa generacja środków czystości i higieny osobistej wytwarzanych na bazie kwasu karbolowego. Najsłynniejszym z nich był chyba Listerine, wynaleziony w 1879 roku przez doktora Josepha Joshuę Lawrence'a. Lawrence wysłuchał wykładu Listera w Filadelfii i to, co usłyszał, zainspirowało go do rozpoczęcia niedużo później produkcji własnej mikstury antyseptycznej na zapleczu starej fabryki cygar w Saint Louis. Receptura Lawrence'a obejmowała tymol (pochodną fenolu), a także eukaliptol i mentol. Specyfik zawierał również alkohol w stężeniu dwudziestu siedmiu procent.

Z wytwarzania płynu Listerine nic by nie wyszło, gdyby nie przedsiębiorczy farmaceuta Jordan Wheat Lambert, który zdał sobie sprawę z jego potencjału, gdy w 1881 roku poznał Lawrence'a. Kupił od poczciwego doktora prawa do produktu wraz z recepturą i zaczął go reklamować jako środek odkażający o różnorakim przeznaczeniu, na przykład na łupież, do czyszczenia podłóg, a nawet do leczenia rzeżączki. W 1895 roku Lambert zaczął promować Listerine wśród stomatologów jako doustny środek antyseptyczny i właśnie dzięki temu zastosowaniu płyn zyskał nieśmiertelność[5].

Wśród innych produktów, które pojawiały się niczym grzyby po deszczu w następstwie obsesji na punkcie antyseptyki, znalazły się: mydło karbolowe, środki dezynfekujące ogólnego stosowania wytwarzane na bazie kwasu karbolowego (często był to po prostu czysty fenol sprzedawany w butelkach z dołączoną wydrukowaną instrukcją użycia) i karbolowy proszek do czyszczenia zębów. Największą popularność zdobyła karbolowa pasta do zębów Calverta, która została nawet objęta patronatem królowej Wiktorii. W Stanach Zjednoczonych pewien lekarz z Illinois jako pierwszy użył karbolu do wstrzykiwania w hemoroidy. Była to wątpliwa praktyka, bo po takim zabiegu pacjent najczęściej nie był w stanie chodzić przez wiele tygodni. Cudowne właściwości kwasu karbolowego zyskały tak wielki rozgłos, że nawet napisano o nich piosenkę. Clarence C. Wiley, aptekarz z Iowa, zasłynął dzięki skomponowaniu w 1901 roku folkowego ragtime'u pod tytułem *Car-Balick-Acid Rag*. Zastrzegł sobie prawa autorskie do utworu i opublikował go w postaci zapisu nutowego oraz rolki do pianoli.

Wspomniane produkty stanowiły zagrożenie dla osób niedoinformowanych: we wrześniu 1888 roku gazeta „Aberdeen Evening Express" doniosła, że trzynaście osób zatruło się kwasem karbolowym w wyniku tylko jednego wypadku, a pięć z nich zmarło. Później w Wielkiej Brytanii wprowadzono regulację prawną zakazującą sprzedaży detalicznej toksycznych substancji chemicznych w ich najczystszej formie. Kwas karbolowy stał się również przedmiotem procesu wytoczonego pewnej firmie w 1892 roku. Otóż w Londynie, w następstwie pandemii grypy, która w latach 1889–1890 zabiła milion ludzi, reklamowano produkt o niepokojącej nazwie „karbolowa kulka dymna" (Carbolic Smoke Ball) jako środek zapobiegający tej chorobie. Była to gumowa kulka wypełniona kwasem karbolowym, z dołączoną rurką. Rurkę należało włożyć do nosa i ścisnąć kulkę, żeby rozpylić mgiełkę kwasu. Miało to wywołać katar – pomysł polegał na tym, żeby wypłukać z nosa zarazki.

Producenci kulki dymnej zastosowali pewien chwyt marketingowy, zakładając, że żaden nabywca nie potraktuje go dosłownie. Ogłosili mianowicie, że każdy, kto uzna ich produkt za nieskuteczny, otrzyma rekompensatę w wysokości stu funtów, co stanowiło wtedy pokaźną sumę. Sędzia przewodniczący rozprawie, która była skutkiem tej błędnej oceny, nie zgodził się z twierdzeniem Carbolic Smoke Ball Company, że chodziło o „zwykłą przechwałkę", i orzekł, że reklama zawierała jednoznaczną obietnicę złożoną klientom. Nakazał firmie wypłatę rekompensaty cierpiącej na grypę Louisie Carlill, rozczarowanej nabywczyni kulki dymnej. Do dziś opowiada się o tej sprawie studentom prawa, przytaczając ją jako przykład podstawowych zasad dotyczących zobowiązań wynikających z umowy.

Do wyjątkowo zaskakujących konsekwencji badań Listera należało założenie jednej z najbardziej dziś rozpoznawalnych korporacji na świecie. Robert Wood Johnson, podobnie jak wynalazca płynu Listerine, po raz pierwszy dowiedział się o antyseptyce, gdy przyszedł na wykład Listera wygłoszony na Międzynarodowym Kongresie Medycznym w Filadelfii. Zainspirowany tym, co usłyszał, połączył siły ze swoimi dwoma braćmi, Jamesem i Edwardem, i razem założyli firmę mającą produkować na skalę masową pierwsze sterylne opatrunki i nici chirurgiczne zgodnie z metodami Listera. Nazwali ją Johnson & Johnson.

Najtrwalszym dziedzictwem Listera okazało się jednak skuteczne i powszechne propagowanie jego idei, co należy przypisać zarówno działaniu niewielkiej, lecz oddanej grupy jego studentów – pierwszym listerianom – jak i jego własnemu uporowi i wytrwałości w ciągu tych długich lat, kiedy system antyseptyczny był przedmiotem kontrowersji. W ostatnich latach kariery Listera często podążała za nim procesja pełnych powagi i szacunku studentów, z których pierwszy dźwigał uświęcony rozpylacz karbolu jako talizman przypominający niezwykłe dokonania ich mentora. Przyjeżdżali z różnych stron świata, żeby studiować pod kierunkiem wielkiego chirurga: z Paryża, Wiednia czy Nowego Jorku. I zabierali ze sobą jego idee, jego metody i jego niezachwiane przekonanie, że dzięki właściwemu i skrupulatnemu stosowaniu z trudem wprowadzanych metod pewnego dnia chirurgia będzie potrafiła ratować więcej istnień ludzkich, niż ich nieumyślnie uśmierca.

Przyjęcie antyseptycznego systemu Listera było najbardziej widoczną zewnętrzną oznaką zaakceptowania przez środowisko medyczne teorii drobnoustrojów i stanowiło epokową chwilę, w której doszło do połączenia medycyny z nauką. Thomas Eakins, artysta, który namalował *Klinikę Grossa*, wrócił do tego samego tematu w 1889 roku, tworząc *Klinikę Agnew*. Tym razem jednak, zamiast obskurnej sali operacyjnej z chirurgami oblepionymi krwią, Eakins pokazuje widzowi znacznie czystszą, jaśniejszą salę operacyjną z postaciami ubranymi w nieskazitelnie białe okrycia. *Klinika Agnew* przedstawia ucieleśnienie antyseptyki i higieny. To triumf listeryzmu.

Z biegiem lat nastąpił stopniowy odwrót od antyseptyki (zabijania drobnoustrojów) na rzecz aseptyki (dążenia do jałowości). Ta sama teoria, na której Lister oparł cały swój system, zdawała się wymagać, by metody aseptyczne zastąpiły antyseptyczne. On jednak przeciwstawiał się tej zmianie, ponieważ uważał, że aseptyka – która zakładała skrupulatną sterylizację wszystkiego w pobliżu pacjenta przed przystąpieniem do zabiegu – jest niepraktyczna, jeśli chirurdzy nadal mają operować poza kontrolowanym środowiskiem szpitalnym. Był zdania, że zabieg chirurgiczny powinien być bezpieczny niezależnie od tego, czy jest przeprowadzany na czyimś stole kuchennym, czy w sali operacyjnej, a antyseptyka była jedynym wykonalnym rozwiązaniem, gdy dochodziło do operowania w domu pacjenta.

Lister uznawał znaczenie szpitali, ale tylko w związku z opieką nad biednymi i ich leczeniem. Jego dawny student Guy Theodore Wrench twierdził później, że gdyby nie działania jego mentora, szpitale mogłyby całkowicie przestać istnieć. „Duże szpitale były porzucane i zastępowane niewielkimi – napisał. – Praca Listera [...] pojawiła się w samą porę. Uratowała nie tylko pacjentów, lecz także szpitale. Zapobiegła [...] całkowitemu odwrotowi od metod chirurgicznego leczenia biednych"[6]. Chociaż szpitale były niezbędne, Lister twierdził, że cała jego profesja nie będzie (i nie powinna) się na nich opierać. Uważał, że osoby zamożne nadal będą leczone poza murami tych instytucji, w swoich domach lub w prywatnych klinikach.

Gdy Lister zbliżał się do kresu życia, wyraził pragnienie, żeby jego historia, jeśli ma zostać kiedykolwiek opowiedziana, dotyczyła jedynie jego osiągnięć naukowych. W swoim testamencie – noszącym datę 26 czerwca 1908 roku – osiemdziesięciojednoletni chirurg poprosił, by Rickman John Godlee, wraz z jego bratankiem Arthurem Listerem, „uporządkował [jego] rękopisy naukowe i notatki, niszcząc te, które nie mają trwałej wartości naukowej lub nie są interesujące z tego punktu widzenia, albo pozbywając się ich w inny sposób"[7].

Lister błędnie sądził, że jego osobista historia ma niewielkie znaczenie dla jego osiągnięć chirurgicznych i naukowych. Idee nigdy nie powstają w próżni, a życie Listera dobitnie potwierdza tę prawdę. Od chwili, gdy spojrzał przez soczewkę mikroskopu ojca, po dzień, w którym otrzymał tytuł szlachecki od królowej Wiktorii, kształtowało się ono pod wpływem sytuacji, w jakich się znajdował, i otaczających go ludzi. Tak jak my wszyscy, widział świat przez pryzmat opinii najbardziej podziwianych przez siebie osób: Josepha Jacksona, pomocnego ojca i wybitnego znawcy mikroskopii, Williama Sharpeya, swojego nauczyciela z UCL, który zachęcił go do wyjazdu do Edynburga, Jamesa Syme'a, długoletniego mentora i teścia, oraz Ludwika Pasteura, uczonego, który dostarczył mu klucz niezbędny do odkrycia jednej z wielkich medycznych tajemnic XIX wieku.

Lister umarł spokojnie pewnego chłodnego zimowego poranka w lutym 1912 roku. Przy jego łóżku znajdował się niedokończony referat dotyczący natury i przyczyn ropienia – kwestii, która fascynowała go od czasów studenckich. Nawet pod koniec życia, gdy miał już bardzo słaby słuch i wzrok, nadal podejmował dialog ze światem nauki. Gdy zmarł, spełniono wszystkie jego życzenia z wyjątkiem jednego. Prywatna i rodzinna korespondencja chirurga nie została zniszczona, lecz zachowana przez jego siostrzeńca. To właśnie dzięki tym listom możemy zajrzeć do wewnętrznego świata Listera.

Joseph Jackson przypomniał kiedyś synowi, że to błogosławieństwo, iż dane mu było stać się środkiem, za którego pomocą system antyseptyczny został przedstawiony „innym śmiertelnikom". Życie pełne wyrzeczeń i wyjątkowa determinacja znalazły pełne usprawiedliwienie. Dzięki pionierskiej pracy Listera wyniki operacji chirurgicznych nie miały już być dziełem przypadku. Odtąd przyszłość jego zawodu była wyznaczana przewagą wiedzy nad ignorancją, dbałości nad niedbalstwem[8]. Chirurdzy zaczęli działać raczej z wyprzedzeniem niż po fakcie, jeśli chodzi o infekcje pooperacyjne. Już nie chwalono ich za szybką rękę dzierżącą nóż, lecz szanowano za to, że są ostrożni, metodyczni i dokładni[9]. Metody Listera zmieniły chirurgię ze sztuki rzeźnickiej w nowoczesną naukę, w której nowo wypróbowywane i przetestowane sposoby wzięły górę nad oklepanymi praktykami. Otworzyły przed medycyną wcześniej niespotykane możliwości – pozwalając nam coraz bardziej zagłębiać się w żywy organizm – a tym samym uratowały życie setkom tysięcy ludzi.

Hector Cameron, dawny student i asystent Listera, powiedział o nim: „My w i e d z i e l i ś m y, że mamy do czynienia z Geniuszem. Czuliśmy, że pomagamy tworzyć Historię i że wszystko staje się nowe"[10]. To, co kiedyś było niemożliwe, teraz stało się osiągalne. To, co kiedyś było niepojęte, teraz stało się wyobrażalne. Przyszłość medycyny wydała się nagle nieograniczona.

Podziękowania

Wyboiste drogi często prowadzą do pięknych miejsc. Pomysł napisania *Sztuki rzeźnickiej* przyszedł mi do głowy w bardzo trudnym momencie życia. Gdyby nie wspaniali ludzie, którzy zachęcali mnie, żebym wytrwała, gdy miałam ochotę się poddać, ta książka prawdopodobnie nigdy nie ujrzałaby światła dziennego.

Przede wszystkim chciałabym wyrazić szczere podziękowania swojej rodzinie. Ojcu Michaelowi Fitzharrisowi, który zawsze wierzył, że będę pisarką, nawet wtedy, gdy sama w to nie wierzyłam, i matce Debbie Klebe, której bezgraniczne poświęcenie przez całe moje dzieciństwo pomogło mi znaleźć się tu, gdzie jestem dzisiaj. Pragnę także podziękować bratu Chrisowi Fitzharrisowi i jego nowo poślubionej żonie Joy Montello, przybranym rodzicom Susan Fitzharris i Gregowi Klebe oraz moim wspaniałym teściom Grahamowi i Sandrze Tealom.

Dziękuję kuzynkom, które są dla mnie jak siostry: Lauren Pearce, Amy Martel i Elizabeth Wilbanks. Pamiętajcie, „jesteście moje"!

Niezależnie od tego, jak utalentowany jest autor, jest nikim bez kogoś, kto walczy o jego dzieło. Szczególne podziękowania należą się mojej agentce Annie Sproul-Latimer z Ross-Yoon Agency, która nigdy nie porzuciła nadziei, że pewnego dnia napiszę książkę. Obiecuję, że na swój drugi projekt nie każę Ci czekać tak długo jak na ten pierwszy. Chciałabym również podziękować Hilary Knight, która jest nie tylko zdumiewająco uzdolnioną agentką, lecz także najdroższą przyjaciółką.

W sposób szczególny pragnę podziękować Amandzie Moon, redaktorce z wydawnictwa FSG, która pomogła mi wziąć na warsztat historyjkę o wiktoriańskim chirurgu i zmienić ją w epicką opowieść o przełomowym momencie w historii medycyny. Twoja intuicja i przenikliwość są niezrównane. Dziękuję swojej błyskotliwej asystentce, zajmującej się poszukiwaniem materiałów, Caroline Overy, której niestrudzona praca w londyńskich archiwach pomogła uatrakcyjnić historię Listera, oraz profesorowi Michaelowi Worboysowi, którego spostrzeżenia i uwagi natury historycznej okazały się nieocenione podczas pisania tej książki.

Nie ma zbyt wielu pisarzy, którzy wspomnieliby w podziękowaniach o swoim adwokacie od spraw rozwodowych, ale mój zasługuje na wyjątkowe uznanie. Farhana Shazady zaciekle walczyła o moje prawa. Dziękuję Ci, że nauczyłaś mnie znów się cenić.

Mam to szczęście, że dysponuję wsparciem zadziwiającej społeczności, jaką jest Bractwo Dobrej Śmierci. Dziękuję Caitlin Doughty, naszej nieustraszonej liderce, która była dla mnie inspiracją zarówno jako człowiek, jak i jako pisarka, oraz Megan Rosenbloom i Sarah Chavez Troop, których

przyjaźń podtrzymuje mnie na duchu. Dziękuję również Jeffowi Jorgensenowi za odbieranie tych wszystkich telefonów
w środku nocy i za wiarę, że czeka mnie lepsza przyszłość.

W sposób szczególny dziękuję Paulowi Koudounarisowi,
który zawsze udzielał mi mądrych rad w decydujących chwilach mojego życia. Mój świat jest lepszym (i dziwniejszym)
miejscem, odkąd się w nim znalazłeś.

Są ludzie, którzy pojawili się w moim życiu i zmienili je
na lepsze. Alex Anstey wylądował awaryjnie w moim świecie wiele lat temu. Gdyby nie jego kreatywny entuzjazm,
być może nigdy nie zapoczątkowałabym swojego bloga
„The Chirurgeon's Apprentice". Dziękuję Ci, że jesteś dla mnie
tak niesamowitym i niewyczerpanym źródłem inspiracji.

Szczere podziękowania kieruję do doktora Billa MacLe-
hose'a, przyjaciela i kolegi naukowca. Podziwiałam Cię od
chwili, gdy się poznaliśmy. Mam nadzieję, że w przyszłości
czeka nas dużo więcej „dziwnych drinków" i fascynujących
rozmów.

Chciałabym podziękować tym z moich przyjaciół, którzy
przypominali mi, żebym nie pozwoliła, by moja walka stała
się częścią mojej tożsamości. Shannon Marie Harmon: jesteś
moją tarczą. Erice Lilly: zawsze mogę na Ciebie liczyć, bo
wiem, że poczęstujesz mnie drugim śniadaniem, gdy będę
potrzebowała czegoś na wzmocnienie. Oraz Jaiowi Virdie-
mu, którego życie pod bardzo wieloma względami kojarzy
się z moim: dziękuję Ci za przypominanie, że dawanie za
wygraną nigdy nie jest dobrym wyjściem. Jestem szczególnie
wdzięczna Ericowi Michaelowi Johnsonowi, który zachęcał
mnie, żebym uwierzyła w siebie jako pisarka, oraz Jillian
Drujon, bez której ta książka zostałaby ukończona znacznie

wcześniej. Wznoszę toast za zbyt ostre picie i zbyt późne chodzenie spać.

Specjalne podziękowania należą się moim jankeskim cheerleaderkom: Erin Reschke, Julie Cullen, Kristen Schultz i Blair Townsend. Dziękuję także Shelley Estes – marzenia naprawdę się spełniają, gdy podejmuje się ryzyko i wybiera przygodę! – oraz dynamicznemu duetowi Carolyn Breit i Cedricowi Damourowi. Wiem, że zawsze mogę liczyć na Was oboje, gdy nadejdą ciężkie czasy.

Jestem niezmiernie wdzięczna Lori Korngiebel, której optymizm i współczucie są dla mnie codzienną inspiracją. Chociaż dzieli nas ocean, nigdy się od siebie nie oddalamy, Moja Siostrzana Duszo. Oraz Edwardowi Brooke'owi-Hitchingowi, Rebecce Rideal i doktor Joanne Paul, którzy są nie tylko wybitnymi pisarzami, lecz także wspaniałymi przyjaciółmi. Dziękuję Samowi Smithowi, na którego wsparcie zawsze mogę liczyć. Twoja wiara we mnie przez te wszystkie lata pomogła mi stać się osobą, którą jestem dzisiaj.

Bardzo szczególne podziękowania należą się Chrisowi Skaife'owi, mistrzowi kruków z londyńskiego zamku Tower, i jego pięknej żonie Jasmin oraz córce Mickayli. Wasza serdeczność i słowa zachęty znaczą dla mnie więcej, niż moglibyście się spodziewać. Chris, jesteś następny!

Są w moim życiu ludzie, którzy wspierali mnie, nawet jeśli musieli przez to narazić na szwank dawne przyjaźnie. Należy do nich Craig Hill, człowiek o szczerozłotym sercu. Na zawsze jestem Twoją wierną przyjaciółką. Dziękuję również Gregowi Walkerowi i Thomasowi Waite'owi. Wasze życzliwość i współczucie pomogły mi przetrwać najczarniejsze dni mojego życia i nigdy tego nie zapomnę.

PODZIĘKOWANIA

Ludzie przychodzą i odchodzą, ale niektórzy są tu od samego początku. Dziękuję swoim przyjaciółkom z dzieciństwa, które wytrwały przy mnie nawet w moim krępującym „okresie wampirycznym"! Dziękuję Marli Ginex, Alyssie Voightmann i Kim Malinowski za miłość i za śmiech. Wiem, że niezależnie od tego, dokąd rzuci nas los, zawsze będziemy miały siebie.

Byłoby z mojej strony niedopatrzeniem, gdybym nie wspomniała o licznych w moim życiu nauczycielach, którzy mnie inspirowali i dodawali mi otuchy. W tym miejscu chciałabym podziękować swojemu nauczycielowi z piątej klasy Jeffowi Golobowi, a także Barb Fryzel, nauczycielce angielskiego ze szkoły średniej. Pragnę również złożyć podziękowania doktor Margaret Pelling, promotorce mojej pracy doktorskiej z Uniwersytetu Oksfordzkiego, która nadal jest dla mnie niewyczerpanym źródłem wiedzy i rad. Chcę wyrazić szczególną wdzięczność doktorowi Michaelowi Youngowi, który dawno temu zainteresował mnie historią nauki i medycyny, kiedy byłam na studiach licencjackich na Illinois Wesleyan University. Gdyby zorientował się Pan, że jestem pierwszoroczniakiem na Pańskich zajęciach dla ostatniego roku, moje życie mogłoby się potoczyć inaczej! Dziękuję za przyjaźń i wsparcie.

Jako ostatniemu, choć z pewnością nie najmniej ważnemu, pragnę podziękować mojemu wspaniałemu mężowi Adrianowi Tealowi. Nie przesadzę, jeśli powiem, że bez Ciebie nie dałabym sobie rady. Każdy dzień, który spędzamy razem, jest błogosławieństwem. Nie mogę się doczekać świetlanej i szczęśliwej przyszłości u Twego boku. Kocham Cię.

Przypisy

Prolog. Wiek męczarni

[1] A. C. Clarke, *Profiles of the Future*, London 1962, s. 25.

[2] J. F. South, *Memorials of John Flint South. Twice President of the Royal College of Surgeons, and Surgeon to St. Thomas's Hospital*, London 1884, s. 27.

[3] Tamże, s. 127, 128, 160.

[4] Tamże, s. 127.

[5] Paolo Mascagni, *Anatomia universa xliv*, Pisa 1823; cyt. za: A. Cunningham, *The Anatomist Anatomis'd. An Experimental Discipline in Enlightenment Europe*, Farnham 2010, s. 25.

[6] J. J. Rousseau, *Przechadzki samotnego marzyciela. Przechadzka siódma*, tłum. M. Gniewiewska, Warszawa 1967, s. 125.

[7] J. J. Rivlin, *Getting a Medical Qualification in England in the Nineteenth Century*, http://www.evolve360.co.uk/data/10/docs/09/09rivlin.pdf [dostęp 30.11.2017], na podstawie referatu wygłoszonego na wspólnym zebraniu Liverpoolskiego Towarzystwa Historii Medycyny i Liverpoolskiego Towarzystwa Historii Nauki i Techniki, 12 października 1996.

[8] T. Percival, *Medical Jurisprudence; or a Code of Ethics and Institutes, Adapted to the Professions of Physic and Surgery*, Manchester 1794, s. 16.

[9] F. Nightingale, *Notes on Hospitals*, London 1863, s. iii.

[10] Cyt. za: P. Vinten-Johansen i in., *Cholera, Chloroform, and the Science of Medicine. A Life of John Snow*, Oxford 2003, s. 111. Zob. też: R. Hollingham, *Blood and Guts. A History of Surgery*, London 2008;

V. Robinson, *Victory over Pain. A History of Anesthesia*, London 1947, s. 141–150; A. Winter, *Mesmerized. Powers of the Mind in Victorian Britain*, Chicago 1998, s. 180.

[11] Cyt. za: S. Parker, *Kill or Cure. An Illustrated History of Medicine*, London 2013, s. 174.

[12] H. J. Bigelow, *Insensibility During Surgical Operations Produced by Inhalation*, „The Boston Medical and Surgical Journal", 18 listopada 1846, s. 309.

[13] T. J. Hatton, *How Have Europeans Grown So Tall?*, „Oxford Economic Papers", 1 września 2013.

[14] D'A. Power, *Liston, Robert (1794–1847)*, w: J. Loudon (rev.), *Oxford Dictionary of National Biography*, Oxford 2004, www.oxforddnb.com.

[15] J. Pearson, *Principles of Surgery*, Boston 1832, s. vii.

[16] M. Simpson, *Simpson the Obstetrician*, London 1972, s. 41; za: A. J. Youngson, *The Scientific Revolution in Victorian Medicine*, London 1979, s. 28.

[17] F. W. Cock, *Anecdota Listoniensa*, „University College Hospital Magazine" 1911, s. 55; cyt. za: P. Stanley, *For Fear of Pain. British Surgery, 1790–1850*, New York 2002, s. 313.

[18] Pace został również wymieniony przez Listona w jego opisach przypadku. Zob.: Liston casebook, grudzień 1845–luty 1847, UCH/MR/1/61, University College London.

[19] Cyt. za: H. Ellis, *A History of Surgery*, London 2001, s. 85.

[20] Cyt. za: R. Hollingham, *Blood and Guts*, dz. cyt., s. 59–64.

[21] F. W. Cock, *The First Operation Under Ether in Europe. The Story of Three Days*, „University College Hospital Magazine", 1 (1911), s. 127–144.

[22] Ch. Bell, *Illustrations of the Great Operations of Surgery*, London 1821, s. 62; cyt. za: P. Stanley, *For Fear of Pain*, dz. cyt., s. 83.

[23] T. Alcock, *An Essay on the Education and Duties of the General Practitioner in Medicine and Surgery w Transactions of the Associated Apothecaries and Surgeon Apothecaries of England and Wales*, London 1823, s. 53; cyt. za: P. Stanley, *For Fear of Pain*, dz. cyt., s. 83.

24 W. Gibson, *Institutes and Practice of Surgery*, Philadelphia 1841, s. 504; cyt. za: P. Stanley, *For Fear of Pain*, dz. cyt., s. 83.

25 J. Miller, *Surgical Experience of Chloroform*, Edinburgh 1848, s. 7; cyt. za: P. Stanley, *For Fear of Pain*, dz. cyt., s. 295.

26 *Etherization in Surgery*, „Exeter Flying Post", 24 czerwca 1847, s. 4.

27 *The Good News from America*, w: J. Saunders (ed.), „People's Journal", London 1846–[1849?], 9 stycznia 1847, s. 25.

28 T. G. Wilson, *Victorian Doctor, Being the Life of Sir William Wilde*, London 1942, s. 90; cyt. za: P. Stanley, *For Fear of Pain*, dz. cyt., s. 174.

29 J. F. South, *Memorials of John Flint South*, dz. cyt., s. 36.

30 J. L. Gaw, *„Time to Heal". The Diffusion of Listerism in Victorian Britain*, Philadelphia 1999, s. 8.

1. Przez soczewkę

1 H. Spencer, *Education. Intellectual, Moral, and Physical*, New York 1861, s. 81–82.

2 Cyt. za: R. J. Godlee, *Lord Lister*, London 1918, s. 28.

3 Isabella Lister do Josepha Jacksona Listera, 21 października 1827, MS 6963/6, Wellcome Library.

4 R. B. Fisher, *Joseph Lister, 1827–1912*, London 1977, s. 23.

5 Tamże, s. 35.

6 Joseph Lister do Isabelli Lister, 21 lutego 1841, MS 6967/17, Wellcome Library.

7 Cyt. za: R. J. Godlee, *Lord Lister*, dz. cyt., s. 14.

8 Tamże.

9 Tamże, s. 12.

10 Tamże, s. 8.

11 J. Ruskin, *The Crown of Wild Olive* (1866), s. 14; cyt. za: E. T. Cook, A. Wedderburn (ed.), *The Works of John Ruskin*, t. 18, Cambridge 2010, s. 406.

12 Opis cmentarzy pochodzi z: E. Chadwick, *Report on the Sanitary Conditions of the Labouring Population of Great Britain. A Supplementary Report on the Results of a Special Inquiry into the Practice of Interment in Towns*, London 1843, s. 134.

[13] Zob.: R. Richardson, *Death, Dissection, and the Destitute*, London 1987, s. 60.

[14] Dokładniejszy opis Clement's Lane zob. w: S. Wise, *The Italian Boy. Murder and Grave-Robbery in 1830s London*, London 2005, s. 52.

[15] Więcej na ten temat w: S. Johnson, *The Ghost Map. The Story of London's Most Terrifying Epidemic – and How It Changed Science, Cities, and the Modern World*, New York 2006, s. 7–9.

[16] Więcej na ten temat w: K. Chesney, *The Victorian Underworld*, Newton Abbot 1970, s. 15–19, 95–97.

[17] List Petera Marka Rogeta do siostry Annette, 29 grudnia 1800; cyt. za: D. L. Emblen, *Peter Mark Roget. The Word and the Man*, London 1970, s. 54.

[18] *The London College*, „The Times", 6 czerwca 1825.

[19] „John Bull", 14 lutego 1825.

[20] T. J. Hatton, *How Have Europeans Grown So Tall?*, „Oxford Economic Papers", 1 września 2013.

[21] H. C. Cameron, *Joseph Lister. The Friend of Man*, London 1948, s. 16.

[22] Tamże, s. 16–18.

[23] T. Hodgkin, *Remembrance of Lister's Youth*, 5 kwietnia 1911, MS 6985/12, Wellcome Library.

[24] Tamże.

[25] Księga rachunkowa, październik–grudzień 1846, MS 6981, Wellcome Library.

[26] L. Creighton, *Life and Letters of Thomas Hodgkin*, London 1917, s. 12.

[27] Tamże, s. 39.

[28] J. S. Bushnan, *Address to the Medical Students of London. Session 1850–1*, London 1850, s. 11, 12.

[29] W. A. Guy, *On Medical Education*, London 1846, s. 23; cyt. za: P. Stanley, *For Fear of Pain. British Surgery, 1790–1850*, New York 2002, s. 167.

[30] *Medical Education in New York*, „Harper's New Monthly Magazine", wrzesień 1882, s. 672; cyt. za: M. Sappol, *A Traffic of Dead Bodies. Anatomy and Embodied Social Identity in Nineteenth-Century America*, Princeton 2002, s. 83.

[31] P. Stanley, *For Fear of Pain*, dz. cyt., s. 166. Zob. też: *Horace Saltoun*, „Cornhill Magazine", 3 (14), luty 1861, s. 246.

[32] Ogłoszenie, *Lancets*, „Gazetteer and New Daily Advertiser", 12 stycznia 1778; cyt. za: A. Withey, *Technology, Self-Fashioning, and Politeness in Eighteenth-Century Britain. Refined Bodies*, London 2015, s. 121.

[33] P. Stanley, *For Fear of Pain*, dz. cyt., s. 81.

[34] F. Winslow, *Physic and Physicians. A Medical Sketch Book*, t. 2, London 1839, s. 362–363.

[35] Cyt. za: E. Bennion, *Antique Medical Instruments*, Berkeley 1979, s. 3.

[36] E. H. Ackerknecht, *Medicine at the Paris Hospital, 1794–1848*, Baltimore 1967, s. 15.

[37] Tamże, s. 51.

[38] Informacje zaczerpnięte z: A. F. La Berge, *Debate as Scientific Practice in Nineteenth-Century Paris. The Controversy over the Microscope*, „Perspectives on Science", 12, 4 (2004), s. 425–427.

[39] A. E. Conrady, *The Unpublished Papers of J. J. Lister*, „Journal of the Royal Microscopical Society", 29 (1913), s. 28–39. Ten list jest datowany na 1850 rok, zastanawiam się jednak, czy to nie błędna data, ponieważ „pan Potter", o którym mowa, zmarł w 1847 roku.

[40] J. Lister, *Observations on the Muscular Tissue of the Skin*, „Quarterly Journal of Microscopical Science", 1 (1853), s. 264.

[41] Cyt. za: W. R. Merrington, *University College Hospital and Its Medical School. A History*, London 1976, s. 44.

2. Domy śmierci

[1] D. H. Agnew, *Lecture Introductory to the One Hundred and Fifth Course of Instruction in the Medical Department of the University of Pennsylvania, Delivered Monday, October 10, 1870*, Philadelphia 1870, s. 25; cyt. za: M. Sappol, *Traffic of Dead Bodies. Anatomy and Embodied Social Identity in Nineteenth-Century America*, Princeton 2002, s. 75–76.

[2] Dr John Cheyne do sir Edwarda Percivala, 2 grudnia 1818; cyt. za: *Bodies for Dissection in Dublin*, „British Medical Journal", 16 stycznia 1943, s. 74; cyt. za: R. Richardson, *Death, Dissection, and the Destitute*, London 1987, s. 97.

[3] Cyt. za: H. Bellot, *Notes on the History of University College, London with a Record of the Session 1886–7. Being the First Volume of the University College Gazette* (1887), s. 37.

[4] J. M. Sims, *The Story of My Life*, New York 1884, s. 128–129; cyt. za: M. Sappol, *Traffic of Dead Bodies*, dz. cyt., s. 78–79.

[5] Cyt. za: P. Bloom, *The Life of Berlioz*, Cambridge 1998, s. 14.

[6] R. Dunglison, *The Medical Student; or, Aids to the Study of Medicine*, Philadelphia 1837, s. 150.

[7] W. W. Keen, *A Sketch of the Early History of Practical Anatomy. The Introductory Address to the Course of Lectures on Anatomy at the Philadelphia School of Anatomy*, Philadelphia 1874, s. 3; cyt. za: M. Sappol, *Traffic of Dead Bodies*, dz. cyt., s. 77–78.

[8] M. Sappol, *Traffic of Dead Bodies*, dz. cyt., s. 76.

[9] Ch. Dickens, *Klub Pickwicka*, tłum. W. Górski, Wrocław 2005, s. 398.

[10] W. Hunter, *Introductory Lecture to Students* (ok. 1780), MS 55.182, St. Thomas' Hospital.

[11] P. Mitchell, *Lecture Notes Taken in Paris Mainly from the Lectures of Joseph Guichard Duverney at the Jardin du Roi from 1697–1698*, MS 6.f.134, Wellcome Library; cyt. za: L. Payne, *With Words and Knives. Learning Medical Dispassion in Early Modern England*, Aldershot 2007, s. 87.

[12] *Editor's Table*, „Harper's New Monthly Magazine", kwiecień 1854, s. 692.

[13] W. T. Gairdner, *Introductory Address at the Public Opening of the Medical Session 1866–67 in the University of Glasgow*, Glasgow 1866, s. 22; cyt. za: M. A. Crowther, M. W. Dupree, *Medical Lives in the Age of Surgical Revolution*, Cambridge 2007, s. 45.

[14] R. Woods, *Physician, Heal Thyself. The Health and Mortality of Victorian Doctors*, „Social History of Medicine", 9 (1996), s. 1–30.

[15] „New York Medical Inquirer", 1 (1830), s. 130; cyt. za: M. Sappol, *Traffic of Dead Bodies*, dz. cyt., s. 80.

[16] T. Pettigrew, *Biographical Memoirs of the Most Celebrated Physicians, Surgeons, etc., etc. Who Have Contributed to the Advancement of Medical Science*, t. 2, London 1839–1840, s. 4–5; cyt. za: P. Stanley, *For Fear of Pain. British Surgery, 1790–1850*, New York 2002, s. 159. F. Winslow, *Physic and Physicians. A Medical Sketch Book*, t. 1, London 1839, s. 119.

[17] T. B. Macaulay, *The History of England from the Accession of James II*, London 1864, s. 73.

[18] Zob.: R. B. Fisher, *Joseph Lister, 1827–1912*, London 1977, s. 40–41.

[19] T. Hodgkin, *Remembrance of Lister's Youth*, 5 kwietnia 1911, MS 6985/12, Wellcome Library. Cyt.: Iz 41:10, Biblia Warszawska.

[20] J. R. Leeson, *Lister as I Knew Him*, New York 1927, s. 58–60.

[21] J. Oppenheim, *Shattered Nerves. Doctors, Patients, and Depression in Victorian England*, Oxford 1991, s. 110–111.

[22] Cyt. za: R. B. Fisher, *Joseph Lister*, dz. cyt., s. 42. List Josepha Jacksona Listera do Josepha Listera, 1 lipca 1848, MS 6965/7, Wellcome Library.

[23] Księga rachunkowa, 1 grudnia 1849, MS 6981, Wellcome Library.

[24] Cyt. za: R. B. Fisher, *Joseph Lister*, dz. cyt., s. 47. Chociaż nie ma bezpośredniej wzmianki o stanie jego zdrowia psychicznego w tym okresie, możliwe, że nie skorzystał z tej okazji za radą ojca, który powiedział mu, żeby podchodził do studiów z większą powściągliwością w związku z załamaniem nerwowym sprzed dwóch lat.

[25] A. Teal, *The Gin Lane Gazette*, London 2014.

[26] E. Bennion, *Antique Medical Instruments*, Berkeley 1979, s. 13.

[27] J. Y. Simpson, *Our Existing System of Hospitalism and Its Effects*, „Edinburgh Medical Journal", marzec 1869, s. 818.

[28] A. J. Youngson, *Scientific Revolution in Victorian Medicine*, London 1979, s. 23–24.

[29] F. B. Smith, *The People's Health, 1830–1910*, London 1979, s. 262; cyt. za: P. Stanley, *For Fear of Pain*, dz. cyt., s. 139.

[30] A. J. Youngson, *Scientific Revolution*, dz. cyt., s. 24.

[31] Dane statystyczne: tamże, s. 40.

[32] Tamże, s. 65.

[33] J. E. Erichsen, *On the Study of Surgery. An Address Introductory to the Course of Surgery, Delivered at University College, London, at the Opening of Session 1850–1851*, London 1850, s. 8.

[34] Cyt. za: J. Smith, *The Thrill Makers. Celebrity, Masculinity, and Stunt Performance*, Berkeley 2012, s. 53.

[35] Chociaż pierwszy pokaz Barnuma zatytułowany „Co to jest?" okazał się porażką, drugi podobny, z 1860 roku, odniósł ogromny sukces w Stanach Zjednoczonych. Został zorganizowany tuż po ukazaniu się dzieła Karola Darwina *O powstawaniu gatunków*, które wzbudziło powszechne zainteresowanie kwestią „brakującego ogniwa". Bohaterem drugiego „Co to jest?" był Afroamerykanin William Henry Johnson. Jak zauważył historyk Stephen Asma, można się zastanawiać, czy rasistowski charakter pokazu bardziej przemawiał do amerykańskiej publiczności w przeddzień wojny secesyjnej niż do widzów w Anglii, gdzie niewolnictwo zostało zniesione kilkadziesiąt lat wcześniej. S. T. Asma, *On Monsters. An Unnatural History of Our Worst Fears*, Oxford 2009, s. 138.

[36] *John Phillips Potter FRCS*, „The Lancet", 29 maja 1847, s. 576.

[37] *Obituary Notices*, „South Australian Register", 28 lipca 1847, s. 2.

[38] *Death from Dissecting*, „Daily News" (London), 25 maja 1847, s. 3.

[39] *John Phillips Potter FRCS*, dz. cyt., s. 576–577.

[40] „Courier", 13 października 1847, s. 4. Zob. też: *Dissection of the Man Monkey*, „Stirling Observer", czwartek, 29 kwietnia 1847, s. 3.

[41] *John Phillips Potter FRCS*, „The Lancet", dz. cyt., s. 576.

[42] W. R. Merrington, *University College Hospital and Its Medical School. A History*, London 1976, s. 65.

[43] Tamże, s. 49.

[44] R. J. Godlee, *Lord Lister*, London 1918, s. 20.

[45] Cyt. za: R. B. Fisher, *Joseph Lister*, dz. cyt., s. 50–51, 307.

[46] Joseph Jackson Lister do Josepha Listera, 9 października 1838, MS 6965/1, Wellcome Library.

[47] J. R. Leeson, *Lister as I Knew Him*, dz. cyt., s. 48–49.

⁴⁸ J. Y. Simpson, *Hospitalism. Its Effects on the Results of Surgical Operations, etc.*, t. 1, Edinburgh 1869, s. 4.

⁴⁹ *Royal Commission for Enquiring into the State of Large Towns and Populous Districts*, „Parliamentary Papers" 1844, s. 17; cyt. za: S. Halliday, *Death and Miasma in Victorian London. An Obstinate Belief*, „British Medical Journal", 22 grudnia 2001, s. 1469–1471.

⁵⁰ Zob.: M. Worboys, *Spreading Germs. Disease Theories and Medical Practice in Britain, 1865–1900*, Cambridge 2000, s. 28.

⁵¹ J. E. Erichsen, *On Hospitalism and the Causes of Death After Operations*, London 1874, s. 36.

⁵² J. Y. Simpson, *Hospitalism. Its Effects on the Results of Surgical Operations, etc.*, t. 2, Edinburgh 1869, s. 20–24.

⁵³ UCH/MR/1/63, University College London Archives.

3. Zszyte wnętrzności

¹ Cyt. za: B. B. Cooper, *The Life of Sir Astley Cooper*, t. 2, London 1843, s. 207.

² R. S. Pilcher, *Lister's Medical School*, „British Journal of Surgery", 54 (1967), s. 422. Zob. także plany budynku w: W. R. Merrington, *University College Hospital and Its Medical School. A History*, London 1976, s. 78–79.

³ R. S. Pilcher, *Lister's Medical School*, dz. cyt., s. 422.

⁴ Jestem ogromnie wdzięczna Ruth Richardson i Bryanowi Rhodesowi za informacje przedstawione w tym rozdziale. To oni jako pierwsi natrafili na ślad tej nieznanej operacji, którą Lister przeprowadził na samym początku swojej kariery. Zob.: R. Richardson, B. Rhodes, *Joseph Lister's First Operation*, „Notes and Records of the Royal Society of London", 67, nr 4 (2013), s. 375–385.

⁵ C. Kenny, *Wife-Selling in England*, „Law Quarterly Review", 45 (1929), s. 496.

⁶ *Letters Patent Have Passed the Great Seal of Ireland*, „The Times", 18 lipca 1797, s. 3.

⁷ L. Stone, *Road to Divorce. England, 1530–1987*, Oxford 1992, s. 429.

[8] *The Disproportion Between the Punishments*, „The Times", 24 sierpnia 1846, s. 4.

[9] H. T. Mill, J. S. Mill [artykuł wstępny bez nagłówka – prawo karne], „Morning Chronicle", 31 maja 1850, s. 4.

[10] Relacja dotycząca tego, co się przytrafiło Julii Sullivan, pochodzi (o ile nie zaznaczono inaczej) z protokołów rozprawy przed Centralnym Sądem Kryminalnym z 15 września 1851 roku, s. 27–32, dostępnych w internecie: https://www.oldbaileyonline.org [dostęp 30.11.2017].

[11] *Central Criminal Court, Sept. 17*, „The Times", 18 września 1851, s. 7.

[12] P. Stanley, *For Fear of Pain. British Surgery, 1790–1850*, New York 2002, s. 136.

[13] Tamże.

[14] T.W.H., *To the Editor of the Times*, „The Times", 11 lipca 1835, s. 3.

[15] Szczegóły tej operacji zostały zaczerpnięte przede wszystkim z zeznania Listera znajdującego się w archiwum Old Bailey oraz z: J. E. Erichsen, *University College Hospital. Wound of the Abdomen; Protrusion and Perforation of the Intestines and Mesentery; Recovery*, „The Lancet", 1 listopada 1851, s. 414–415.

[16] *Mirror on the Practice of Medicine and Surgery in the Hospitals of London. University College Hospital*, „The Lancet", 11 stycznia 1851, s. 41–42.

[17] B. Travers, *A Case of Wound with Protrusion of the Stomach*, „Edinburgh Journal of Medical Science", 1 (1826), s. 81–84.

[18] J. E. Erichsen, *University College Hospital*, dz. cyt., s. 415. Dwa lata później Erichsen opublikował podręcznik pod tytułem *The Science and Art of Surgery*, w którym wspomina ten przypadek. Nic jednak nie mówi o bohaterskich wysiłkach Listera, bez których Julia Sullivan z całą pewnością zmarłaby tamtego stresującego wieczoru. Niestety nie zachowały się historie choroby pacjentek Erichsena, toteż nie dysponujemy zapiskami samego Listera dotyczącymi operacji Julii Sullivan.

[19] K. Dickens, *Szkice Boza*, tłum. Z. Sroczyńska, Warszawa 1955, s. 117.

4. Ołtarz nauki

[1] A. Tennyson, *In Memoriam A.H.H.*, London 1850, I, wersy 3–4.

[2] J. E. Erichsen, *The Science and Art of Surgery. Being a Treatise on Surgical Injuries, Diseases, and Preparations*, London 1853, s. 698–699.

[3] P. Stanley, *For Fear of Pain. British Surgery, 1790–1850*, New York 2002, s. 73.

[4] *The Annual Report of the Committee of the Charing Cross Hospital*, „The Spectator", 10, London 1837, s. 58.

[5] *Accident Report for Martha Appleton, A Scavenger*, sierpień 1859, HO 45/6753, National Archives.

[6] Notatki dotyczące przypadków chirurgicznych sporządzone przez Listera, studenta numer 351, w związku z Medalem Klinicznym Fellowesa w University College Hospital w 1851 roku, Royal College of Surgeons of England, MS0021/4/4 (3).

[7] Cyt. za: J. London, *People of the Abyss*, New York 1903, s. 258; zob. też: J. T. Arlidge, *The Hygiene, Diseases, and Mortality of Occupations*, London 1892.

[8] Więcej na temat leczenia szkorbutu w wiekach XVIII i XIX zob.: M. Harrison, *Scurvy on Sea and Land. Political Economy and Natural History, c. 1780–c. 1850*, „Journal for Maritime Research", 15, nr 1 (2013), s. 7–15. Dopiero w 1928 roku biochemik Albert Szent-Györgyi wyizolował z nadnerczy substancję, która pozwala organizmowi skutecznie wykorzystywać węglowodany, tłuszcze i białka. Upłynęły jeszcze cztery lata, zanim Charles Glen King odkrył w swoim laboratorium witaminę C i doszedł do wniosku, że jest ona identyczna z substancją, którą opisał Szent-Györgyi. W ten sposób dowiódł wyraźnego związku między szkorbutem a niedoborem witaminy C.

[9] *Origin of the No Nose Club*, „Star", 18 lutego 1874, s. 3.

[10] Notatki dotyczące przypadków chirurgicznych sporządzone przez Listera, studenta numer 351, w związku z Medalem Klinicznym Fellowesa w University College Hospital w 1851 roku, Royal College of Surgeons of England, MS0021/4/4 (3).

[11] Tamże.

[12] R. Ellis, *Official Descriptive and Illustrated Catalogue of the Great Exhibition of the Works of Industry of All Nations, 1851*, t. 3, London 1851, s. 1070.

[13] Tamże, s. 1170.

[14] M. Smith (ed.), *The Letters of Charlotte Brontë, with a Selection of Letters by Family and Friends*, t. 2, Oxford 2000, s. 630.

[15] Cyt. za: R. J. Godlee, *Lord Lister*, London 1918, s. 28.

[16] Rysunki minoga, 31 marca, 2 kwietnia, 7 kwietnia 1852, MS0021/4/4 (2/6), Royal College of Surgeons of England.

[17] Cyt. za: R. B. Fisher, *Joseph Lister, 1827–1912*, London 1977, s. 48.

[18] J. Lister, *The Huxley Lecture on Early Researches Leading Up to the Antiseptic System of Surgery*, „The Lancet", 6 października 1900, s. 985.

[19] J. Rosenhek, *The Art of Artificial Insemination*, „Doctor's Review", październik 2013, http://www.doctorsreview.com/history/history-artificial-insemination/ [dostęp 30.11. 2017].

[20] A. E. Best, *Reflections on Joseph Lister's Edinburgh Experiments on Vaso-motor Control*, „Medical History", 14, nr 1 (1970), s. 10–30; zob. też: E. R. Howard, *Joseph Lister. His Contributions to Early Experimental Physiology*, „Notes and Records of the Royal Society of London", 67, nr 3 (2013), s. 191–198.

[21] J. Lister, *Observations on the Contractile Tissue of the Iris*, „Quarterly Journal of Microscopical Science", 1 (1853), s. 8–11.

[22] J. Bell, *The Principles of Surgery*, wyd. 2, New York 1812, s. 26–27.

[23] Przypadek opisany w: T. Trotter, *Medicina Nautica*, London 1797–1803; cyt. za: I. Loudon, *Necrotising Fasciitis, Hospital Gangrene, and Phagedena*, „The Lancet", 19 listopada 1994, s. 1416.

[24] Cyt. za: I. Loudon, *Necrotising Fasciitis*, dz. cyt.

[25] J. Bell, *The Principles of Surgery*, dz. cyt., s. 28.

[26] J. Syme, *The Principles of Surgery*, Edinburgh 1832, s. 69.

[27] M. Worboys, *Spreading Germs. Disease Theories and Medical Practice in Britain, 1865–1900*, Cambridge 2000, s. 75.

[28] J. Lister, *The Huxley Lecture by Lord Lister, F.R.C.S., President of the Royal Society*, „British Medical Journal", 6 października 1900, s. 969.

[29] Tamże.

[30] Tamże.

[31] R. J. Godlee, *Lord Lister*, dz. cyt., s. 28.

[32] Tamże, s. 21.

[33] Tamże, s. 22.

[34] Lister do Godlee'a, odpowiedź na list z 28 listopada 1852, MS 6970/1, Wellcome Library.

[35] Notatki dotyczące przypadków chirurgicznych sporządzone przez Listera, studenta numer 351, w związku z Medalem Klinicznym Fellowesa w University College Hospital w 1851 roku, Royal College of Surgeons of England, MS0021/4/4 (3).

5. Napoleon chirurgii

[1] W. Hunter, *Two Introductory Lectures, Delivered by Dr. William Hunter, to his Last Course of Anatomical Lectures, at his Theatre in Windmill-Street*, London 1784, s. 73.

[2] Cyt. za: A. Peddie, *Dr. John Brown. His Life and Work; with Narrative Sketches of James Syme in the Old Minto House Hospital and Dispensary Days; Being the Harveian Society Oration, Delivered 11th April 1890*, „Edinburgh Medical Journal", 35, cz. 2 (styczeń–czerwiec 1890), s. 1058.

[3] A. Miles, *The Edinburgh School of Surgery Before Lister*, London 1918, s. 181–182.

[4] A.J. K. Cairncross (ed.), *Census of Scotland, 1861–1931*, Cambridge 1954.

[5] *Statistics of Crime in Edinburgh*, „Caledonian Mercury" (Edinburgh), 21 stycznia 1856.

[6] J. Begg, *Happy Homes for Working Men, and How to Get Them*, London 1866, s. 159.

[7] Tamże.

[8] Cyt. za: R. J. Godlee, *Lord Lister*, London 1918, s. 31.

[9] Cyt. za: J. D. Comrie, *History of Scottish Medicine*, t. 2, wyd. 2, London 1932, s. 596.

[10] Tamże, s. 596–597.

[11] W miejscu, gdzie stał szpital, obecnie znajduje się gmach Muzeum Królewskiego Szkocji.

[12] Cyt. za: R. G. Williams Jr., *James Syme of Edinburgh*, „Historical Bulletin: Notes and Abstracts Dealing with Medical History", 16, nr 2 (1951), s. 27.

[13] Tamże, s. 28.

[14] Więcej na temat pojedynku zob.: P. Stanley, *For Fear of Pain. British Surgery, 1790–1850*, New York 2002, s. 37.

[15] Bill Yule, *Matrons, Medics, and Maladies*, East Linton 1999, s. 3–5.

[16] Cyt. za: R. J. Godlee, *Lord Lister*, dz. cyt., s. 30.

[17] Tamże, s. 34.

[18] Zob.: R. B. Fisher, *Joseph Lister, 1827–1912*, London 1977, s. 60–61.

[19] R. J. Godlee, *Lord Lister*, dz. cyt., s. 35.

[20] Tamże, s. 37.

[21] Tamże, s. 37, 38.

[22] List George'a Buchanana do Josepha Listera, 10–11 grudnia, 1853, MS 6970/3, Wellcome Library.

[23] G. T. Wrench, *Lord Lister. His Life and Work*, London 1913, s. 45.

[24] Tamże, s. 46.

[25] J. Syme, *Observations in Clinical Surgery*, Edinburgh 1861, s. 160.

[26] G. T. Wrench, *Lord Lister*, dz. cyt., s. 47.

[27] H. C. Cameron, *Joseph Lister. The Friend of Man*, London 1948, s. 34.

[28] F. Nightingale do R. G. Whitfielda, 8 listopada, 1856 (LMA) H1/ST/NC1/58/6, London Metropolitan Archives; cyt. za: L. McDonald (ed.), *Florence Nightingale. Extending Nursing*, Waterloo 2009, s. 303.

[29] Wiersz zacytowany w: H. C. Cameron, *Joseph Lister*, dz. cyt., s. 34–35.

[30] Tamże, s. 35.

[31] J. Beddoe, *Memories of Eighty Years*, Bristol 1910, s. 56.

[32] Tamże.

[33] Tamże.

[34] Tamże, s. 56–57.

[35] Tamże, s. 55.

6. Żabie nogi

[1] Cyt. za: W. J. Sinclair, *Semmelweis. His Life and His Doctrine. A Chapter in the History of Medicine*, Manchester 1909, s. 46.

[2] *The Late Richard Mackenzie MD*, „Association Medical Journal" 1854, s. 1023, 1024.

[3] Tamże, s. 1024. Więcej o Mackenziem w: „Medical Times & Gazette", 2 (1854), s. 446–447.

[4] M. Smallman-Raynora, A. D. Cliff, *The Geographical Spread of Cholera in the Crimean War. Epidemic Transmission in the Camp Systems of the British Army of the East, 1854–55*, „Journal of Historical Geography", 30 (2004), s. 33; zob. też: Army Medical Department, *The Medical and Surgical History of the British Army Which Served in Turkey and the Crimea During the War Against Russia in the Years 1854–55–56*, t. 1, London 1858.

[5] Cyt. za: F. M. Sandwith, *Surgeon Compassionate. The Story of Dr. William Marsden, Founder of the Royal Free and Royal Marsden Hospitals*, London 1960, s. 70.

[6] List Williama Sharpeya do Jamesa Syme'a, 1 grudnia 1854, MS 6979/21, Wellcome Library.

[7] List Josepha Jacksona Listera do Josepha Listera, 5 grudnia 1854, MS 6965/11, Wellcome Library.

[8] Tamże, s. 40.

[9] Joseph Jackson Lister do Josepha Listera, 16 kwietnia 1855, MS 6965/13, Wellcome Library.

[10] R. J. Godlee, *Lord Lister*, London 1918, s. 43.

[11] Opis Millbank House można znaleźć w: R. Paterson, *Memorials of the Life of James Syme, Professor of Clinical Surgery in the University of Edinburgh, etc.*, Edinburgh 1874, s. 293–295; zob. też: G. T. Wrench, *Lord Lister. His Life and Work*, London 1913, s. 42–44.

[12] Joseph Lister do Rickmana Godlee, 4 sierpnia 1855, MS 6969/4, Wellcome Library.

[13] Joseph Jackson Lister do Josepha Listera, 25 marca 1853, MS6965/8, Wellcome Library.

[14] Cyt. za: R. B. Fisher, *Joseph Lister, 1827–1912*, London 1977, s. 63. Wiersz: John Beddoe, David Christison, Patrick Heron Watson, „'Tis of a winemerchant who in London did dwell", 15 maja 1854, MS6979/9, Wellcome Library.

[15] List Josepha Jacksona Listera do Josepha Listera, 24 lipca 1855, MS6965/14, Wellcome Library.

[16] Joseph Jackson Lister do Josepha Listera, 18 października 1855, MS6965/16, Wellcome Library.

[17] Joseph Jackson Lister do Josepha Listera, 23 lutego 1856, MS6965/20, Wellcome Library.

[18] Tamże.

[19] Joseph Jackson i James Syme wynegocjowali między sobą umowę małżeńską. Syme dał dwa tysiące funtów w papierach wartościowych i dwa tysiące w gotówce, ojciec Listera również wniósł wkład do tego związku. Więcej informacji na ten temat w: R. B. Fisher, *Joseph Lister*, dz. cyt., s. 80.

[20] Tamże, list Josepha Listera do Isabelli Lister, 6 stycznia? 1856, MS6968/2, Wellcome Library.

[21] Cyt. za: R. B. Fisher, *Joseph Lister*, dz. cyt., s. 81.

[22] Cyt. za: H. C. Cameron, *Lord Lister 1827–1912. An Oration*, Glasgow 1914, s. 9. Niektóre źródła kwestionują to, czy zostało wygłoszone na weselu Listera, czy w późniejszym terminie.

[23] A. J. Youngson, *Scientific Revolution in Victorian Medicine*, London 1979, s. 34–35.

[24] M. Worboys, *Spreading Germs. Disease Theories and Medical Practice in Britain, 1865–1900*, Cambridge 2000, s. 76.

[25] Cyt. za: R. J. Godlee, *Lord Lister*, dz. cyt., s. 43.

[26] R. Liston, *Practical Surgery*, wyd. 3, London 1840, s. 31.

[27] *Year-Book of Medicine, Surgery, and Their Allied Sciences for 1862*, London 1863, s. 213; cyt. za: A. J. Youngson, *Scientific Revolution*, dz. cyt., s. 38.

[28] R. B. Fisher, *Joseph Lister*, dz. cyt., s. 84.

[29] W późniejszym okresie życia Lister powiedział, że uważa własne badania dotyczące charakteru stanów zapalnych za „niezbędny krok

wstępny" do opracowania swojej koncepcji zasad antyseptyki, i nalegał, żeby w tomie upamiętniającym jego dokonania zawarto te najwcześniejsze odkrycia. W 1905 roku, gdy miał siedemdziesiąt osiem lat, napisał: „Jeśli moje prace będą czytane, kiedy odejdę, te okażą się najwyżej cenione" (cyt.: tamże, s. 89).

[30] E. R. Howard, *Joseph Lister. His Contributions to Early Experimental Physiology*, „Notes and Records of the Royal Society of London", 67, nr 3 (2013), s. 191–198.

[31] Cyt. za: R. B. Fisher, *Joseph Lister*, dz. cyt., s. 87; J. Lister, *An Inquiry Regarding the Parts of the Nervous System Which Regulate the Contractions of the Arteries*, „Philosophical Transactions of the Royal Society of London", 148 (1858), s. 612–613.

[32] Tamże, s. 614.

[33] Cyt. za: R. J. Godlee, *Lord Lister*, dz. cyt., s. 61.

[34] J. Lister, *On the Early Stages of Inflammation*, „Philosophical Transactions of the Royal Society of London", 148 (1858), s. 700.

[35] E. R. Howard, *Joseph Lister*, dz. cyt., s. 194.

[36] Tamże.

[37] Joseph Jackson Lister do Josepha Listera, 31 stycznia 1857, MS6965/26, Wellcome Library.

7. Czystość i zimna woda

[1] R. Volkmann, *Die moderne Chirurgie, Sammlung klinischer Vorträge*; cyt. za: R. J. Godlee, *Lord Lister*, London 1918, s. 123.

[2] Cyt. za: R. J. Godlee, *Lord Lister*, dz. cyt., s. 77.

[3] Tamże, s. 78.

[4] Tamże, s. 77–78.

[5] Tamże, s. 82.

[6] Wzmianka o tym liście pojawia się w: R. J. Godlee, *Lord Lister*, dz. cyt., s. 80. Nie udało mi się ustalić jego nadawcy, a późniejsi autorzy, tacy jak Fisher, w ogóle o nim nie wspominają.

[7] „Glasgow Herald", 18 stycznia 1860, s. 3.

[8] R. B. Fisher, *Joseph Lister, 1827–1912*, London 1977, s. 97.

[9] Cyt. za: R. J. Godlee, *Lord Lister*, dz. cyt., s. 81.

[10] H. C. Cameron, *Joseph Lister. The Friend of Man*, London 1948, s. 46.

[11] Cyt. za: Ch. Lawrence, *Incommunicable Knowledge. Science, Technology, and the Clinical Art in Britain, 1850–1914*, „Journal of Contemporary History", 20, nr 4 (1985), s. 508.

[12] List cytowany w: R. J. Godlee, *Lord Lister*, dz. cyt., s. 88–89.

[13] Na podstawie relacji H. C. Camerona w: *Joseph Lister*, dz. cyt., s. 47–49.

[14] R. B. Fisher, *Joseph Lister*, dz. cyt., s. 98; M. A. Crowther, M. W. Dupree, *Medical Lives in the Age of Surgical Revolution*, Cambridge 2007, s. 61–62.

[15] R. J. Godlee, *Lord Lister*, dz. cyt., s. 92.

[16] M. A. Crowther, M. W. Dupree, *Medical Lives*, dz. cyt., s. 63.

[17] O pracach remontowych jest mowa w: R. J. Godlee, *Lord Lister*, dz. cyt., s. 90.

[18] Tamże, s. 91.

[19] Tamże.

[20] Tamże.

[21] Tamże.

[22] Tamże, s. 93.

[23] Tamże, s. 92.

[24] H. C. Cameron, *Reminiscences of Lister and of His Work in the Wards of the Glasgow Royal Infirmary, 1860–1869*, Glasgow 1927, s. 9.

[25] J. C. Symons, cyt. w: F. Engels, *Położenie klasy robotniczej w Anglii*, tłum. A. Długosz, Warszawa 1952, s. 85.

[26] *Accident*, „Fife Herald", 12 stycznia 1865, s. 3.

[27] *Uphall–Gunpowder Accident*, „Scotsman", 3 kwietnia 1865, s. 2.

[28] Cyt. za: R. J. Godlee, *Lord Lister*, dz. cyt., s. 92.

[29] Zob.: J. D. Comrie, *History of Scottish Medicine*, t. 2, wyd. 2, London 1932, s. 459.

[30] R. B. Fisher, *Joseph Lister*, dz. cyt., s. 107.

[31] H. C. Cameron, *Reminiscences of Lister*, dz. cyt., s. 11.

[32] Tenże, *Joseph Lister*, dz. cyt., s. 52.

[33] R. J. Godlee, *Lord Lister*, dz. cyt., s. 129, 130.

[34] Tamże, s. 55.

[35] J. R. Leeson, *Lister as I Knew Him*, New York 1927, s. 51, 103.

[36] Tamże, s. 87.

[37] Tamże, s. 111.

[38] Tamże, s. 53.

[39] D. Guthrie, *Lord Lister. His Life and Doctrine*, Edinburgh 1949, s. 63–64.

[40] J. R. Leeson, *Lister as I Knew Him*, dz. cyt., s. 19.

[41] Cyt. za: R. B. Fisher, *Joseph Lister*, dz. cyt., s. 111.

[42] J. Lister, *The Croonian Lecture. On the Coagulation of the Blood*, „Proceedings of the Royal Society of London", 12 (1862–1863), s. 609.

[43] D. Guthrie, *Lord Lister*, dz. cyt., s. 45–46.

[44] J. Lister, *On the Excision of the Wrist for Caries*, „The Lancet", 25 marca 1865, s. 308–312.

[45] Cyt. za: R. B. Fisher, *Joseph Lister*, dz. cyt., s. 122.

[46] R. J. Godlee, *Lord Lister*, dz. cyt., s. 110.

[47] Joseph Jackson Lister do Josepha Listera, 30 listopada 1864, MS6965/40, Wellcome Library.

[48] R. J. Godlee, *Lord Lister*, dz. cyt., s. 111.

[49] Cyt.: tamże, s. 105.

[50] A. J. Youngson, *Scientific Revolution in Victorian Medicine*, London 1979, s. 130.

[51] P. M. Dunn, *Dr. Alexander Gordon (1752–99) and Contagious Puerperal Fever*, „Archives of Disease in Childhood: Fetal and Neonatal Edition", 78, nr 3 (1998), s. F232.

[52] A. Gordon, *A Treatise on the Epidemic Puerperal Fever of Aberdeen*, London 1795, s. 3, 63, 99.

[53] A. J. Youngson, *Scientific Revolution*, dz. cyt., s. 132.

[54] Tamże.

[55] I. Semmelweis, *Etiology, Concept, and Prophylaxis of Childbed Fever* (1861), trans. K. K. Carter, Madison 1983, s. 131.

[56] A. J. Youngson, *Scientific Revolution*, dz. cyt., s. 134.

[57] Cyt. za: H. C. Cameron, *Joseph Lister*, dz. cyt., s. 57.

[58] Tenże, *Reminiscences of Lister*, dz. cyt., s. 11.

[59] Tenże, *Joseph Lister*, dz. cyt., s. 54.

[60] Tamże, s. 54–55.

[61] Niektóre źródła podają 1865 rok, inne 1864. Ja opieram się na: W. W. Cheyne, *Lister and His Achievement*, London 1925, s. 8.

8. Wszyscy umarli

[1] G. H. Lewes, *The Physiology of Common Life*, t. 2, Edinburgh 1859–1860, s. 452.

[2] *Letters, News, etc.*, „The Lancet", 26 kwietnia 1834, s. 176; cyt. za: P. Stanley, *For Fear of Pain. British Surgery, 1790–1850*, New York 2002, s. 152. Ta historia pochodzi z wcześniejszych lat XIX wieku, ale w latach sześćdziesiątych nadal była aktualna.

[3] M. Pelling, *Cholera, Fever, and English Medicine, 1825–1865*, Oxford 1978, s. 2.

[4] J. L. Gaw, „*Time to Heal*". *The Diffusion of Listerism in Victorian Britain*, Philadelphia 1999, s. 19.

[5] Cyt. za: R. J. Morris, *Cholera, 1832. The Social Response to an Epidemic*, New York 1976, s. 207.

[6] W. Budd, *Investigations of Epidemic and Epizootic Diseases*, „British Medical Journal", 24 września 1864, s. 356; cyt. za: J. L. Gaw, „*Time to Heal*", dz. cyt., s. 24. Co ciekawe, Budd przypuszczał, że trucizna cholery może być przenoszona przez powietrze, ale uważał, że rozprzestrzenia się nie przez wdychanie, lecz na skutek spożywania skażonej przez powietrze żywności i wody.

[7] Tenże, *Cholera. Its Cause and Prevention*, „British Medical Journal", 2 marca 1855, s. 207.

[8] M. Faraday, *The State of the Thames, Letter to the Editor*, „The Times", 9 lipca 1855, s. 8.

[9] „The Times", 18 czerwca 1858, s. 9.

[10] Cyt. za: P. Debré, *Louis Pasteur*, trans. E. Forster, Baltimore 1998, s. 96.

[11] Tamże, s. 87.

[12] R. Dubos, *Pasteur and Modern Science*, ed. T. D. Brock, Washington 1998, s. 32.

[13] R. Vallery-Radot, *The Life of Pasteur*, trans. R. L. Devonshire, t. 1, Westminster 1902, s. 142; w: R. J. Godlee, *Lord Lister*, London 1918, s. 176.

[14] Cyt. za: S. B. Nuland, *Doctors. The Biography of Medicine*, New York 1989, s. 363.

[15] Cyt. za: R. Vallery-Radot, *The Life of Pasteur*, dz. cyt., s. 129.

[16] P. Debré, *Louis Pasteur*, dz. cyt., s. 260.

[17] Tamże, s. 110.

[18] Tamże, s. 260.

[19] T. S. Wells, *Some Causes of Excessive Mortality After Surgical Operations*, „British Medical Journal", 1 października 1864, s. 386.

[20] R. B. Fisher, *Joseph Lister, 1827–1912*, London 1977, s. 134.

[21] *Meeting of the International Medical Congress*, „The Boston Medical and Surgical Journal", 95, 14 września 1876, s. 328.

[22] „The Lancet", 24 sierpnia 1867, s. 234.

[23] Zob.: R. B. Fisher, *Joseph Lister*, dz. cyt., s. 131.

[24] Cyt.: tamże, s. 130.

[25] J. K. Crellin, *The Disinfectant Studies by F. Crace Calvert and the Introduction of Phenol as a Germicide*, „Vorträge der Hauptversammlung der internationalen Gesellschaft für Geschichte der Pharmazie" nr 28 (1966), s. 3 – materiały ze zjazdu Międzynarodowego Towarzystwa Historii Farmacji, Londyn 1965.

[26] J. Lister, *On a New Method of Treating Compound Fracture, Abscess, etc. with Observations on the Conditions of Suppuration*, „The Lancet", 16 marca 1867, s. 327.

[27] R. B. Fisher, *Joseph Lister*, dz. cyt., s. 134.

[28] J. Lister, *On a New Method of Treating Compound Fracture*, dz. cyt., s. 328.

[29] Tenże, *On the Principles of Antiseptic Surgery*, w: *Internationale Beiträge zur wissenschaftlichen Medizin. Festschrift, Rudolf Virchow gewidmet zur Vollendung seines 70. Lebensjahres*, t. 3, Berlin 1891, s. 262.

[30] Chociaż Kelly doznał podobnego rodzaju złamania, Lister uznał, że próba się nie powiodła z powodu „niewłaściwego obchodzenia się" z kwasem, a nie z winy kwasu karbolowego samego w sobie.

[31] D. Masson, *Memories of London in the Forties*, Edinburgh 1908, s. 21.

[32] J. Lister, *On a New Method of Treating Compound Fracture*, dz. cyt., s. 329.

[33] Tamże, s. 357–359.

[34] Tamże, s. 389.

[35] R. B. Fisher, *Joseph Lister*, dz. cyt., s. 145.

[36] Tamże, s. 142–143.

[37] Cyt. za: R. J. Godlee, *Lord Lister*, dz. cyt., s. 189.

[38] Tamże.

[39] Tamże, s. 196–197.

[40] Tamże, s. 198.

[41] J. Lister, *On a New Method of Treating Compound Fracture*, dz. cyt., s. 327.

[42] M. Worboys, *Joseph Lister and the Performance of Antiseptic Surgery*, „Notes and Records of the Royal Society of London", 67, nr 3 (2013), s. 199–209.

[43] J. Lister, *Illustrations of the Antiseptic System of Treatment in Surgery*, „The Lancet", 30 listopada 1867, s. 668.

9. Burza

[1] J. B. Bouillaud, *Essai sur la philosophie médicale et sur les généralités de la clinique médicale*, Paris 1836, s. 215; przekład cyt. w: A. F. La Berge, *Debate as Scientific Practice in Nineteenth-Century Paris. The Controversy over the Microscope*, „Perspectives on Science", 12, nr 4 (2004), s. 424.

[2] J. Paget, *The Morton Lecture on Cancer and Cancerous Diseases*, „British Medical Journal", 19 listopada 1887, s. 1094.

[3] L. G. Thurston, *Life and Times of Mrs. G. Thurston*, Ann Arbor 1882, s. 168–172; cyt. za: W. S. Middleton, *Early Medical Experiences in Hawaii*, „Bulletin of the History of Medicine", 45, nr 5 (1971), s. 458.

[4] Cyt. za: R. J. Godlee, *Lord Lister*, London 1918, s. 213.

[5] Tamże.

[6] Tamże.

[7] Tamże.

[8] Tamże.

[9] J. Lister, *On Recent Improvements in the Details of Antiseptic Surgery*, „The Lancet", 13 marca 1875, s. 366. To nie jest opis operacji Isabelli,

lecz innego zabiegu przeprowadzonego przez Listera. Można bezpiecznie założyć, że w przypadku swojej siostry zastosował podobne procedury.

[10] H. C. Cameron, *Reminiscences of Lister and of His Work in the Wards of the Glasgow Royal Infirmary, 1860–1869*, Glasgow 1927, s. 32.

[11] Cyt. za: R. J. Godlee, *Lord Lister*, dz. cyt., s. 213.

[12] J. Lister, *On the Antiseptic Principle in the Practice of Surgery*, „British Medical Journal", 21 września 1867, s. 246–248.

[13] J. Syme, *On the Treatment of Incised Wounds with a View to Union by the First Intention*, „The Lancet", 6 lipca 1867, s. 5–6.

[14] J. G. Wakley, *The Surgical Use of Carbolic Acid*, „The Lancet", 24 sierpnia 1867, s. 234.

[15] Cyt. za: R. J. Godlee, *Lord Lister*, dz. cyt., s. 201–202.

[16] J. G. Wakley, *Carbolic Acid*, „The Lancet", 28 września 1867, s. 410.

[17] Cyt. za: R. B. Fisher, *Joseph Lister, 1827–1912*, London 1977, s. 152.

[18] Tamże, s. 151.

[19] J. Lister, *On the Use of Carbolic Acid*, „The Lancet", 5 października 1867, s. 444.

[20] R. B. Fisher, *Joseph Lister*, dz. cyt., s. 151.

[21] Cyt. za: R. J. Godlee, *Lord Lister*, dz. cyt., s. 206.

[22] Joseph Lister, *Carbolic Acid*, „The Lancet", 19 października 1867, s. 502.

[23] Tamże.

[24] J. Y. Simpson, *Carbolic Acid and Its Compounds in Surgery*, „The Lancet", 2 listopada 1867, s. 548–549.

[25] J. Lister, *Carbolic Acid*, „The Lancet", 9 listopada 1867, s. 595.

[26] W. Pirrie, *On the Use of Carbolic Acid in Burns*, „The Lancet", 9 listopada 1867, s. 575.

[27] Cyt. za: R. J. Godlee, *Lord Lister*, dz. cyt., s. 205.

[28] F. W. Ricketts, *On the Use of Carbolic Acid*, „The Lancet", 16 listopada 1867, s. 614.

[29] J. Morton, *Carbolic Acid. Its Therapeutic Position, with Special Reference to Its Use in Severe Surgical Cases*, „The Lancet", 5 lutego 1870, s. 188.

[30] Tenże, *Carbolic Acid. Its Therapeutic Position, with Special Reference to Its Use in Severe Surgical Cases*, „The Lancet", 29 stycznia 1870, s. 155.

[31] J. Lister, *An Address on the Antiseptic System of Treatment in Surgery, Delivered Before the Medico-chirurgical Society of Glasgow*, „British Medical Journal" 1868, s. 53–56, 101–102, 461–463, 515–517; J. Lister, *Remarks on the Antiseptic System of Treatment in Surgery*, „British Medical Journal", 3 kwietnia 1869, s. 301–304.

[32] J. Morton, *Carbolic Acid*, dz. cyt., s. 155.

[33] J. G. Wakley, *Antiseptic Surgery*, „The Lancet", 29 października 1870, s. 613.

[34] *The Use of Carbolic Acid*, „The Lancet", 14 listopada 1868, s. 634.

[35] „The Lancet", 5 grudnia 1868, s. 728.

[36] *Carbolic Acid Treatment of Suppurating and Sloughing Wounds and Sores*, „The Lancet", 12 grudnia 1868, s. 762.

[37] J. L. Gaw, „*Time to Heal*". *The Diffusion of Listerism in Victorian Britain*, Philadelphia 1999, s. 38–39.

[38] J. Paget, *Clinical Lecture on the Treatment of Fractures of the Leg*, „The Lancet", 6 marca 1869, s. 317.

[39] *Compound Comminuted Fracture of the Femur Without a Trace of Suppuration*, „The Lancet", 5 września 1868, s. 324.

10. Szklany ogród

[1] J. Locke, *Rozważania dotyczące rozumu ludzkiego*, t. 1, tłum. B. J. Gawecki, Warszawa 1955, s. 4.

[2] Relacja Annandale'a została przytoczona w: R. Paterson, *Memorials of the Life of James Syme*, Edinburgh 1874, s. 304–305.

[3] *Professor Syme*, „The Lancet", 10 kwietnia 1869, s. 506.

[4] *Professor Syme*, „The Lancet", 17 kwietnia 1869, s. 541.

[5] R. B. Fisher, *Joseph Lister, 1827–1912*, London 1977, s. 167; R. J. Godlee, *Lord Lister*, London 1918, s. 241.

[6] Cyt. za: R. J. Godlee, *Lord Lister*, dz. cyt., s. 242.

[7] Tamże.

[8] *The Appointment of Mr. Lister*, „The Lancet", 21 sierpnia 1869, s. 277.

⁹ J. L. Gaw, „Time to Heal". The Diffusion of Listerism in Victorian Britain, Philadelphia 1999, s. 42.

¹⁰ R. B. Fisher, Joseph Lister, dz. cyt., s. 165.

¹¹ D. C. Black, Mr. Nunneley and the Antiseptic Treatment (Carbolic Acid), „British Medical Journal", 4 września 1869, s. 281; cyt. za: J. L. Gaw, „Time to Heal", dz. cyt., s. 46.

¹² Tenże, Antiseptic Treatment, „The Lancet", 9 października 1869, s. 524–525.

¹³ J. Lister, Glasgow Infirmary and the Antiseptic Treatment, „The Lancet", 5 lutego 1870, s. 211.

¹⁴ Tenże, On the Effects of the Antiseptic System of Treatment upon the Salubrity of a Surgical Hospital, „The Lancet", 1 stycznia 1870, s. 4.

¹⁵ J. Lister, Glasgow Infirmary, dz. cyt., s. 211.

¹⁶ H. Lamond, Professor Lister and the Glasgow Infirmary, „The Lancet", 29 stycznia 1870, s. 175.

¹⁷ T. Nunneley, Address in Surgery, „British Medical Journal", 7 sierpnia 1869, s. 152, 155–156.

¹⁸ J. Lister, Mr. Nunneley and the Antiseptic Treatment, „British Medical Journal", 28 sierpnia 1869, s. 256–257.

¹⁹ Joseph Jackson Lister do Josepha Listera, 6 czerwca 1869, MS 6965/67, Wellcome Library.

²⁰ Arthur Lister do Josepha Listera, 19 października 1869, MS 6966/33, Wellcome Library.

²¹ Cyt. za: R. J. Godlee, Lord Lister, dz. cyt., s. 244.

²² J. Lister, Introductory Lecture Delivered in the University of Edinburgh, 8 listopada 1869, Edinburgh 1869, s. 4.

²³ Mr Syme, „The Lancet", 2 lipca 1870, s. 22.

²⁴ James Syme, F.R.S.E., D.C.L., Etc., „British Medical Journal", 2 lipca 1870, s. 25.

²⁵ H. C. Cameron, Joseph Lister. The Friend of Man, London 1948, s. 100.

²⁶ F. Le M. Grasett, Reminiscences of 'the Chief', w: Joseph, Baron Lister. Centenary Volume, 1827–1927, ed. A. L. Turner, Edinburgh 1927, s. 109.

²⁷ W. W. Cheyne, Lister and His Achievement, London 1925, s. 24.

[28] Tamże.

[29] Cyt. za: M. A. Crowther, M. W. Dupree, *Medical Lives in the Age of Surgical Revolution*, Cambridge 2007, s. 102.

[30] M. Goldman, *Lister Ward*, Bristol 1987, s. 61, 62.

[31] Tamże, s. 70.

[32] M. Worboys, *Joseph Lister and the Performance of Antiseptic Surgery*, „Notes and Records of the Royal Society of London", 67, nr 3 (2013), s. 206.

[33] Zob.: J. Lister, *Observations on Ligature of Arteries on the Antiseptic System*, „The Lancet", 3 kwietnia 1869, s. 451–455. Zob. też: T. Gibson, *Evolution of Catgut Ligatures. The Endeavours and Success of Joseph Lister and William Macewen*, „British Journal of Surgery", 77 (1990), s. 824–825.

[34] R. J. Godlee, *Lord Lister*, dz. cyt., s. 231.

[35] *Professor Lister's Latest Observations*, „The Lancet", 10 kwietnia 1869, s. 503.

[36] Lister's Commonplace Books, MS0021/4/4 (9), Royal College of Surgeons of England.

[37] J. E. Erichsen, *On Hospitalism and the Causes of Death After Operations*, London 1874, s. 98.

[38] J. Lister, *A Method of Antiseptic Treatment Applicable to Wounded Soldiers in the Present War*, „British Medical Journal", 3 września 1870, s. 243–244.

[39] Tenże, *Further Evidence Regarding the Effects of the Antiseptic System of Treatment upon the Salubrity of a Surgical Hospital*, „The Lancet", 27 sierpnia 1870, s. 287–288.

[40] Zob.: P. Stanley, *For Fear of Pain. British Surgery, 1790–1850*, New York 2002, s. 89.

[41] T. Keith, *Antiseptic Treatment*, „The Lancet", 9 października 1869, s. 336.

[42] E. R. Bickersteth, *Remarks on the Antiseptic Treatment of Wounds*, „The Lancet", 29 maja 1869, s. 743.

[43] J. G. Wakley, *Hospitalism and the Antiseptic System*, „The Lancet", 15 stycznia 1870, s. 91.

[44] Relacja zaczerpnięta z: J. R. Leeson, *Lister as I Knew Him*, New York 1927, s. 21–24.

11. Ropień królowej

[1] O. Goldsmith, *The Deserted Village, A Poem*, London 1770, s. 10 (wersy 179–180).

[2] *Journal Entry. Tuesday 29th August 1871*, „Queen Victoria's Journals", 60, s. 221, http://www.queenvictoriasjournals.org/home.do [dostęp 30.11.2017].

[3] J. Hutchinson, *Dust and Disease*, „British Medical Journal", 29 stycznia 1879, s. 118–119.

[4] H. C. Cameron, *Joseph Lister. The Friend of Man*, London 1948, s. 88.

[5] *Journal Entry. Monday 4th September 1871*, „Queen Victoria's Journals", 60, s. 224, http://www.queenvictoriasjournals.org/home.do [dostęp 30.11.2017].

[6] Cyt. za: R. J. Godlee, *Lord Lister*, London 1918, s. 305.

[7] Lister twierdził później, że gumowej rurki do drenażu po raz pierwszy użył u królowej Wiktorii. W jednym z jego listów do ojca znajduje się jednak dowód na to, że stosował takie rozwiązanie już w 1869 roku, dwa lata przed zoperowaniem królowej. Możliwe, że miał na myśli to, że wtedy po raz pierwszy użył gumowej rurki do drenowania ropnia – Joseph Jackson Lister do Josepha Listera, 27 stycznia 1869, MS 6965/63, Wellcome Library; zob. też: Lord Lister, *Remarks on Some Points in the History of Antiseptic Surgery*, „The Lancet", 27 czerwca 1908, s. 1815.

[8] Cyt. za: R. B. Fisher, *Joseph Lister, 1827–1912*, London 1977, s. 194.

[9] F. N. L. Pointer, *The Contemporary Scientific Background of Lister's Achievement*, „British Journal of Surgery", 54 (1967), s. 412.

[10] Cyt. za: H. C. Cameron, *Joseph Lister*, dz. cyt., s. 105.

[11] Na przykład w 1871 roku wygłosił wykład dla Brytyjskiego Towarzystwa Medycznego w Plymouth.

[12] J. G. Wakley, *A Mirror of the Practice of Medicine and Surgery in the Hospitals in London*, „The Lancet", 14 stycznia 1871, s. 47–48.

[13] H. C. Cameron, *Joseph Lister*, dz. cyt., s. 99.

[14] Flaneur, *Antiseptic Surgery*, „The Lancet", 5 stycznia 1878, s. 36.

[15] H. C. Cameron, *Joseph Lister*, dz. cyt., s. 110–111.

[16] Cyt. za: R. B. Fisher, *Joseph Lister*, dz. cyt., s. 159.

[17] Cyt.: tamże.

[18] Jeśli chodzi o zrekonstruowanie mało znanej podróży Listera po Ameryce, jestem ogromnie wdzięczna Irze Rutkowowi za artykuł: *Joseph Lister and His 1876 Tour of America*, „Annals of Surgery", 257, nr 6 (2013), s. 1181–1187. Wiele źródeł cytowanych w tej części książki zostało zaczerpniętych z tego doskonałego artykułu.

[19] G. Derby, *Carbolic Acid in Surgery*, „The Boston Medical and Surgical Journal", 31 października 1867, s. 273.

[20] Tamże, s. 272. Nie wiadomo, dlaczego Derby błędnie zapisał nazwisko Listera.

[21] R. Lincoln, *Cases of Compound Fracture at the Massachusetts General Hospital Service of G. H. Gay, M.D.*, „The Boston Medical and Surgical Journal", 1, nr 10 (1868), s. 146.

[22] Cyt. za: J. Ashhurst (ed.), *Transactions of the International Medical Congress of Philadelphia, 1876*, Philadelphia 1877, s. 1028.

[23] Tamże, s. 532.

[24] Tamże.

[25] Tamże, s. 517, 538.

[26] G. Shrady, *The New York Hospital*, „Medical Record", 13 (1878), s. 113.

[27] Cyt. za: J. Ashhurst (ed.), *Transactions*, dz. cyt., s. 42.

[28] E. H. Clarke i in., *A Century of American Medicine, 1776–1876*, Philadelphia 1876, s. 213.

[29] R. B. Fisher, *Joseph Lister*, dz. cyt., s. 223.

[30] Cyt. za: J. M. Edmonson, *American Surgical Instruments. The History of Their Manufacture and a Directory of Instrument Makers to 1900*, San Francisco 1997, s. 71.

[31] J. Lister, *The Antiseptic Method of Dressing Open Wounds*, „Medical Record", 11 (1876), s. 695–696.

[32] Niektórzy historycy twierdzili, że wykład Listera zarejestrowano na żywo za pomocą fonografu, ale fonograf został wynaleziony dopiero w następnym roku.

[33] H. J. Bigelow, *Two Lectures on the Modern Art of Promoting the Repair of Tissue*, „The Boston Medical and Surgical Journal", 5 czerwca 1879, s. 769–770.

[34] G. T. Wrench, *Lord Lister. His Life and Work*, London 1913, s. 267–270.

[35] J. G. Wakley, *Professor Lister*, „The Lancet", 10 marca 1877, s. 361.

[36] Cyt. za: R. B. Fisher, *Joseph Lister*, dz. cyt., s. 230.

Epilog. Uniesienie ciemnej zasłony

[1] R. Selzer, *Letters to a Young Doctor*, New York 1982, s. 51.

[2] Pasteur do Listera, 3 stycznia 1889, MS 6970/13 (po francusku), Wellcome Library.

[3] S. B. Nuland, *Doctors. The Biography of Medicine*, New York 1989, s. 380.

[4] Cyt. za: R. B. Fisher, *Joseph Lister, 1827–1912*, London 1977, s. 294.

[5] L. Morgenstern, *Gargling with Lister*, „Journal of the American College of Surgeons", 204 (2007), s. 495–497.

[6] G. T. Wrench, *Lord Lister. His Life and Work*, London 1913, s. 137.

[7] Ówczesne kopie testamentu i kodycylu, MS 6979/18/1-2, Wellcome Library; również w: R. K. Aspin, *Illustrations from the Wellcome Institute Library, Seeking Lister in the Wellcome Collections*, „Medical History", 41 (1997), s. 86–93.

[8] T. Schlich, *Farmer to Industrialist. Lister's Antisepsis and the Making of Modern Surgery in Germany*, „Notes and Records of the Royal Society", 67 (2013), s. 245.

[9] M. Worboys, *Spreading Germs. Disease Theories and Medical Practice in Britain, 1865–1900*, Cambridge 2000, s. 24.

[10] R. H. Murray, *Science and Scientists in the Nineteenth Century*, London 1925, s. 262.

Spis treści

E-book dostępny na

woblink.com